Tiempo de narrar

cuentos centroamericanos

COLECCIÓN
Mar de tinta
letras centroamericanas

Tiempo de narrar
cuentos centroamericanos

863.9728
T562   Tiempo de narrar cuentos centroamericanos
        / Francisco Alejandro Méndez   comp. —
        Guatemala: Piedra Santa, 2007.

        312 p. ; 21 cm. —(Colección Mar de Tinta)

        1. LITERATURA CENTROAMERICANA
        2. CUENTOS CENTROAMERICANOS
        I. t.

Primera edición: 2007
primera reimpresión: 2008

Diseño e ilustración
de portada:
Alejandro Azurdia

Diseño de interiores:
IDEART

Diagramación:
Julio Serrano Echeverría

Corrección de texto:
Julio Serrano Echeverría
Erwin Soto

Edición a cargo de:
Michelle Juárez

© 2007 Editorial Piedra Santa
        para la presente edición

37 avenida 1-26 zona 7
Tels. (502) 2422 7676
editorial@piedrasanta.com
Guatemala, Guatemala, C. A.

Distribuidora salvadoreña
Avenida Olímpica # 3428
entre 65 y 67 avenida Sur
Tels. (503) 2223 5502 - 2223 4440
Fax: 223 6564
elsalvador@piedrasanta.com
San Salvador, El Salvador, C.A.

www.piedrasanta.com

ISBN: 978-99922-1-204-2

©Erick Aguirre: *Como en la guerra;* Dorelia Barahona: *La señorita Florencia;* Melitón Barba: *Puta vieja;* Horacio Castellanos Moya: *El pozo en el pecho ;* Roberto Castillo: *La biblioteca entre los árboles;* Galel Cárdenas: *El sapo y sus maravillas ;* Leonel Delgado Aburto: *Aquelarre;* Julio Escoto: *Nidia al atardecer;* Jacinta Escudos: *El espacio de las cosas;* Lorena Flores: *Solitario doble;* Franz Galich: *Santíos Pérez ;* Claudia Hernández: *La mía era una puerta fácil ;* Míldred Hernández: *Paranoica* city; Enrique Jaramillo Levi: *Su secreto;* Francisco Alejandro Méndez: *Míster Winston ;* Rafael Menjívar Ochoa: *El cubano;* Javier Mosquera: *El domingo hay que consagrarlo al Señor;* Sergio Muñoz: *La traición ;* Víctor Muñoz: *La segunda resignación;* Alexánder Obando: *caída libre;* Mauricio Orellana: *Bitácora: insomnio;* Carlos Paniagua: *La muñeca ;* Estuardo Prado: *La conciencia ;* Marta Susana Prieto: *Animalario ;* Uriel Quesada: *Lejos, tan lejos ;* Sergio Ramírez: *Aparición en la fábrica de ladrillos;* Rodrigo Rey Rosa: *La prueba;* Gloria Melania Rodríguez: *Después de tanta lengua;* David Nicolás Ruiz Puga: *La señal;* Eunice Shade: *Obituario para Rizú ;* Rodrigo Soto: *Reunión;* Rocío Tabora: *Toque de queda ;* Consuelo Tomás: *Todas las mujeres, la misma ;* Nicasio Urbina: *El corsario ;* Beatriz Valdés: *La estrategia del escorpión.*

Como en la guerra

Erick Aguirre
Nicaragua

—Estoy en el rincón de una cantina, oyendo la canción que yo pedií... Me están trayendo ahorita mi tequilaa, y va mi pensamiento rumbo a tiii...

La voz arrastrada del compañero Roy Pineda, fingiendo estar borracho en medio de la calle, en plena madrugada, era la señal convenida para que Carlos pidiera permiso a los guardias de la cárcel de Alajuela, y lo dejaran ir al sanitario que estaba afuera de su celda. La señal también quería decir que los dos vehículos en que viajaban los miembros del comando que venía a rescatarlo, ya estaban listos al otro lado de la acera.

Del primer carro bajaron Plutarco y El Corso, cuyo inconfundible acento costarricense era sin duda el adecuado para aquella etapa de la operación. Entraron al cuartel sujetando de los brazos a Rufo, con aspavientos de ticos envalentonados, diciendo que habían agarrado a un nica ladrón intentando robar en una residencia de aquel barrio distinguido de Alajuela.

¡Llame a su superior, machillo! ¿Que no ve que este señor es un delincuente? ¡Abra la puerta, huevón!

El gendarme se mostró primero un poco sorprendido, pero luego pareció recobrar la lucidez suficiente como para entender que aquella escena, después de todo, en el cuartel de Alajuela era un asunto común. Sin sospechar nada fue a consultar rápidamente con su superior y a los pocos minutos volvió con el manojo de llaves y les abrió la puerta. Había un total de nueve guardias en el cuartel. Cinco en la sala de guardia y el resto dispersos por el patio y los corrillos de las celdas. Una vez adentro, Plutarco y El Corso soltaron al falso ladrón, quien desenfundó una Remington calibre 45 mientras Humberto entraba bruscamente con una Thompson del mismo calibre, amenazando a los guardias.

—¡Frente Sandinista, todo el mundo quieto!

Por unos segundos, los guardias quedaron estupefactos, pero pronto se repusieron de la sorpresa y en un arrebato de imprudencia, aún con la ametralladora apuntándoles de frente, desenfundaron sus armas. Quizás el hecho de saber que eran sandinistas quienes efectuaban el asalto, los hizo confiarse y suponer que no dispararían o no matarían a nadie por gusto. Pero su gesto fue temerario. Al desenfundar un arma cuando alguien te apunta con otra, a ese alguien, si sabe lo que está haciendo, no le queda más remedio que abrir fuego. Y eso fue lo que hizo Humberto, pero hasta que los guardias ya habían empezado a dispararle.

La batalla, en la que ambos bandos combatían casi a quemarropa, duró unos diez minutos. Diez minutos que a Humberto le parecieron eternos. Maldita sea, carajo. El plan empezaba a fallar. Los otros miembros del comando que esperaban afuera huyeron en uno de los carros cuando escucharon los tiros. Pero Germán y el compa Roque bajaron del otro vehículo y empezaron a disparar dentro del cuartel. Eso ayudó a consumar una retirada desordenada y sangrienta, de la cual, pese a todo, saldrían vivos.

Roque, Germán y El Corso se escabulleron por la ciudad hasta encontrar refugio en una casa de seguridad. Rufo quedó tendido en un charco de sangre, junto a una banca del parque frente al cuartel, donde fue capturado. Carlos y Plutarco cargaron con Humberto, herido gravemente en el pecho y los antebrazos, y huyeron en el único auto que los esperaba al otro lado de la acera.

Ahí empezó una persecución espectacular que duró algunas horas. La guardia civil costarricense había sido alertada y el vehículo en que huían era buscado por toda la ciudad y sus alrededores. Mientras Humberto se desangraba en el asiento posterior, Carlos daba instrucciones a Plutarco para que enderezara el curso del auto hacia la ciudad de Heredia, donde al llegar fueron interceptados por cinco patrullas policiales que intentaron cerrarles el paso. Los sandinistas atravesaron el cerco bajo una lluvia de balas y continuaron su loca huída rumbo a San José, donde menos posibilidades tenían de escabullirse. Entonces decidieron desviarse hacia el pueblo de Llorente, donde decenas de patrullas los esperaban apostados a lo ancho de la carretera. No hubo más remedio que entregarse y exigir atención médica para el compañero. Pero Humberto ya no podía escuchar nada. Sólo trataba de recordar lo que había sucedido, mientras se desangraba dentro del auto.

—Yo sé que tu recuerdo es mi desgraciaa... y ahorita ya ni sé si tengo fee...

Recuerda la voz de Roy Pineda que indicaba la señal. Recuerda los dos autos frenando cerca de la puerta del cuartel. Baja un compañero, después otros dos, y entran a la cárcel. Después entra él metralleta en mano y los guardias retroceden y disparan. El primer compañero (él mismo) cae herido y pierde los anteojos. El otro (Rufo) también es herido pero sigue disparando. Después entra otro (Germán) abriendo fuego. Un guardia está tendido muerto en medio de la sala, y los demás gendarmes se retiran hacia el patio y desde allí continúan combatiendo.

Carlos ya está afuera y detrás de él vienen las balas. En la acera de enfrente ya sólo está un auto esperando.

Sus compañeros lo arrastran hasta la portezuela abierta y lo tienden sobre el asiento. El más joven de ellos (Rufo) cruza la calle tambaleante y se dirige al parque. Intenta correr y va dejando un rastro rojo y húmedo sobre la acera. También recuerda la huída por la carretera, la velocidad, la línea amarilla del asfalto y el olor a hierba humedecida por el rocío de la madrugada en los márgenes de la carretera. Recuerda a Carlos dando órdenes a Plutarco. Recuerda también los tiros rebotando contra la carrocería del carro, el tableteo de las ametralladoras y el silbido lejano de las sirenas. Ve a Carlos y a Plutarco que bajan del auto con los brazos en alto. Contempla sus propios brazos, sangrantes e inútiles, y recuerda el verso del poeta: *"Tenemos que cambiar nuestro país, con sólo nuestras manos..."*. También ve la Thompson tirada en el piso del auto, pero ahora sólo piensa que perdió los anteojos.

La señorita Florencia

Dorelia Barahona
Costa Rica

La señorita Florencia, personalidad y figura pública del país durante los últimos diez años, entró muy digna a morirse en el Hospital Testigos del Reino de Dios. Bella y alta, con su gran cabellera rubia, exigió total privacidad y respeto a sus creencias.

La gran pitonisa, como le llamaban, no quiso someterse a ningún examen, operación o droga que le prolongara la vida unos días más. No, había decidido que quería morirse un lunes, sin ser tocada por médicos y, mucho menos, desnuda. ¿Qué podían hacerle esos hombrecillos vestidos de blanco, si todos a lo largo de su carrera habían desfilado por su consulta para que ella, la gran psíquica, les dirigiera su vida? No y no. Se negó rotundamente a ser desvestida, rasurada y rajada por los bisturíes. "A mí que me lleve Dios completita al cielo". Por lo tanto, desde el director del hospital hasta los asistentes, tuvieron que conformarse con verla hacer lo que le diera la gana. Total, se iba a morir cualquier día; el cáncer de garganta de seguro le llegaba ya a los senos (cosa que tampoco quiso que le vieran, porque juraba ante Dios que nadie se los había visto y pensaba seguir igual hasta la sublime elevación final). Así que daba lo mismo el hecho de que tomara por toda medicina sus frasquitos azules, bebedizos hechos con plantas maceradas de Brasil y Colombia.

La señorita Florencia se convirtió de un día para otro en la guía espiritual, primero de su sala, del departamento y luego de todo el hospital. Era tan reconfortante tenerla allí en el momento justo. Para aliviar el dolor, para olvidar las penas. Magnánima, sonriente, tenía tiempo para todos.

Caminaba despacio, ataviada con sus vestidos de futuróloga por debajo de la bata amarilla que, eso sí, le había exigido el director que se pusiera.

No había dejado de maquillarse un solo día: sobre los párpados, las rayas negras le llegaban casi a la sien, eran su sello, como lo era también el abundante pelo amarillo, envidia de todas las enfermeras. Unas la comparaban con una santa, otras con Marilyn Monroe. Acharita que se va a morir. ¡Es tan buena!

Todas se desvivían por ella, llevándole tecitos a las horas prohibidas, jugándose el empleo al meterse entre las faldas latas de melocotones o paquetes de cigarrillos mentolados. Porque eso sí tenía la señorita Florencia, era una gran fumadora.

Por las noches abría la puerta de su habitación a todo aquel que quisiera jugar a las cartas: ron, póquer, veintiuno, canasta, lo que fuera.

Había mandado traer de su casa la mesa de trabajo, colocándola junto a la ventana con el mazo de cartas en el lugar que antes ocupaba la esfera de cristal sueco, regalo de un alemán cliente suyo, pago de un favor, como llamaba misteriosamente a sus trabajitos especiales contra el mal de ojo, fuera por amor o por envidia. Hasta la madrugada se escuchaban las carcajadas de los enfermos, médicos y enfermeras enfiebrados en el juego. En esa habitación, la número treinta y tres, escogida cuidadosamente por la señorita Florencia, ya que tenía mucha fe en ese número, jamás la gente volvió a reírse tanto. De hecho ahora ya no es habitación, la remodelaron para soda, colgando un retrato de la dama sobre el mostrador. Pero, incluso así, las risas no son las mismas.

Y es que la señorita Florencia fue todo un personaje. Había sido modelo de revista y luego maestra de escuela, antes de descubrir "su verdadera vocación". A quienes con más agrado contaba cómo había sido el descubrimiento de su "verdadera vocación", era a los tres enfermos de sida: pese a las órdenes de los médicos, se escapaba para ir hasta aquella habitación prohibida, una o dos veces por semana, a contarles historias y darles masajitos en la espalda. Realmente era una santa.

Fumando sentada sobre la cama, con los ojos entornados como en el más allá, contaba cómo un verano en playas de Tamarindo se le apareció la imagen de la Virgen de los Ángeles: "...era de noche y sobre la superficie del mar la vi vestida de blanco, con su pelo fino como la espuma. Ella me comunicó el mensaje. Después me desmayé y me encontraron al día siguiente tirada en la playa. Desde aquel día fui otra".

Al final del testimonio todos los enfermos suspiraban y se convertían.

Las noches que no jugaba al póquer tenía la costumbre de bajar hasta el sótano, donde se encontraba la morgue. Esto lo descubrieron tiempo después, ya que había dejado señales de labios en la boca de más de un muerto, y trazado, con aceites olorosos, cruces en la frente de la mayoría. Quería ayudar a todos orientándolos en su camino hacia la casa del Señor.

El director del hospital sí que no se lo perdonó. Cerró las puertas de la morgue con llavín de seguridad y puso un guardia en la entrada. Le dijo que si no se daba cuenta que podía contagiar de pestes a los demás enfermos, luego le gritó loca, necrofílica y desvirolada.

Todos, incluyendo los porteros, le quitaron el saludo al director desde ese día. Gracias a esto, y a otros motivos que no vale la pena mencionar aquí, a los seis meses renunció.

Era tan buena la señorita Florencia que hasta a la CCSS le hacía sus trabajitos: los sábados les vaticinaba el número de emergencias que iban a tener durante la semana e incluso llegó a vaticinar "el triple choque de mayo", como lo llamaron los periódicos, con el número exacto de víctimas. Desde ese día, todo el personal de emergencias esperaba con ansias sus predicciones, antes de preparar las salas y repartirse los turnos de trabajo.

Lástima que durara tan poco, tan solo estuvo interna tres meses, pero su recuerdo aún vive en la mayoría de los costarricenses y en especial en la gente que vivió durante todo ese tiempo en el hospital, y más aún, en aquellas niñas que nacieron durante meses. Todas, sin excepción, se llaman Florencia.

Una de las cosas que más nos maravilló, aparte de su gran capacidad como psíquica y de amor por los demás, era su increíble suerte. Si no ganaba en el póquer, era porque se dejaba ganar, lo mismo que en los otros juegos. ¡Y cómo iba a ser de otra manera, si todo lo adivinaba! Los primeros en descubrir su truco fueron los médicos de ginecología, que eran los más perspicaces, al contrario de lo que se creía. Empezaron a observar que los ojos se le achinaban y se le formaba una sonrisa quieta; a partir de ese momento, la suerte cambiaba y era ella la única que perdía. Fueron muchos los que apostaron fuerte en el momento en que supuestamente se "achinaba" pero jamás ganaron a no ser dejándose llevar por el ritmo natural de la partida. Era imposible competir con ella.

Otro de sus pasatiempos fue el comprar lotería, pedacitos sueltos que nadie cambió. El día de su muerte tenía en la cartera sesenta y cinco premios de diez mil colones (tres de los cuales habían ya expirado) y el premio mayor de la lotería instantánea en la mano, cien mil pesos que fueron donados al Hospital de Niños, según las indicaciones que había dejado en el reverso del billete.

Nadie entendió cómo no se quejaba, ya que los médicos decían que esa era una de las agonías más dolorosas; ni siquiera tomaba calmantes, sólo sus frasquitos azules. Tampoco bajó de peso y mucho menos se demacró. Murió como había querido: digna e intacta. Incluso el último día se bañó sola, vistiéndose y peinándose como siempre, aumentando el volumen del pelo en la parte superior de la cabeza con crepé, práctica en la que empleaba veinte minutos con los brazos levantados. ¡Sólo Dios sabe de dónde sacó fuerzas para ello!

Florencia Carrillo López falleció un lunes a las diez de la mañana, rodeada de aquellos que tuvieron la suerte de entrar en la habitación. Todos hubieran querido estar allí, todos menos los dos sacerdotes que trabajaban en la capilla y que se habían dado a la tarea de resaltar lo impía y demoníaca que resultaba su presencia. Era un anticristo en forma de mujer que quebrantaba la moral de pacientes y empleados, fomentando un culto pagano que favorecía los encuentros ilícitos entre hombre y mujer, fueran gonorréicos, mancos o estériles.

Vestida con su túnica morada, expiró dulcemente, teniendo el rosario de los monjes israelitas en su mano derecha y el billete de la lotería en la izquierda. No hubo quien no se emocionara ante semejante fin de ópera. Las mujeres cantaban y lloraban, los hombres, frenéticos, aplaudían mientras susurraban oraciones.

La fila se formó espontáneamente, todos querían darle un beso en la mano, tocarla la última vez, untarse de su santidad en la frente y las manos. Hasta el director hizo fila. Implorando su perdón se arrodilló a sus pies.

Las enfermeras compraron lazos negros y el hospital se llenó de coronas florales. Una banda fúnebre tocaba por los pasillos en el momento en que el comité encargado de prepararla para su último viaje entraba en la habitación. Llevaban un hermoso vestido blanco, como corresponde a una señorita, y un velo de tul celeste, como tendría de seguro la Virgen de Los Ángeles.

Entraron en silencio, para no molestarla. Una mujer como la señorita Florencia nunca muere, con sus poderes de santa oye y bendice. "¡Vida eterna para la señorita Florencia!", dijo al entrar la más vieja, y las demás contestaron "así sea" y "así sea" respondieron todos en el pasillo.

El milagro sucedió cuando le quitaron la sábana y un rayo de luz extraordinariamente luminoso le dio en la cara. Todas se santiguaron, pensando que serían las únicas en verla desnuda. Era tan bella, tan grande, que no pudieron evitar quedarse unos minutos contemplándola antes de quitarle el vestido, lleno de estampitas de la Virgen del Socorro y del Corazón de Jesús, sujetas con gasillas y alfileres.

Las primeras en ver el milagro fueron las dos enfermeras que estaban en la parte inferior de la cama subiéndole la falda. Atónitas, contemplaron unas piernas robustas, unas caderas estrechas coronadas por un impresionante montículo.

Después imitaron el gesto las enfermeras que, en la cabecera de la cama, le sujetaban los brazos para que le pasara el vestido, al contemplar, debajo de un sujetador con relleno, un torso ancho y plano, liso como el de un muchacho.

"¡Dios bendiga a la señorita Florencia, se ha convertido en Jesús!", gritó la enfermera más joven. Las demás se miraron incrédulas durante un segundo y rápidamente le pusieron la mortaja.

Puta vieja
Melitón Barba
El Salvador

Así era mi cuerpo, como el de la Margot, la cipota esa que está acusada de guerrillera. Claro, han pasado tantísimos años que ahora con mi cara cruzada de arrugas, la boca sin dientes y los pilguajos de chiches que me quedan, nadie podría reconocerme. Pero era bonita, aunque se rían.

Cuando lo conocí acababa de llegar al *Over the top*, un burdel que quedaba en Soyapango y donde había otras quince muchachas, todas lindas, porque el *Over* era de lujo, sólo lo frecuentaban señores de carro y por la salida de una había que pagar quince colones. En ninguna otra parte cobraban tanto.

Él vivía en una de las casitas de madera que quedaban a la orilla de la cuestona que sube para Soyapango. Lo veía con su uniforme del Instituto Nacional, siempre bien limpio, con los cuadernos apretados debajo del sobaco y su quepis de lado, con la hebilla del cincho bien lustrada; caminaba la cuestona del Agua Caliente para tomar el bus en La Garita, aunque muchas veces se iba a pie, porque no tenía los cinco de la camioneta.

Al principio me miraba con desconfianza porque yo iba bien pintarrajeada, las cejas recortadas y los montones de rouge en la cara. Quizá por eso decían que a las que se pintan así la cara les rebota de putas. Yo estaba bien cipota, de unos diecisiete. Él era menor. Apenas llevaba una estrellita negra bordada en la manga de la guerrera cuando me dijo que iba a cumplir los trece.

No me miraba, me tragaba con los ojos, y yo que ya era un tigre que caza echado, me burlaba y a propósito usaba unos vestiditos cortitos, o me bajaba a comprar la leche, sin sostenes, caminando la cuestona a la par suya y lo miraba al pobre, todo rojo de vergüenza tratando de cubrirse la bragueta con los libros, porque ya se le había endurado la cuestión. Hasta que comenzamos a hacernos amigos.

Al poco tiempo me regaló una foto y es por esa foto que estoy presa. Era mi chulo. Pero no de esos que le pegan a una y dicen que la protegen. No. Él nunca me pegó. Era mi chulo porque era mi marido, aunque no vivíamos juntos en la misma casa, pues yo siempre anduve en los burdeles, hasta que puse mi propia pieza a orilla de calle, allá por La Tiendona, y entonces se quedaba a dormir conmigo toda la noche, pero sólo los viernes, porque estaba estudiando.

Yo, para qué voy a negarlo, siempre estuve engazada de él. Hasta ahora.

Cuando recién comenzamos nuestro idilio no me quería agarrar los centavos, entonces yo le compraba ropa, buenas camisas italianas de donde Hugo Tona y las mejores zapatillas que había en La Marzenit. Me gustaba que anduviera bien guapo y, aunque salíamos poco, me sentía orgullosa de vestirlo bien tipería. Así fue como se acostumbró a la buena ropa. Hasta la de uniforme se la compraba de una mejor tela, no la rascuache que vendían donde Martínez y Saprisa. Ninguno del Instituto Nacional se vestía tan bien como yo lo vestía a él.

Los viernes me ponía lo mejorcito que tenía, pura angelita parecía, sin pintarme para que no me viera la cara de lo que era, y lo llevaba a comer. Íbamos al restaurante Francés, uno bien elegante que quedaba esquina opuesta a donde Ambrogi y nos íbamos en taxi para que no lo vieran sus amigos. Nunca lo llevé a los restaurantes a donde la llevan a una los clientes, ¡cómo van a creer! Ni al Claros de Luna ni al Mercedes ni siquiera a El Migueleño. Íbamos al Francés, porque además allí había reservados y no me importaba gastar lo que fuera.

Para su bachillerato le regalé un traje entero, de allí mismo, donde Tona, un casimir inglés gris oscuro, que se lo hizo el maestro Huguet de la Sastrería Anatómica. Se miraba elegantísimo con su corbata roja pringada de blanco, y esa noche del título nos fuimos al restaurante y lo hice que se bebiera como seis jaiboles. Cuando llegamos a la pieza iba bien atarantado y pasamos una velada deliciosa haciendo planes para su futuro. Por esa época yo sentía que me quería. Esa noche me regaló otra foto de uniforme, donde estaba en grupo, pero se me perdió. La otra sí, la conservé toda mi vida.

En la universidad se cuidaba más de que no lo vieran conmigo, y yo lo comprendía, claro, porque iba a ser abogado y no era conveniente. A mí no me importaba, yo era feliz con que llegara una vez por semana a traer los centavos para sus gastos y para sus libros. Porque era buen estudiante. No le gustaba tener que prestar libros, por lo que yo hacía el sacrificio para que no le faltaran. Me acuerdo cuando le compré el Código Penal. Me dijo que donde el Choco Albino se encontraban usados, pero yo no permitía eso. Para mi rey siempre debía ser lo mejor y se lo compré nuevo, no importaba que me machucaran más veces la babosada. Al fin y al cabo ya estaba acostumbrada.

Así seguimos hasta que terminó la carrera y lo mandaron a hacer su servicio social a un pueblo, pero nunca me dio el nombre del lugar. Eran tres años que iba a pasar de juez y yo presentía que era la despedida, porque ya no llegaba tan seguido, aunque siempre le tenía su ropita nueva, calcetines de seda, sus buenos zapatos y, en fin, todos sus libros. Porque aquí donde me ven, toda arruinada, me siento orgullosa de haberle comprado todos sus libros.

A su doctoramiento no me invitó, pero es que para entonces yo ya no servía. Ni señas de aquel culito bonito del *Over*. Llevaba como quince años de vida miserable, con tantos desvelos, y los clientes que obligan a tomar, y si una no accede, no salen. Era borracha entonces, pero delante de él lo disimulaba. No tomaba nada, aunque a veces me sentía olor a trago y se molestaba. Se perdía por temporadas y sólo llegaba por necesidad de los centavos. Pobrecito.

En esos tres años lo perdí. No lo volví a ver nunca, por más que hice para buscarlo. Como no permitía que conociera a sus amigos, no tenía a quién preguntarle. Después supe que se casó con una rica de aquel pueblo. A saber. Entonces, de decepción comencé a tomar más seguido y fui perdiendo mi clientela. De aquella puta de cinco pesos que cobraba en mi pieza, fui bajando hasta llegar a tostones. Estaba marchita. Me había adelgazado y tomaba a diario. El único consuelo era su fotografía, que había mandado a ampliar y tenía en un marquito con vidrio y todo. Pensaba que algún día volvería, pero así fueron pasando como veinte años o más. Después ya ni de puta servía, por vieja, flaca y fea. Así puse una mi ventecita de frutas allí mismo, en el mesón, ¡pero qué iba a ganar! Además estaba podrida de la sangre, porque en la sanidad me habían puesto la novecientos catorce varias veces, pero siempre estaba toda llena de chiras.

Entonces vino el pleito, porque la pieza la compartía con la Tencha, una puta no tan vieja que todavía trabajaba con el cuerpo pero era más borracha que el mismo guaro. Estaba necia desde hacía meses queriéndome quebrar la foto y burlándose de mi abogado. Eso a mí no me importaba, pero que no me fuera a tocar la foto, porque se iba a arrepentir. Hasta una noche, en que las dos estábamos pasadas de borrachas, agarró la foto y la tiró contra el suelo, y después la rompió en mil pedacitos. Yo no le dije nada porque tenía miedo, pero cuando estaba dormida le metí a saber cuántas puñaladas y me acosté. Al día siguiente la hallaron bien muerta. Y no me arrepiento, si me volviera a romper la foto, la volvería a coser a puros trabones.

A él, después de veinticinco años, lo volví a ver en el juicio. Estaba lindo. Bien vestido, con un traje gris oscuro como el primero que le regalé. Se veía elegante, como cuando yo lo vestía. Era el fiscal. Es decir, no era él propio, sino su hijo. Eran igualitos. La misma mirada seria, el mismo bigote, su misma boca que tantas veces me comí, ¡y cómo sabía el muchacho! Hizo pedazos al defensor que me habían puesto, y yo, mientras él me insultaba, me decía puta vieja y otras cosas, lo miraba embelesada, no le apartaba la vista, pensaba que era él, mi estudiante, el único amor de mi vida. A veces se turbaba y yo le obsequiaba una sonrisa. Era lindo, tenía la misma voz, los mismos gestos. Cogía el cigarrillo igualito a él, y de malicia echaba bocanadas de coronitas como el papá.

Cuando terminó el juicio llegó a la banca adonde yo estaba y me preguntó que porqué lo veía con tanta ternura, si él estaba pidiendo mi condena. Porque sí, le dije. Porque usted es bien lindo, cómo hubiera querido que fuera mi hijo, y le besé la mano.

Aquí en la cárcel me enseñaron el diario y recorté la foto. Se miraban bien lindos. Él, ya viejón, pero guapo, y él, jovencito, en primera plana. Resonante triunfo de padre e hijo, decía. Magistrado asciende a presidente de la Corte Suprema el mismo día que su hijo obtiene la condena de una asesina. Se miraban bien lindos. Bien lindos.

El pozo en el pecho

Horacio Castellanos Moya
El Salvador

La conocí en el bar del hotel. Yo iba todos los días, de martes a viernes: a las siete y media, luego de salir del bufete, me instalaba en la mesa del rincón, a leer alguna novela, a escribir versos que nunca publicaría o simplemente a pasar el rato. Las meseras me saludaban con respeto, me llamaban "doctor" y me servían el brandy sin siquiera preguntar.

Su primer día de trabajo fue esquiva, huraña; pero luego las otras meseras le deben haber contado que yo era un viejo cliente, de costumbres fijas y humor solitario. Se llamaba Ema; era espigada, de piel trigueña y ojos verdes.

El bar del hotel me gustaba por esto: no había música, ni videos, ni clientes enfadosos que se creen con derecho de intentar plática con uno. Me aflojaba el nudo de la corbata, sorbía mi brandy y pasaba ese par de horas sin pensar en los líos del día.

Yo flirteaba con las meseras por el viejo rito, sin intención, aunque más de alguna me despertara ilusiones; pero con Ema desde un principio fue distinto: tenía algo que imponía distancia, quizás un porte ajeno a su atuendo.

Un día pregunté por sus anteriores trabajos. Otra vez me contó que estaba casada, tenía dos hijos. Quién sabe cuántos días pasaron para que me confesara que cuando adolescente estudió para ser bailarina, luego le dio por el teatro, pero pronto salió embarazada. Al hablar era suave, delicada, casi tímida.

Le regalé versos desde la primera noche, versos sencillos, escritos al calor del brandy desde mi rincón solitario. Al principio mencionaba su forma de deslizarse entre las mesas, casi flotando; en seguida me referí a la dulzura intuida tras la coraza de su indiferencia. Y acabé escribiendo sobre pulsiones extrañas en las cavidades de un corazón curtido.

Semanas después descubrí que ya no iba al bar con el mismo sosiego, que desde media tarde empezaba a pensar en Ema, en lo que le preguntaría, en sus profundos ojos verdes. Para entonces ya le había confesado que yo era un abogado triste, que en mi juventud también quise ser escritor, pero vinieron el matrimonio, los hijos, los compromisos.

La primera vez que la invité a comer ella me miró con algo como desconsuelo. Imposible: durante el día se dedicaba a atender a los niños y su marido llegaba a mediodía a la casa. Riposté, decepcionado, que me gustaría conversar largo y tranquilo con ella; en el bar hablábamos a retazos, sobre todo los jueves y viernes, cuando desde temprano se llenaba de clientes.

A esa altura ya no permanecía en el bar sólo un par de horas, sino que seguía bebiendo brandy hasta casi la medianoche, contemplándola, aunque ella me había advertido que no había manera de que yo la llevara a su casa al final de la jornada, porque viajaba junto a sus compañeras en el busito del hotel. Lo bueno era que, pese a su permanente negativa a reunirse conmigo fuera del bar, Ema aprovechaba cualquier intersticio en su bregar para acercarse a mi mesa: ya sabía que yo vivía solo, divorciado desde hacía un par de años, que mis tres hijos —a punto de entrar a la adolescencia— pasaban con su madre de lunes a viernes, y el fin de semana se quedaban conmigo.

Yo era quince años mayor que ella, un hombre que se había prometido a sí mismo no volverse a involucrar con pecho y entrañas, demasiadas lastimaduras, desgarres; un hombre que prefería la soledad de un acostón eventual al amor que se volvía rutina. Pero ahora Ema —quizás sin proponérselo— había roto mis propósitos, se me había metido quedito, cada vez más, hasta que en un desayuno me descubrí pensando en ella, y en seguida el deseo de posesión empezó a inundarme, a tiranizarme, de manera tal que su presencia se me hizo casi permanente.

Se lo dije, una noche, cuando apenas comenzaba el primer brandy, para que no interpretara mi confesión como locuacidad de beodo. Se lo dije, así de plano, que estaba confundido porque ese sentimiento era nuevo en mí después de tanto tiempo, pero que no podía dejar de pensar en ella, que la deseaba a las horas más insólitas, era algo más allá de mi voluntad, se me había metido en el cuerpo. Su sonrisa espléndida sólo sirvió para atizar mi desasosiego, porque entonces comprendí que a Ema también se le estaba moviendo el piso, más allá de su reticencia, de sus pocas palabras. Y lo reconoció esa misma noche, ante mi interrogar insistente, al decir que ella también pensaba en mí de vez en cuando. Quise que dijera más, que reconociera sentir lo mismo que yo, pero se escabulló entre los clientes. Salí del bar completamente encendido. Llegué a mi casa y la deseé como nunca, tiempo de pasión solitaria entre las sábanas, de invocación lúbrica y espasmos de feliz sucedáneo.

Mi vida cambió: la ansiedad se había instalado a sus anchas. Y era cuando profesionalmente me iba mejor; entre escrituras y asesorías, el dinero entraba con generosidad a mi cuenta. Pero ahora yo sólo pensaba en ella, consciente de que no podía comprarla, desesperado porque no encontraba el resquicio que me permitiera entrar de lleno a su vida, porque fuera del bar del hotel para ella yo no existía.

Insistí tanto que finalmente terminó dándome su número telefónico, bajo la promesa, eso sí, de que no empezaría a fastidiarla diariamente, que si la llamaba lo hiciera entre once de la mañana y una de la tarde, y que si respondía su madre —lo sabría por la voz— yo debía colgar, pues por nada del mundo quería levantar ninguna sospecha, ella amaba a su marido y su matrimonio estaba por encima de todo.

La siguiente mañana esperé con especial desasosiego a que dieran las once. Marqué con el alma en vilo, como si fuera mozalbete y esta mi primera experiencia, como si la vida no me hubiera dado ya suficientemente de patadas y mis 45 años sirvieran para un carajo.

—Hola —dijo ella.

No le pude explicar que la felicidad era ese instante, oír su voz fuera de las penumbras, la posibilidad de revelarme sin que ella me interrumpiera porque a un cliente le urgía un trago; apenas alcancé a preguntarle lo que estaba haciendo. Dijo que se acababa de levantar, ni siquiera se había bañado: siempre dormía más o menos hasta las once; su mamá —que vivía con ellos— se encargaba de llevar a los niños al colegio y ella, Ema, iba a recogerlos a la una. En ese momento sólo vestía una camiseta larga, que usaba como camisón y estaba tirada en el sofá de la sala. No esperaba que yo fuera a llamarla, había pensado que mi necedad era la de aquel bebedor que al despertarse olvida sus propósitos nocturnos. Le repetí mi ardor, la urgencia de tenerla a solas, la quebradura en el pecho.

Entonces mi vida empezó a girar alrededor de Ema. Me costaba contenerme para no telefonearle todos los días. Cuando contestaba su madre y yo tenía que colgar abruptamente, me revolvía en el desasosiego, no podía concentrarme más en el trabajo, me paseaba por el bufete como un desesperado, ansioso por intentar nuevamente la llamada. Y si no lograba hablar con ella, la tarde se me hacía insoportablemente larga, las horas lentas, y todas mis energías se ponían en función de que dieran las siete para irme al bar del hotel, el primer cliente, el abogado respetable que tenía que disimular rigurosamente su pasión por esa mesera de perfil delicado.

Le insistí una y otra vez que no era suficiente poder hablarle por teléfono o mirarla en el bar del hotel, necesitaba estar a solas con ella, si no era posible para comer, podíamos encontrarnos para tomar un café antes de su hora de entrada al trabajo. Cuando por fin aceptó, me advirtió que debía ser en una cafetería ubicada lejos del hotel: no quería la mínima posibilidad de una coincidencia con alguna amiga o conocida que iniciara murmuraciones. Y no fue fácil, pues a todas mis propuestas les encontraba reparo. Le dije que lo más seguro, entonces, era que ella viniera a mi casa, yo podía pasarla recogiendo en mi auto en el sitio que ella me indicara. Rechazó la idea de entrada, pero intuí en su tono, en su manera de decir "cómo se le ocurre", un dejo de picardía, una aceptación oculta, porque yo ya había incursionado en casi todos sus flancos, le había prometido el derretimiento, la miel, el terciopelo de la ternura.

Por eso no hubo cafetería: ella aceptó llegar a mi casa, pero solamente a tomar un café, sin más compromiso. Para entonces yo sabía de los gatos tiernos arañando su estomago, de la correntada que estaba a punto de desmoronar sus mejores defensas; aunque ella dijera que no podía explicar lo que sentía, que no era amor ni pasión, quizás curiosidad.

Fue un jueves en la tarde. Yo debía recogerla en el estacionamiento de un centro comercial cercano a mi casa. Mi excitación fue creciente a medida que se acercaba la hora convenida. Sólo tendríamos una hora, de cinco a seis, antes de que ella tuviera que salir hacia el bar del hotel. No pude contenerme: llegué veinte minutos antes. Caminé por los pasillos, viendo vitrinas, atento a mi reloj de pulsera. Luego volvía al auto, estacionado en el lugar convenido. Pero dieron las cinco y ella no llegó. Segundo a segundo, pasaron quince minutos sin que ella apareciera. Ya no aguanté: salí del auto, porque de seguro andaba perdida, buscando en otro sector del estacionamiento. Caminé casi a la carrera. Pero las señas habían sido demasiado claras; no existía posibilidad de que se hubiera confundido. Ema no había llegado. Yo estaba plantado, como un idiota, aunque no me resignaba a partir; quizás había tenido un contratiempo, un atraso. A las cinco y media, una alarmante gastritis se hizo presente. Estuve hasta las seis exasperado.

Fui a casa. Telefoneé a Ema. Contestó un niño: dijo que su mamá no estaba, ya había salido hacia el trabajo. Entonces conduje hacia el hotel. Me senté en el rincón a esperarla. Pero vino Marta, otra mesera, con mi brandy. Pregunté por Ema; en un rato saldría, dijo Marta, estaba poniéndose el uniforme, su turno comenzaba hasta las siete. Pronto apareció, con la bandeja en que traía mi segundo brandy. Dijo que lo sentía, no había llegado, al final se había arrepentido, no quería meterse en problemas, mejor nos olvidábamos de todo. Le dije que me había hecho pedazos, la había esperado con el corazón en la mano, no debí engañarme de esa manera. Repitió que prefería que olvidáramos lo que había pasado, que por favor ya no la volviera a llamar por teléfono. Y se retiró hacia la barra.

Quedé colgado de un hilo. Apuré el brandy compulsivamente. No era posible que ahora se echara para atrás. Pero antes que nada yo guardaría la compostura. Le diría que ella tenía que superar sus temores, asumir sus sentimientos hacia mí, debíamos arreglar otra cita, para mañana, a la misma hora y en el mismo lugar. Yo necesitaba estar con ella a solas, contemplar sus ojos verdes en otro ambiente, hablar sin presiones, sin la impersonalidad del teléfono. Se lo dije cuando me trajo el tercer brandy. Me pidió que no la presionara: desde su casamiento, ella sólo había estado con su marido y no le parecía correcto irse a meter a la casa de un hombre divorciado a tomar un café.

Al día siguiente la llamé a las once en punto. Me contestó su madre. Entonces fui más allá: no colgué, sino que le dije que hablaba del hotel donde Ema trabajaba, que me urgía comunicarme con ella. Y ahí estuvo, al otro lado de la línea, con molestia en la voz. Me dejó hablar un rato y luego dijo:

—No, señor, es imposible que asuma un turno de la tarde. Lo siento; yo ya le había explicado. Pídaselo a Marta.

Y colgó.

Fue un fin de semana horrible. La desolación me arrolló. Fui al lago con los muchachos, pero no pude dejar de pensar en Ema. Intenté responderme con la mayor sinceridad: ¿de veras la quería o era la pura necedad de acostarme con una mujer que me encantaba?, ¿no se trataba más bien de otra treta de mi víscera, si se consideraba el hecho de que ella aseguraba amar a su marido y que cualquier relación conmigo resultaba inviable?

La semana siguiente no la llamé; tampoco fui al bar. Me costó un mundo; apelé al roñoso orgullo, porque creí que era la única manera de volverla a ganar. Y cuando aparecí, antes de que inquiriera por mi ausencia, le pregunté si le estaba gustando el libro de García Márquez que le había prestado. Ese había sido un viejo recurso para la seducción: prestarle mis novelas favoritas, luego comentarlas como ejercicio de placer. Pero lo más importante fue la satisfacción en su rostro, la alegría apenas disimulada de quien reencuentra a alguien querido. Por eso al día siguiente retorné a su teléfono, para explicarle que ni verla ni oírla durante tanto tiempo sólo había hecho crecer su presencia dentro de mí, que semejante silencio había servido para reafirmar mis sentimientos, la amaba, así, con todo, hasta donde ella me dejara.

Y volví a mi anterior petición, despacito, como quien reinicia la construcción del castillo en la arena, consciente de la traición del oleaje, de la fragilidad del material. Ahora estaba seguro de que ella quería, pero las convenciones, los prejuicios, y sobre todo el miedo, le impedían el encuentro. Tenía que decidirse, insistía yo, porque la vida no podía transmitirse a través de esa bocina. Y al fin, bregando contra su reticencia, terminó accediendo, con más énfasis que la vez anterior en que se trataba única y exclusivamente de tomar un café, que lo haría porque me tenía aprecio, no debía yo imaginar que se abriría algo más.

Me estacioné en el mismo sitio, con la ansiedad rebalsando. Pero este viernes ella llegaría, como nunca yo la había visto, sin el uniforme del bar del hotel, sino que con alpargatas, un corto vestido primaveral, el porte gallardo a sus anchas, el color tostado en su punto y aquel verde profundo en sus ojos —como para matarme.

Entró al auto y dijo "vámonos". Inútil intento describir mi emoción. Olía a baño reciente, a piel exquisita, belleza en su jugo. Llegamos a casa; me sentía a saltar, como niño con el juguete siempre deseado. Le dije que se pusiera cómoda; pregunté qué quería beber, si café, té, refresco o algún trago fuerte. La llevé al estudio, al patio, a la terraza, para que se hiciera una idea. Preparé dos cafés. Fuimos a la sala, donde no pude contenerme, porque a los pocos minutos ya estaba a su lado, besando unos labios que no me rechazaban, pero tampoco me respondían, como si estuviera con un maniquí. Ema pedía que me quedara quieto; yo imploraba, ofrecía. Besé su nuca, sus párpados. Ella permanecía impasible, sin ceder, deseo congelado en el sillón; repitió que no había ninguna posibilidad para una relación entre nosotros. No me importó: estuve besándola, susurrando a su oído, saboreando, poniendo mi corazón como la galletita que acompañaba a su café. Y la hora se fue sin que ella se abriera, hasta que nos pusimos de pie, para que la condujera de regreso al centro comercial, cuando finalmente soltó un poco de su aliento, liberó sus labios. Fueron apenas unos segundos, suficientes para atizar mi ansiedad, mis ilusiones.

En el auto le pregunté cuándo nos veríamos de nuevo. Ema sonrió; dijo que hasta la otra semana. No quería separarme de ella: en una hora la encontraría en el bar del hotel. Antes de que bajara del auto, volví a besarla y ahora ella sí respondió, breve pero intensamente. Quedé anonadado, feliz, rebosante. Había pasado el umbral. Y, efectivamente, en la noche, en el bar, ella fue de otra manera, como si ya hubiera aceptado que yo era su pareja reservada, su amante prohibido.

Un entusiasmo desmedido se metió en mi vida. El fin de semana me pareció larguísimo. El lunes la llamé a las once en punto: le dije que mi corazón era suyo, quería pasar todo el tiempo con ella, la necesitaba a mi lado, para siempre, como mi mujer. Ella dijo que también me quería, pero estaban su matrimonio, sus hijos. Yo estaba dispuesto a vivir para ella en las condiciones que dispusiera, ya fuera como amante o como esposo la recibiría con sus hijos y todo. Me dijo que era una locura. Acordamos vernos esa misma tarde. Y cuando colgué supe que en esta ocasión sería mía.

Y así fue. Entró al auto y en sus ojos había otra decisión. No la toqué hasta que estuvimos en casa. Fuimos a la cocina a preparar algo para beber. Pero de pronto hubo un largo beso. Luego caí de rodillas, bajé su minifalda, su calzoncito estampado y me comí con gula su dulzura, sus aromas. Rodamos entre los cojines de la sala, la cabalgué sobre una mesa, nos contemplamos jadeando frente al espejo del comedor; después la cargué hacia la habitación. La felicidad era aquello: momentos por los que cambiaría lo que me queda de vida. Cuando llegó el sosiego, la placidez, con los cuerpos sudorosos tendidos sobre la cama y la plenitud en la piel, Ema lanzó una risita enigmática —de alegría, dijo ella—, parecida a la que una vez le había visto en el bar.

Cuando la llevaba de regreso, le expliqué que esa noche debía asistir al matrimonio de una sobrina —cómo me hubiera gustado que Ema me acompañara, espléndida, de mi brazo, con las mejores galas que yo le compraría— por lo que no iría al bar del hotel. El fin de semana viajé al lago con los muchachos; me la pasé escribiéndole versos, en el ensueño, imaginando el doloroso proceso de ruptura que ella estaría iniciando, porque Ema ya era mía, con toda certeza.

El lunes por la mañana llamé a su casa. Contestó su madre. Osado pedí hablar con ella. No estaba, dijo la señora sin preguntar siquiera quién era yo. La ansiedad regresó rotunda, porque esa tarde quería hacerla mía nuevamente. A las siete en punto estuve en el bar del hotel, pero los minutos pasaban y ella no aparecía. Marta me trajo otro brandy; le pregunté si Ema ya había llegado. Respondió que ésta había renunciado. Quedé estupefacto. No era posible, algo raro estaba pasando. Diversas y confusas explicaciones pasaron por mi mente: ansié que su renuncia obedeciera a la voluntad de romper con el pasado y prepararse para la nueva vida que comenzaría conmigo.

Tuve que hacer un esfuerzo grande para no llamarla, para no encontrarme con la voz del marido y violentar el ritmo que ella imprimía a sus decisiones. Pero dormí a sobresaltos.

A la mañana siguiente volví a llamarla. Pasó lo mismo: la señora me dijo que Ema no estaba. Pregunté a qué horas podía encontrarla. No sabía; me pidió que dejara mis datos. No pude comer de la agitación: el estómago estaba a punto de reventarme. A las tres marqué de nuevo su teléfono. La historia fue la misma; pero ahora yo insistí, desesperado, rogué una manera de encontrarla, de comunicarme con ella. La señora aseguró que no sabía nada, con tono de fastidio. En la noche volví al bar del hotel, a que Marta me diera alguna referencia, una dirección, algo; pero dijo que se habían conocido en el bar, únicamente podía proporcionarme su teléfono. Pensé en hablar con el administrador del hotel, para que me dijera dónde vivía Ema exactamente; a aquella hora, me explicaron, la oficina de personal estaba cerrada. Desde el *lobby* telefoneé de nuevo. Contestó su marido. Guardé silencio un momento y luego colgué.

Esa noche me emborraché como nunca en los últimos años. Traté de convencerme de que ella estaba rearreglando su vida, que en el momento menos esperado aparecería otra vez para entregarse enterita. A la mañana siguiente me despertó un timbrazo. Era Ema. Primera vez que me llamaba, aunque desde hacía varias semanas le había dado mi número. Sólo quería decirme que por favor dejara de buscarla, lo que había pasado entre nosotros había sido lindo, pero no volvería a suceder, no quería verme ni oírme de nuevo, su matrimonio estaba por sobre todas las cosas, que no intentara nada porque la metería en problemas. Colgó, sin que yo pudiera reaccionar. Un intenso dolor me fulminó la cabeza. Permanecí tirado en la cama, inmóvil, con un pozo en el pecho.

La Biblioteca
entre los Árboles

Roberto Castillo
Honduras

Ha regresado Ted Björnson, amigo muy querido cuya ausencia se había prolongado en exceso. Tengo todas las cartas que le han llegado a lo largo de los últimos doce meses. Pacientemente las fui guardando dentro de una profunda gaveta de cedro. Se inunda de felicidad cuando se las entrego. Dos personas del ámbito cultural merodean al acecho de piezas de creación que podrían yacer "enterradas" debajo del montón de sobres con estampillas y matasellos de todas partes. Se llevan un gran chasco porque a la postre no aparece nada de lo que les interesa. Me he sentado con Björnson en un lugar de mesas y bancas al aire libre. No sé qué es lo que nos disponemos a tomar, pero le confieso que desde hace mucho tiempo soy abstemio. ¿Es en este momento que se acerca discretamente, vestida de lino y caminando descalza sobre el césped recién cortado, Regine Adler Tannenbaum? ¿O será hasta más tarde? Tampoco sé cuándo ni cómo fue evocada esa casa blanca a la que se entra por un portón cuya impresionante altura deja en ridículo el muro que rodea la propiedad. Hay hermosos eucaliptos en el exterior y finas maderas talladas en el interior. Estas lucen pintadas con tonos oscuros. En el jardín de hierba rala se puede apreciar bien ese color agresivamente rojizo de la tierra que la nutre. "El cobre del subsuelo asciende hasta la superficie", pienso. Nadie me pregunte cómo, pero ya temporé hace mucho en esta mansión. Ha cambiado con brusquedad la escena. Mi hábitat son los pasillos de una biblioteca que no está bajo techo. Hay árboles en medio de ella y hasta puedo decir que de clavito, una variedad que crecía en Gualgüilaca, finca de mi padre, y cuyo fruto, delicioso pero muy pequeño, evoca levemente el aroma del clavo de olor. Colaboro con orientaciones para el mejor aprovechamiento de los libros; y recuerdo que siempre me he quejado de que una de las dolencias culturales de mi país radica en que las vidas de los bibliotecarios y las de los dependientes de las farmacias son paralelas: los unos y los otros se dedican a recetar sin ton ni son aquello cuyas propiedades desconocen. Si los segundos se permiten recomendar tal o cual mejunje para curar los achaques de los enfermos que llegan a comprar sin receta, los primeros se atreven a prescribir lo que las pobres gentes han de leer. He realizado mi aporte colocando estratégicamente pequeñas hojas de papel con anotaciones, de manera que los lectores hallen una sugerencia pero no se sientan coaccionados en modo alguno. Junto a El extranjero de Albert Camus, por ejemplo, encajado con otros volúmenes entre el tronco y una rama que se ha doblado hacia arriba para acogerlos mejor, colgué esta observación escrita de mi puño y letra: "Novela clave en la literatura del siglo XX. Tras años de indiferencia, ha renacido el vivo interés por su autor". También redacté otras cuyo contenido no recuerdo. Más tarde iré a ver si los usuarios no han agregado algo entre mis líneas. Repaso varias, una por una, y compruebo que en ninguna hay nada de lo que me preocupa. Nadie ha ido allí con un lápiz a modificar lo que apunté originalmente. Al final doy con una en la que sí hay sorpresa, pero por más que me empeño no logro descifrar eso que manos anónimas garrapatearon con tinta roja. Cuando me acerqué iba aprensivo, pues temía encontrar insultos. Ahora es más tarde. Siempre lo será, a menos que seas asistido por el Ángel. ¿Seguimos en la biblioteca o cerca de ella? ¿Quiénes están conmigo? Sólo sé que almorzamos sobre una mesa larga; pasa un tipo alto y fornido, gorilesco, y deposita su vaso junto a mi plato con un golpe seco en la madera. Luego se va sin decir *nada. A la mirada interrogante de todos respondo explicando que se trata de un exalumno de la universidad. Entienden perfectamente cómo se implican los choques generacionales en estas absurdas reacciones. He de ir hasta una isla. Me acerco al embarcadero justo mientras parte una lancha llena de turistas, y después otra. Un muchacho negro está por abordar. Me siento a su lado, y hasta entonces caigo en la cuenta de haber entrado por la parte equivocada, tomando ventaja sobre muchas personas que durante horas han esperado turno. Imagino los improperios que pronto me lloverán por esta acción que no fue premeditada ni calculada, sino producto del mero azar. He de pasar hacia la embarcación por un boquete recién abierto en la pared; veo partidos bloques de concreto y restos de malla ciclón. Me parece muy pequeño el agujero, como para que yo pueda caber en él, pero logro atravesarlo sin dificultad. He sido el primero en llegar. No hay nadie más. ¿Es en esa isla donde estará Ambrosio Ferrante, el filólogo aragonés nacido en el mismo pueblo de Luis Buñuel y tocador estrella de la famosa tamborilada, agitándome la mano desde la distancia? ¿Se habrá movido a ella, en cosa de un santiamén, la Biblioteca entre los Árboles? Antes (¿o será después?), en la mesa que ocupábamos con Ted Björnson, se quejó Ferrante (¿o se quejará?) de que lo tienen confinado allí, en ese territorio insular, haciendo no sé qué trabajo. ¿No será, por ventura, de bibliotecario? Desembarco y, efectivamente, lo encuentro en la playa pero casi no conversamos. Le han asignado un escritorio al aire libre, colocado frente al portón de unas instalaciones (¿o es una mansión?) cercadas por un largo muro blanco, aunque por ninguna parte hay rastro de la Biblioteca entre los Árboles; la he perdido y quizá para siempre. Decepcionado, me voy de regreso al desolado muellecito con el fin de tomar el bote que me devolverá a tierra firme. Un inglés se ha posesionado del escritorio que hace poco era de Ambrosio. Me llama por mi nombre. Es obvio su interés por establecer* comunicación conmigo. Le cuento, en mi pobre manejo de su idioma, que soy un escritor.

—Escribo en español —puntualizo.

—Eso es irrebatible —me contesta. Finísimo, el tipo. De pronto resulta que su ánimo se ha vuelto indiferente. El hombre casi no habla nada. Hay grandes montones de bagazo de caña y alguien, "¿él mismo?", me dice que el Reino Unido importa todos estos desechos de la India o de China.

—For the cattle? —me atrevo a preguntar. Pero no sé qué me ha sido respondido. ¿Habré ido a la mayor de las islas británicas en esa tartana tan frágil y no me he dado cuenta? No cejo en mi empeño de reencontrar la Biblioteca entre los Árboles. Desde que me salí de ella por accidente, se me insinúa con fervorosa claridad como lo que realmente es: el paraíso perdido. Y como en todo edén que lo sea de verdad, abundan las ramas y las hojas. La buscaré donde sea. Por eso ahora me desplazo en el interior de las instalaciones de una maquila, nombre que reciben aquí esas industrias itinerantes que van por el planeta aprovechando la mano de obra barata de los países más pobres. Hay miles y miles de gentes. Obreros, por supuesto, pero también personas de las más variadas ocupaciones. Recorro las amplias galeras y me encuentro con ciertas caras que me resultan familiares, como la de Abdullah Ben Rimokh, personaje que me lleva para ser presentado a unos amigos suyos. Es de noche. Todos están sentados tomando cerveza en un bar que ha sido armado —fundado, dicen ellos— bajo la generosa protección de un árbol de mango. "¡Convirtieron en bar mi querida biblioteca!", protesto en lo más íntimo. Ben Rimokh disfruta mucho la compañía de los dipsómanos, sus decires y sus bromas, y entre ellos hay gentes a las que no conoce. Tal es el caso de ese muchacho que con su propia boca me asegura ser hijo de un hombre que en la vida real se llama igual que el protagonista de mi novela breve del 81. Esta clase de confusiones ya me ha causado dificultades. Además, el joven me lo hace saber con un toque leve pero firme de reclamo. En ningún momento es maleducado y más bien me cuenta de sus estudios en Buenos Aires, ciudad donde se ha graduado en banca y finanzas. "Un habitante de estos tiempos", me comento yo. Y a continuación apologiza sobre lo hermosas que son las mujeres argentinas.

—Usted comprobaría que el tipo de algunas es tan inglés que no lo tiene ninguna miss de Inglaterra —agrega. Lo escucho complacido porque es un conversador estupendo, pero el tono de reclamo sigue y más bien se acrecienta y va generando una tensión que llega a ser incómoda. Mientras me cautivo con el discurso de este bebedor sibarita y locuaz, un poco rechoncho y de mirada lúcida, voy ideando una respuesta que le satisfaga y que deberá ser la justa, aquella que relacione bien "la ficción y los personajes de la vida", para expresarlo con idénticas palabras a las de William Gass, novelista y pensador estadounidense. Ya la tengo en la mente y estoy por desembuchársela: si yo escribo ficciones sobre una circunstancia donde hubo genio, recrearé de diversas maneras sus seres geniales; y este principio vale también para la ciencia, la fe, el arte, la comedia, la tragedia, la brutalidad, la barbarie o la represión. Si alguien estuvo vinculado a esta última, el texto la retomará y reproducirá con el agregado de un brillo nuevo y admirable; y lo único que importa es que semejante trabajo esté bien hecho, que sea artístico. El señor De Coninck no tendría que ofenderse por aparecer en una obra donde se profundizara en el asunto de la haraganería, que fue lo que abundó en su momento; ni Aurelio Paumier debería negarse a dar su aporte de símbolos a una narrativa que hiciera de la charlatanería, la estolidez y la estulticia exhibicionista su leitmotiv; ni Couacoua Cordonnier hallaría razón para echarse atrás con su aporte al género grotesco tras un acto realizado ante las cámaras de televisión de los grandes noticiarios internacionales. Así, pues, los militares y sus *asesores políticos que se dieron gusto ejerciendo la represión, quizá convencidos de fortalecer las instituciones por vía tan rápida, deberían saber que también le hicieron un regalo invaluable a la literatura desde el momento que ésta incorpora hoy las voces de los "humillados y ofendidos". "Magnífico argumento", me digo en secreto, autocelebrándome con gratificación levemente dostoievskiana, "sobre todo porque el muchacho da claras muestras de no ser nada tonto y aquí, en mi despliegue de conceptos, he privilegiado lo estético sobre lo ético; y como la agilidad mental del joven parece en verdad excepcional, debo tener ya por certeza que captará de inmediato esta inversión y se dará por satisfecho con ella, pues estas gentes no temen el juicio de la estética precisamente porque no lo conocen; y el que sí les aterroriza es el de la ética, que suele representarse de manera bastante tosca cuando no brutal: bajo la figura de la venganza (pero no divina —pese a que con frecuencia se refugian en la religión y testimonian haber encontrado en esta la felicidad—, sino humana, porque es la que han saboreado ya o estarían en disposición de practicar)". Un segundo antes de abrir la boca para soltar mi maravillosa argumentación, llega Abdullah Ben Rimokh. Asiéndome de un brazo y pronunciando sentencias de vieja sabiduría, me conduce casi a rastras hasta un salón bien iluminado. Persiste en su inveterada obsesión de presentarme a personas que para él son especiales. Y, efectivamente, allí está sentado un grupo de gentes admirabilísimas. Se ven las caras en torno a una mesa redonda y muy grande, cuyo centro es engalanado por una botella del mejor vino tinto del mundo. Se trata de señoras y señores, ancianos todos, de porte y modales tan finos que, si uno repara también en su aspecto anglosajón, se podría decir que viajaron expresamente desde una novela de Henry James. Insólitamente, se ponen todas y todos de pie para contestar mi saludo y me corresponden con una deferencia conmovedora. Cuando les dejo, y mientras*

camino a lo largo de una mal iluminada vía de ferrocarril,
me voy diciendo con una sostenida reflexión que qué
hombre más curioso es este Abdullah Ben Rimokh,
marroquí a quien el círculo de sus amistades íntimas se
refiere sólo con el desconcertante nombre de Abdullah de
Kiev, aventurero que tanto puede disfrutar la compañía de
unos bebedores impenitentes y procaces que se juntan a
ejercer su oficio —el más viejo del mundo, según su propia
declaración— debajo de un árbol de mango, participar de
sus chanzas baratas y hacerles aportes de su exclusivo
gusto, como tener trato con gentes de la calidad de estas
damas y estos caballeros del salón bien iluminado.
Desconcertante y propiciador del asombro en todos y cada
uno de los pasos de su larga vida, Ben Rimokh se encontraba
en el búnker de Hitler la tarde del 29 de abril de 1945, tras
haber aterrizado en un acto de intrepidez espectacular sobre
la desangelada Herman Goering Strasse, pilotando él
mismo un potente Junker JU-52 bajo el fuego apocalíptico
de la artillería soviética y con un adverso viento de cola
(razón por la que no pudo hacerlo en la Voss Strasse); y
más heroico fue todavía cuando logró despegarlo en las
mismas condiciones con una carga de dos mil quinientas
libras de oro en lingotes; desconcertantes igualmente los
escudos no metálicos con que protegía el aparato, pintados
en la cola del mismo: en un lado la enseña del Vaticano, en
el otro la media luna y el alfanje; pero más desconcertante
aún fue que se moviera por el laberinto de concreto como
Pedro en los pasillos de su casa, dando todo el tiempo a los
soldados que lo asistían órdenes precisas sobre la manera
de cargar primero y de estibar después las pesadas barras
amarillas, modestísima parte del tesoro del Führer, las que
se había comprometido a transportar personalmente y
entregar a un destinatario de Buenos Aires, aunque serían
discretamente inhumadas en el corazón de América Cen-
tral. Desconcertante además, por divertido, el forcejeo que
antes de marcharse sostuvo con Goebbels, de cuyas garras

Tiempo de narrar

45

debió salvar su pasaporte hondureño, pues el aún poderoso Ministro de Propaganda, *y desde pocos días atrás* Reichkomissar *que tenía la primera responsabilidad de la defensa de Berlín, quería llevárselo consigo para pasar de incógnito en los infiernos. Hay muchas opiniones encontradas sobre esta historia incomparable de apocalipsis y heroísmo tan exquisitamente juntados, pero todas coinciden en esto: la fabulosa narración no existiría sin la prodigiosa lengua de Juan Sansegundo, de la que salieron las claves sobre lo que este hombre que también orientaba a la ciudad en materia de teoría económica diera en llamar "la acumulación originaria de capital en Abdullah Ben Rimokh". Y fue también Sansegundo quien contó, gracias a la intermitencia de un selecto grupo de lenguas de telégrafo que por algunos años fueran su escolta, que no hubo tal acción heroica en el aterrizaje del Junker JU-52 en la Herman Goering Strasse, pues en cuanto el avión inició su descenso se apagaron las baterías del Ejército Rojo: el jefe de los artilleros habría sido un converso a la secta del heresiarca de Kiev, quien, por medio de señales luminosas en las que era un mago sin émulo posible, le habría indicado a gran distancia el minuto justo de detener el insaciable tronar de los cañones. ¿Pero por qué no se valió de la radio? Muy sencillo: para no exponerse a que la transmisión fuera interceptada por algún comisario, cosa que habría significado la muerte del cómplice. Ya no encuentro al grupo de bebedores, al que pensaba reintegrarme. Tampoco ningún rastro de la soñada biblioteca. Sólo veo unas cuantas personas a las que no conozco, pero me ilusiono con la posibilidad de que sean lectores y que al seguirlos me lleven al maravilloso bosque de los libros, donde una vez estuve. Decido, entonces, conservar un recuerdo imperecedero de la reunión —¿una prueba de que esta existió, a la manera del* Viajero a través del Tiempo *de H.G. Wells, que regresa del futuro remoto con dos flores blancas?— y procedo a cortar unos pocos mangos de los más apetitosos, que cuel-*

gan de las ramas a la altura de mi cabeza y por lo tanto no tengo que hacer ningún esfuerzo. Cuando termino de cosechar los frutos, compruebo que allí están todavía, en una esquina, los mismos bebedores de la primera vez. Lo que "realmente" ha ocurrido es que no he sabido buscar. Pero ya me introduje a mi auto y no quiero bajarme. Simplemente digo adiós, enseñando las palmas y moviéndolas igual que los niños. Decido que voy a publicar mi argumentación sobre "la ficción y los personajes de la vida", pieza que dará fe del honroso duelo mental que estuve a punto de sostener con el joven que había estudiado en Buenos Aires. Así todo será más objetivo y medio mundo estará invitado a participar del espíritu de esta postura intelectual. Ya veo el texto impreso. ¿Cuántos ejemplares destinaré a la Biblioteca entre los Árboles? Manejo mi automóvil hasta la puerta de salida. No se ha de olvidar que todo esto ha ocurrido dentro de una maquila. Es ya demasiado tarde, y por eso los portones han sido cerrados. Será preciso llamar a un guardia de seguridad para que haga el favor de abrir. Localizo varios al fondo, en amena charla con personas que han de ser familiares de visita. Pero tengo que esperar aún más porque hay una refresquería que sigue dando servicio —así lo dice la luz escandalosamente blanca, del más prístino neón, que se escapa por una de las ventanas— y Antígona, mi hermana, quiere tomarse algo, puesto que no aguanta la sed. Dentro del carro también está Friska, mi esposa. Casi no presto atención a lo que hablan las dos mujeres porque mi vista se dispone a "pescar" cosas extraordinarias, y no descarto que entre estas venga flotando la perdida biblioteca. Y los hechos se presentan con rigurosa puntualidad. A lo largo del cerco de alambre tejido van, como zompopos en procesión, muchas gentes de aspecto humilde. Todas comen tajaditas de banano verde, una tras otra, como si este manjar fuera inagotable. Son bastantes de estos seres los que sobre el hombro llevan infinidad de rodajas fritas y *sabrosas, metidas en fardos tan grandes que no sé cómo pueden cargarlos. Otros, que tal vez hagan la mayoría, las transportan cual engrifadas escamas adheridas a la columna vertebral, los codos, la cabeza, los hombros, la clavícula, las costillas, el esternón, los omóplatos, la frente, las muñecas, la nariz, etc., etc. Y esta manera de acarrearlas no sólo es vistosa y graciosamente onírica, sino que facilita su desprendimiento para irlas saboreando durante el viaje. No van a terminarse nunca; al contrario, seguro que dentro de algunas horas se habrán reproducido y multiplicado. Alguien me explica cómo trabaja esta hilera de hormigas humanas que transfieren buena y abundante migaja hacia su nido. Los operarios de una maquila de alimentos —parte de este complejo o parque industrial— dañan deliberadamente las bolsas en que se empaca el producto, y así es como les acaban regalando fabulosas cantidades del mismo porque la empresa no las considera comercializables. Por tan curiosa y actualizada iniciativa estas muchedumbres y sus familiares o amigos pueden tener asegurada por un buen rato su provisión de banano procesado. Son filas y filas de incontables personas —casi todas muy esqueléticas, como sobrevivientes a un campo de concentración de los nazis— las que participan de la fantasmal operación de ir mordiendo y tragando deliciosas y delgadas medallas, mientras avanzan por una ruta cuyo destino final se desconoce pero bien podría ser el de la humanidad, ¡o el de la Biblioteca entre los Árboles! Alguien pone un buen poco de esa comida en mis manos, mucho más que una ración "normal", y me sumo a la euforia que consiste en comer y comer de una sola cosa. Ya soy uno más. Experimento transformaciones vegetales y siento lo hirsuto que dibujan tantas formas de poco espesor y cuasicirculares que están brotando, crujientes, sobre la superficie de mi cuerpo. De pronto me veo rodeado por un grupo de monjas. Serán unas veinticinco, vestidas de blanco. Su pureza me abruma, su pobreza me conmueve. Con la más natural confianza del mundo se sirven de los millones de saladas tajaditas que se erizan en mi nuca, dedos, antebrazos, orejas...; y las devoran con verdadero placer.*

El sapo
y sus maravillas

Galel Cárdenas

Honduras

Entre las flores fragantes y multicolores en donde la frescura de la brisa mecía corolas y hojas habitaba un sapo que parlaba todos los días acerca de las maravillas que él había presenciado y que le habían sucedido a lo largo de su grandiosa existencia.

En el momento que la penumbra de la tarde se convertía en oscuridad noctámbula el sapo comenzaba sus relatos imaginarios, superlativos, hiperbólicos. Era un rosario de narraciones inverosímiles el que salía de su garganta acostumbrada a lanzar su voz hacia un público fantasmal, voz que le permitía llegar hasta la lejanía donde el horizonte se convierte en una línea difusa engullida por la azulidad del cielo.

Contaba cosas como esta: cuando el hombre llegó a la Luna yo estaba allí en el pantalón del traje espacial del astronauta porque me habían escogido para ver de cerca la belleza de una luna virginal; cuando Leonardo da Vinci pintó su famosa Madona, yo estaba en su estudio y conocí aquella mujer portentosa e imperecedera; yo conocí el gigante que pasó por la ciudad de Nisa y dejó inclinada la torre; estuve en el taller donde se forjó el gran reloj de Londres, el Big Ben y por cierto su primer tañido casi me destruye la membrana delicada de mi tímpano musical.

Y así cantaba todas las noches en aquel humilde jardín de la casa donde vivía un neurótico que pasaba la mayor parte del tiempo indispuesto y colérico, con el agravante que padecía uno de esos insomnios contra los cuales se lucha con los trucos más ingeniosos a fin de atraer la voluntad de Morfeo para descansar en sus brazos plácidamente.

El neurótico oía en interminables noches aquella voz presuntuosa y descubrió que pertenecía a un anfibio anuro de la familia de los bufónidos, cuyo cuerpo deprimido es más ancho de la parte inferior, poseedor de unas muy bien desarrolladas extremidades, y cuya principal virtud es emitir una constante algarabía nocturna, por lo que se dedicó a ubicar el lugar desde donde provenían aquellos maravillosos, pero molestos cantos; de modo que cuando estableció el área correspondiente y midió la grandeza de aquellos mensajes, salió a la calle, buscó una piedra, mas bien una roca, la cargó con mucha dificultad y la lanzó sobre el espacio en que se encontraba el sapo, estrujándolo de inmediato.

Al día siguiente el neurótico fue a levantar la piedra para asegurarse de la muerte del bufónido cantor, y descubrió que su tamaño no pasaba de los seis centímetros, lo cual le condujo a las siguientes conclusiones. Así como es el sapo así es la pedrada, sin embargo, las apariencias engañan el oído de los transeúntes, en todo caso ya me había llevado al hartazgo tanta grandeza escuchada en interminables noches de desvelo insulso en boca de tan diminuto ser inocuo.

Aquelarre
Leonel Delgado Aburto
Nicaragua

Un pájaro cuelga del hueco del cielo
Un pájaro blanco en estado de celo
Silvio Rodríguez
en la canción "Generaciones"

En las mañanas Álvaro escucha *As tears goes by*. A través de mis lágrimas veo este predio vacío. Yo, mi minotaura, sin laberinto ni espejo. Álvaro escucha al zenzontle del Reparto Regina (en la salida de Diriamba). Nada es sencillo, ni decirte que hoy hay un hombre de camisa blanca podando las hierbas. Con el sol todo tintinea, al machete, los vidrios de la barda. Álvaro tiene un olor a olivo y olvido. Decirte nada más: Álvaro oye música en la mañana, huele a cama todavía y yo voy a visitarlo.

Conforme pasen las lluvias se irán secando estas hierbas. En la pared están los rótulos viejos. Soy especialista. ENSA POR LA PAZ POR EL FUTURO. Vilma. Es sobre Vilma, oh extraño animal. Oh de hocico húmedo frente al espejo. VILMA Y DONALD. Pero Álvaro sólo el olor. Cinamomo, semen, sudor. Yo no, yo soy ella, esta muchacha sin espejo.

El predio vacío, asexuado, como el hombre de camisa blanca. Te voy a contar. Ese reparto no tiene de extraño nada. El nombre, Regina. Vilma, buscabas a Donald, olor a talco, camisa número 1000, se afeitaba todos los días, un hombre de límites literales (esta frase es de B.A.). Y esto que estoy contando es sobre los límites de Donald, la limpieza de sus manos lácteas.

Álvaro no. Álvaro ahora finge dormir. Mi zenzontle. Razonarme antes de llegar y entrar a su cuarto (¿quién dijo y por qué mi zenzontle?). Cómo te cuento si yo no soy la Vilma. Llego hasta el cuarto como en un sueño. Paso por Álvaro (chocolate, azufre). Cruzo el patio, hasta el límite, veo los patitos (me dan ganas de llorar), las limaollas, las nubes. Me detengo frente a los cuartos oscuros.

Entonces mejor te cuento cómo era la casa. Mientras Álvaro duerme, *as tears goes by*, sudor, marihuana. Álvaro era así. Había un patio con rosales, tunas y ollas antiguas sembradas. Una vez miré llover allí. Álvaro decía. En la sala, sillas abuelita, un paisaje. Los padres en los Estados Unidos. Ahora están sentados aquí, pero qué tiesura, B.A., la Vilma, yo (vestida de verde), Álvaro. Es todo oscuro (como el pelo de Donald). ¿Hay perro, Álvaro? Sólo Donald falta.

Así era la casa. Como una conversación. Con un larguísimo corredor , y tejas y paredes altas. Álvaro me enseñaba los grabados. B.A. adoraba el torso torneado de: a) Alain Delon, b) Alain Delon, c) todos los anteriores. Se reía. La Vilma, qué menina de mierda, miraba por la puerta del fondo hacia el patio. Una noche estrellada. ¿No hay perro, Álvaro? ¿Yacía con vos B.A. día a día o tal vez de pereza un domingo se mostraban los sexos, cuando las camas cálidas eran más que la tierra esa pesantez, el norte del Reparto Regina?

Así era Álvaro. Pero tenía novia. Una novia morena, con un pelo que yo se lo admiraba, casi afro, natural, manejando motocicleta. Ella no le entendía lo de Doré y el Monte Fuji. Pero sí Fujimori, Tony la Russa, Billy Idol, gente simpática. Había noches que no reíamos. Sobre todo las noches de televisión. Trabalenguas del ojalá. Una fiesta con aliento a bol, un orgasmo con la cara sudada, quietecita, mirando el cielo en la ventana, ser esas caricaturas. Y estábamos en silencio. Esta sala hija de puta, dijo B.A. sobre el anuncio de Belmont. Calaverita de tu madrecita, pajita de los sueños, mandala. Porque la televisión es tu mandala. Y se perdían en el corredor: Álvaro, B.A., Manuel (un personaje secundario).

Cómo te cuento de nosotros, incluido Donald, si yo no puedo estar en todas partes. Esta boba mirando el letrero de qué puta partido. Yo me lo perdí todo con el hueco de mi jupa (es decir, cabeza). Yo no soy una mujer ubicua. Todo me llegó por chismes (por zenzontles, por espejos). B.A. acariciaba a Álvaro, o Carmen, la novia de Álvaro, partía hacia Tupilapa con Manuel (amiguísimos). Yo probé la marihuana una vez, con unas palabras soeces de fondo (y más al fondo Débora Harris). Adentro de la marihuana, como en pompas de jabón, estaban el Minotauro y su espejo. Pero muy al fondo. Aquí cerca Álvaro y sus grabados. Ve, amor, la línea. Manuel y su mujer, extraño cuadrumano de 42 años. Era la fiesta. Ya habíamos dejado de estar tristes. B.A. elástico. Esto se termina. Fin.

POSDATA REVIVIDA / REPARTO REGINA II
10 P.M.
B.A.: Se va ir Álvaro.
Vilma: Mirá, B.A., está todo raro lo que te coge con Álvaro. Dejalo.
Yo: Silencio.
Vilma: Todo es que no se ahogue en Tupilapa. Las olas son altas.
Yo: Silencio.
Vilma: Vení, Álvaro, bailemos.
Álvaro: Dominar a un duende.
Yo: Oh duende que sos, Álvaro.
(La aridez de mis palabras y la de todos los seres humanos. Como esta recién leída conversación, como

un predio enmontado bajo el sol. Sólo Tupilapa tiene su puerta abierta, su permanente puerta abierta, su aridez de sueño.)

Primero fumé marihuana, después me llegó la invitación a la fiesta. La puerta estaba abierta, esto lo miró muy bien la Vilma. Me estuvo contando en detalle. B.A. se fue haciendo amigo de Álvaro. Un domingo por la mañana le tendió una trampa. Los domingos son brillantes y calurosos. Llegó como amigo y lo abrazó. No hay espejo en el cuarto. Corrió la cortina y la luz se volvió tan cómoda. Puso música. Pero en verdad la Vilma estaba atenta nada más a la puerta que daba al corredor, al patio y a los cuartos del fondo.

Por qué será que en Regina todo es enervado, todo como una cosquilla por dentro. Volvíamos a la TV todos serios. Cuando nos íbamos, la Vilma y yo platicábamos. Era algo de la tierra y del peso de las cosas. Había fuentes en nuestra plática sobre el sendero húmedo en el invierno, los cipreses y los rótulos olvidados de las bardas sucias. También mi fuente húmeda en los libros instructivos. Algo ciego, como esas oscuranas de la casa o los recitativos de las óperas que escuchaba B.A. ¿B.A. orinaba por los rosales, Vilma, como Álvaro a veces?

Primero fumé marihuana y después la Vilma cruzó la puerta. No pude decirte cómo era la casa. Era una casa que Donald escuchaba. Álvaro se puso serio y me contó cómo era Tupilapa, allí cualquier mujer pone las manos en la barda coloreada, se inclina húmeda como una luna que se desvergüenza, para ser palpada con esta misma mano que entonces se humedece mientras mide. Es una playa tan oscura que no temés que te vean. Por eso podés dejar que te toque, tus ciegos pezones se despiertan. Pero mejor hablemos de los Estados. Yo me voy para allá pronto. Vos sos tan quietecita como un conejito. Y qué brillantes tus ojos.

Entonces llegó B.A., así nomás, cetrino, delicado, y se sentó con nosotros. Fiesta y TV, el cuadro resumen de nuestro estado, sólo falta un elemento: el sexo de alguno de nosotros, mujer o varón, encendido. Donald escuchaba todo. Estamos aquí, en la estación de Goya, municipio de Regina, con todas las caras en penumbra por la irradiante TV, en donde podemos ver las noticias del Medio Oriente y Japón. Noche de aquelarre. La bruja Vilma perdida en el corredor. La bruja yo, tan tierna como una coneja. A las doce, Donald. *Coming up. Stay tune.*

Porque B.A. nos hizo reír siempre con eso de las brújulas, la indelicadeza pruritante de los condones norteamericanos, la TV como zarza que nos ardía la cara. Y Goya. Se aprovechan. Ni más ni menos. Oh gato echado que me miras tan intelectualmente. Fue cuando él, B.A., pidió mi mano. ¡Que viene el coco! Y aún no se van. La pregunta clave, según la Vilma, ¿pero qué es lo que te gusta hacer? ¿Descoyuntarte con un hombre, sudarlo, como al sol, al oso panda, mojarlo todito y después tener una casa en la que al fin haya luz, haya menos Goya que en esta casa? ¿No hay quien nos desate? ¿Quién más rendido?

Me puse cálida para B.A. Como una barda bajo el sol, en domingo. Álvaro huele a shampoo de manzana. Lo siento ahora que lo tengo cerca y se distrae y no hace caso de lo que B.A. dice. La Vilma en cambio explora el corredor oscuro. La TV nos ilumina tristemente la cara. A mí me da vértigo el corredor, balaustrada raída, tejas que van sobre mí. Qué tal si nos casamos, nos contamos los secretos sobre la arena de Tupilapa, los hombres en calzoncillos, los insomnios y el té.

Después estuvimos mirando quietamente la TV. En un comercial de Dupont B.A. me tomó las manos. Después nos fuimos la Vilma y yo, y platicamos como siempre. Tupilapa, una ola verdosa. Mirá, me decía, soñé con esa puerta frente al mar. Allí estábamos todos. Hasta Donald. Porque ya entonces nos presentaron a Donald. Pero Álvaro era como esos pájaros que hieren el cielo en el sueño, un olor a crema de almendras y tabaco. Yo tu albatros, Álvaro.

UN FINAL EN TUPILAPA

Esto fue lo que soñé esta noche. Adivinaba esos esteros próximos a Tupilapa. Y estaba Álvaro para aclararme lo dañinas que son las mareas aquí. Y me dijo: "Estás pisando las revistas en límite de la puerta". Yo me distraje con las revistas. Eran unas Vanidades. *Transcurría el día del sueño, ocre y quieto. Seguía llegando gente a las casitas alzadas en tambos y pintadas con listones de todos los colores. Me olvidé de Álvaro y del mar. Hasta que llegó la Carmen a decirme que él se ahogaba en la última ola. Vieras qué horrible, cómo me dolía el corazón. Allí estaban ya sus pies desnudos, morados. Y yo estaba con las manos extendidas desde la puerta. Carmen y Manuel se ponían a contemplarnos a los dos, a él, el ahogado, y a mí, la mujer que estaba asustada con el muerto. Después todo se diluyó en la casa y el dolor. La casa ya sola de ahora, con el retrato de Álvaro, con las plantas creciendo en el corredor y Donald esperando el circo.*

Un día así como este, domingo, predio vacío, llegué a verlo y estaba solo. Apagó la TV y fue a enseñarme las ollitas que estaba haciendo con grabados griegos o etruscos. Como hacía calor, me dijo que fuéramos al corredor. Se puso melancólico y me contó de su infancia. Esta es la banca donde me peleé con mis primos. Aquí abandoné al conejito amorriñado, fueron lágrimas. En aquel rosal me hice una herida que me dejó esta seña en la rodilla. En los tejados había siempre palomas.

Donald salió de los cuartos del fondo, en camisola. ¿Y aquel hombre?, le pregunté a Álvaro. Vení, me dijo, te voy a presentar. Era bien amable Donald, pero te aclaraba siempre cuál era su límite, menos que el rosal, hasta donde se ve la ollita negra, hasta allí. Y de noche también. Pero es que la TV es para la gente joven. Calculé que pesaba 350 libras. ¿Pero ventanas al otro lado?, le pregunté. Sí, me dijo. Hay un cafetal. Antes era mejor, venían circos. Todavía en el setenta iba al cine. Sólo tengo un espejo en mi cuarto. Ansias.

Después nos fuimos a la sala, al olor del Sony y Álvaro, un pez vivo que me salpicaba toda. Cosas de vos y B.A., le dije. Me dijo que él era libre. Te acordás cuando me dio conjuntivitis, fue por él. Ahora voy a hacer camisetas con el Quijote de Picasso. Entonces B.A. corrió la cortina y te dijo que indicaras el norte y se rió de que tu sexo estuviera desviado levemente, ¿es cierto, Álvaro? Porque mi vocación es dibujarte y dibujarte. Y te pregunto de esas noches de Donald, con el circo y su cara pálida.

Yo las he soñado, las noches de Donald. Pero con circo, al menos con ponis en círculo y mujeres con brasieres de oro. Porque me parecía tan triste su vida. Con espejo y catre y ventana. Deben ser como aquelarres cada noche, con los recuerdos del cine o del aire de un bulevar. Bruja Vilma, bruja yo, en el aquelarre, flotando en el aire negro de su cuarto. Acaso es un zenzontle el que le anuncia la mañana y Donald camina hasta el límite, a cortar una rosa, orinar y ver en la cielo el Toro.

Así era Donald, escuchándome. Tan cetrino, B.A. ¿No hay peligro que la Vilma haya entrado? Anclá en mí, Álvaro. Donald se incorporó atormentado por las palabras de nosotros y el calor. La ventana siempre abierta. Se oían grillos. La penúltima estación había sido San Marcos, cuando él era aún más gordo. En su meditación las cosas aparecían sin fuerza. Recordaba igual una esquina donde esperar, el vestido de la Vilma descendiéndole por la cadera, el último día del circo. Cuando lo guardaron aquí, Donald era el Minotauro con cuernos de puntas de oro, con laberinto de mecates. Ariadna, me dice, se parecía a mí, la misma aridez de mirada y la insistencia en las empresas martiriosas. Donald extrañaba entonces el furgón en el que lo acarreaban de un pueblo al otro, hasta el olor a vaca sucia que tenía (tan limpio, tan afeitado), hasta putitas piel canela, tendetes de jarras de plástico.

Pero este cuento no podía de conmover a la Vilma. B.A. se dio cuenta. Estábamos mirando cantar a David Bowie en la TV y, por supuesto, B.A. bailaba. Oh glamour. Álvaro con su olor a *after shave* y ron. Bowie hizo de Pilatos. Pilatos y los romanos y después el circo. Álvaro el león. B.A. el artista. La luz de la TV nos iluminaba la cara. ¿Cuándo termina esta noche, Vilma? Vendremos de Tupilapa, fumaré marihuana. Álvaro siempre decía que después de cuatro horas de ver TV, lo mejor era tirarse a las olas, al agua tibia. Llegó Manuel con la novia de Álvaro. Así estuvimos un tiempo, tiesos como en una foto, frente a la TV, la luz lavada de la luna llena entrando en la ventana de Donald.

La novia de Álvaro contó quedamente de la ola sonámbula de Tupilapa. Hay una cerca de listones de madera pintados en varios colores. La puerta abierta frente al mar a esta hora. Cosas de escalofrío. Me voy al agua tibia, dijo Álvaro. Y los demás lo siguieron. B.A., Álvaro, Manuel, se sentaron allá por el límite. Ardía todavía en nuestros rostros la luz de la TV. Vamos nosotros también, dijo al Vilma. Álvaro y ese olor a chiclets de canela y marihuana. Apagamos la TV y B.A. puso música. Era de esa que flota arribita de la hierba y da en los pies hormigueos como de ascensor.

Allá en lo oscuro vi los ojos de Donald. Pensé en ser amable y le sonreí, la discreta. El cielo del patio era como un camino estrellado, los tejados como alfabetos difíciles en la penumbra. Esa mano cálida de B.A. en el hormigueo del ascensor, con ganas de decirle: ay, Álvaro huele tanto a algodón de azúcar y limón, ¿cuándo acabará esta noche, Vilma? Álvaro conversaba con Manuel, tan serios los dos, quedamente, qué haremos con esas puertas abiertas frente al mar de Tupilapa. Yo puse una vez a una mujer contra esa cerca blanca, diciendo muerte a las mujeres inaccesibles. ¿Y de tus relaciones qué ha quedado, Manuel? Porque yo quedo siempre blanco, hasta puro, nunca voy a la Iglesia pero me siento bien, no hay suciedad posible, excepto cuando alguien anda hablando por ahí. Vengan a bailar, dijo B.A. En el límite, en el límite para que se acerque el Minotauro. Con los ojos brillando en la luz de la luna, qué amable, Vilma, qué amable que puede ser un circo.

Así todos nos acercamos. Oh Álvaro con olor a sudor y marihuana. Éramos un hormigueo en el límite y Donald ya se acercaba. Aquelarre, gritaba B.A., Tiresias, bruja Vilma, bruja yo. Sólo nos faltaba levitar en el amplio espacio oscuro del corredor. Quise en aquel enredo encontrarme con la Vilma, decirle que estaba feliz, que había aceptado la mano de B.A. Esos ojos de luna de Donald, tan cerca de nosotras, y el olor a tabaco de Álvaro. Cuál espacio, gritaba B.A., cuál espacio. El cielo estrellado, le dije yo (tan impráctica). Pero Donald dijo que su cuarto tenía las paredes altísimas y un espejo. Hubo un momento que tuve a la Vilma muy cerca, pero no le dije nada, sólo le vi la luna reflejada en su pelo negrísimo. Bruja Vilma, bruja yo.

Ahora, Álvaro, en domingo, estás dormido. Para qué voy a verte. Si acaso estoy tiesa frente a este predio soleado. Llego hasta vos, aspiro tu olor a acuarela y tinta. Que me dijeras que vos tampoco estás en las sombras de un cuadro. Te despierta el zenzontle (me vale saber si los zenzontles son pájaros nocturnos). Oh Álvaro solitario como Donald en esta casa, cuándo retornarán nuestros juegos y nuestro circo. Por nuestra ventana los monitos conducidos por B.A., el inocente sin cortina corrida. Dormido.

Oh Álvaro, dulce obsceno, en el abismo de una puerta abierta al mar, Tupilapa, desde cuya baranda divisás a tu lejana novia con Manuel. Y cómo huelés a arena y ola. Mi espacio es ese, dijiste, mi límite aquel, señalando el horizonte. Qué inocencia, si yo sabía que tu límite era Sony y marihuana y las ollitas y B.A., mientras tus papás no vinieran de los Estados. Aunque en verdad, juntos todos, como aquella noche, pudiéramos alzarnos del suelo en torno a nuestro rey cornudo, el inmenso hombrón de pecho peludo.

Después el animal babeante, pero ahora sólo el aire, las sombras en las que flotábamos. El silencio de B.A., casi lírico antes de ser científico. Y la Vilma envidiada por estar rozando casi el techo como una princesa, sin vértigo (pero el animal la esperaba y ella era parte del animal). La Vilma me iba a contar después aunque todos lo habíamos visto, una vez en el espejo, otra vez en la realidad, desde nuestro aire (no me soltés la mano, B.A.). Ella y Donald formando el animal cuadrúpedo frente al espejo, cuando Donald se puso violento y su espalda blanca se llenó de vetas rojas, sembrando a la Vilma, obscenidad blanca con cuatro patas y un solo sexo, con baba y pelos y gemidos. Y todos nos extrañamos de la suerte de la Vilma, desde el aire (Álvaro también divisaba desde el regazo de B.A.), y estuvimos en silencio hasta el final del acto. B.A. con cientifismo, Álvaro con olor a noche. La Vilma gimiendo y Donald con la luna en la mirada dura y triste.

Cosas de los espejos, dijo Donald. La ventana estaba abierta y la luz de la luna entraba hasta dar en el suelo. Tiresias, Tiresias, el espacio, decía B.A. Bruja Vilma, en el ángulo superior (bruja yo). Todos flotamos en torno a Donald y él se sacó su calzoncillo verde. Y la Vilma estaba ya en el ángulo superior. La luz de la luna era más constante que la de la TV (acaso la habíamos dejado prendida en la sala) Eran unos ocres tan bellos y fúnebres en el cielo del cuarto de Donald y él estaba abajo, desnudo. Bruja Vilma. B.A. con su cara descansando en el regazo de Álvaro, sintiendo el olor a semillas de marañón asadas. Yo sosteniendo apenas la mano de mi prometido. La novia de Álvaro con esa luz de luna que es puerta frente al mar. Este es el verdadero final, de todos el que más me gusta. Eran como las 3 a.m. Pero abajo estaba Donald desnudo, esperando. Y nosotros flotando, formando un polígono con la Vilma en el ángulo superior y todos oscuros.

Nidia al atardecer
Julio Escoto
Honduras

> *Una tirada de dados*
> *jamás abolirá el azar.*
> Mallarmé

> *Oh, Lord! Wouldn´t you*
> *give me a Mercedes Benz?*
> Janis Joplin

Nidia estaba tantaleando la acera, dando golpes con el palo de la escoba para espantar los escorpiones que anidaban enfrente de la barbería y que apenas podía entrever tras la resolana marchita del atardecer que entintaba de sangre las paredes y sembraba de girasoles imaginarios la calle empedrada. Bajo los capiteles de la avenida ardía inflamado el fuego de los flamboyanes y abril agonizaba ahogado entre las telarañas de un viento salobre y ralo venido del mar. Un sofoco de palpitaciones entrecortadas le apuñaba el corazón, como un corsé de calcio, y en el entretejido de las venas, apenas aplomadas en el vértigo de las articulaciones, le corría una inmensa marisma de paciencia y desconsolación que le apagaba las pestañas y le regurgitaba la marea de los últimos tendones, alongados y cautos.

No vio, por tanto, entre la neblina aovada del sol depositada a plomo sobre el peso vertical de las paredes pintarrajeadas de grafitis eróticos, las techumbres de ala baja y cantos tejados, los muros circulares que entornaban voluptuosamente la cintura de las mansiones, los bohíos y los malecones olorosos a desecho de cal, aquella presencia, la otra, que plantaba una mansedumbre de sombra en la gran cataplasma de luz que invadía los muros de ladrillo rojo, y continuó aporreando las hendiduras plomizas y las bocas alambradas de las alcantarillas donde afilaban sus garfios magros de hoz los pozos ensalivados de los escorpiones y donde cargaban sus despensas de fuego los manojos de luciérnagas y las hembras de los cocuyos. Atrás suyo, enfundado en el sobrepelliz de lino que le cubría los hombros y embozado bajo el gorro de crochet de la penúltima navidad, cruzaba las armas de las tijeras Luis, separando pelos y remolando melenas dentro de la barbería, afinando en la faja de asentar las pulidas navajas de barba, empantanando en la espuma de jabón las brochas olorosas al regaliz de los morteros bocones de botica, sobrevivientes de una perdida generación de su cercano pasado de negociante en alcanfores, guayacalinas y jarabes de Tolú. El tilís de las tijeras maestras remedaba con sus ojos pardos una inquieta sinfonía de trabajo y resignación, perdida ya en el inmisericorde trajinar de un día sin emoción y sin gloria.

Nidia sintió en algún momento la cercanía del espanto del pasado, porque vuelta hacia la escalera de abeto que inauguraba la entrada del establecimiento, bajo el péndulo horizontal del cartelón de aviso de la barbería, al sacudir las pelambres de las telarañas que envolvían en una red de agujeros la deforme angulosidad de los peldaños, la asaltó súbitamente el despegue agitado de una mancha de mariposas negras que le cruzaron la cara y le espolvorearon sobre los ojos una arena de residuos de noche hechos para el mal, esparcidos para los hilos del presentimiento. Alzó en alto la cabellera de la escoba y sacudió en espirales las últimas agonías del atardecer en el mismo momento en que recordó, con una nitidez que deslumbraba los resquicios de la memoria ingobernada, las pesadillas de una siesta bochornosa y olvidada: había visto en sueños la presencia de un hombre con paraguas, arrodillado bajo la comba de un almendro de alas anchas de oro y desplayadas hojas de coral cantando bajo la solidez de la luna de abril una canción del más ardiente amor solitario y avergonzado. En el interior marchito del círculo del deseo que inauguraba aquella voz no pudo percibir el doblez del signo de las palabras, pero cada queja exhalada del canto, cada recriminación de la añoranza que lo ahogaba y enmortecía, iban a clavársele en el rebote de las oquedades del vientre y los silencios del corazón, haciéndole estallar en un sollozo necesitado que sólo podían conjugar la posesión avariciosa del hombre y sus aceptados desmanes de invasión.

Nidia cerró los ojos ante el espejo de su propio desconcierto, herrumbrado de soledad: ¿"Aquello" a su edad? ¿Tan desgraciado sino le emputecía la carne, que no se le apagaba? Vio a Luis tras el empapelado metálico de los mosquiteros de la puerta y recordó una noche de amor sobre el entarimado de los galpones de los concejales en las plantaciones de azafrán, muchos años después del primer asomo de la conciencia de la virginidad, y sonrió maravillada de las recurrencias del tiempo. Sobre su cabeza anidó un enjambre circular de interrogaciones concentradas, más allá de las esperanzas de la resolución y el arrepentimiento. Buscó a los alacranes y los azotó con una rabia inaudita que no podían complacer las resistencias de la vejez ni las debilidades del amor.

Fue entonces cuando oyó a sus espaldas la voz, aquella voz venida de la distancia del eco de las cosas acabadas, de lo innombrable en el claustro de los silencios familiares, aquel avejentado acento capaz de despertar lo imaginario y dar título a las cosas del mundo virgen de las adolescentes púberes encandecidas por una pasión sin objeto y sin remedio en el acuoso navegar de sus ansiedades discretas.

—Nidia —llamó él, envuelto en la luminiscencia del atardecer. No hubo más.

Nidia experimentó instantáneamente el doblez del orbe en sus manos. ¿Qué tenían esas alimañas que las hería y las azotaba, las doblegaba y reducía a huellas de la calzada, que no morían y sobrevivían al odio y el espanto, que no desaparecían de la faz del recuerdo y la memoria y volvían, treinta y ocho años después, a asaltarla y atacarla, amedrentarle la paz, alzarle los velos de la inconsciencia y el olvido? Las crucificaba en el altar de piedra, las desmembraba inexpugnablemente, hacía su expolio animal, repartía sus miembros en la calle, dividía sus cartílagos y osamentas, fragmentaba sus articulaciones, asediaba sus restos y excrecencias, restregaba sus humores y ligosidades viscosas, barajaba sus babas, trozaba sus tenazas y aguijones, despeluzaba sus cilios pelambrosos, ensartaba ojillos y enhebraba antenas pisciformes, apisonaba, sacudía, apartaba, reunía en montones amorfos, en bultos polvosos, una accidentada geografía de detritus expurgados, ¿qué voz insomne los convocaba y revivía en cada noche de treinta y ocho años de angustia y retorno, de sofocos censurados y tranquilidades momentáneas, sueños de ajena posesión, inacabada espera? ¡Oh, Dios!, pensó, ¿es que la memoria era el alma, que no muere?

—Nidia —repitió él— soy Luis Armando, que he regresado —explicó.

Nidia no necesitaba recordar el nombre, el ensanche de abejas que le oscurecía la vista y le aguijoneaba la conciencia sólo podía provenir de aquella voz surgida del trasfondo del tiempo, que retornaba cuando los fuegos de la espera se habían marchitado y cuando el rescoldo de la pasión, encendida treinta y ocho años antes, había disperso sus cenizas en un voluminoso viento de ansiedades acabadas y complacencias solitarias hechas sólo para aumentar la insatisfacción y el deseo. Estremecida por el cataclismo visceral del reencuentro vio a abril disolverse en un espejismo de luz sobre los techados de paja de los barrios de los pescadores, pero no tuvo valor para volverse y enfrentar su propio pasado. Adentro Luis encendía en ese momento la marmita de gas donde hervirían los instrumentos y las toallas de barbería. Sobre el espacio anaranjado del atardecer sobrenadó un filoso graznido de gaviotas.

—¿Qué quieres? —preguntó sin dejar de barrer la calzada, aferrados tercamente los puños en el mango de madera.

—Compartir tu vejez —respondió él. Nidia deglutió un bocado de saliva enharinado de odio.

—Ya es muy tarde —contestó.

—Aún no oscurece —explicó él viendo caer sobre el borde del malecón una ráfaga de sombra acidada por los ramalazos de los limonarios. Con un movimiento lento extrajo el pañuelo y cubriéndose los labios se acomodó discretamente la disfunción de los colmillos postizos; detuvo el sudor que le transpiraba la frente bajo el sofoco del verano y el asedio del último lamparazo de las cinco de la tarde. De alguna forma inconcebida Nidia lo vio, o lo sospechó, pero no dijo nada. A pesar del incontrolable mareo de curiosidad que le esponjaba los poros, en contra de aquella urticaria maligna que la empujaba y le carcomía los deseos de volverlo a ver, siguió limpiando impertérrita el cauce de la calle como si lo adecentara para las celebraciones de la eternidad.

—Has de estar muerto —dijo ella negándose a aceptar que los escorpiones hubieran desaparecido de las oquedades olorosas a pasto de musgo y espuma del alcanfor. Nadie puede sobrevivir tantos años en silencio.

Luis Armando dio un respingo de insatisfacción.

¿Era así como se acababan los exilios?, se preguntó a sí misma, ¿era este reconocer un extraño, presentársele un hombre de quien ni recordaba las malicias del rostro más allá de los desórdenes de la imaginación, lo que hacían los pantanos de la distancia y el abandono? En tanto espacio, ¿quién podría conjugar la diferencia?, ¿quién juntar lo apartado por el tiempo y el odio? En la boca se le encontraron a la vez los sabores del rencor y la ternura y escupió confundida sobre el adoquinado de piedra. Un automóvil ocupado por soldados cruzó lentamente sobre la bocacalle del malecón, al fondo de la pequeña laguna; Nidia se concentró instantáneamente en el manipuleo de su trajinar oficioso contra las alcantarillas.

¿Era este el mismo hombre de quien no había sabido en realidad cómo se llamaba durante los siete días de la revolución?, ¿de aquél que era lo que era, esto era lo que quedaba, casi un anciano que no ocultaba la dificultad con que se le enconchaban los fuelles del corazón, en su respirar cansado y mustio, y que entornaba la vista perseguida a cada graznido del mar, a cada baquetazo de las olas? Los fantasmas del exilio, ¿acobardaban o fortalecían?

—No digas tu nombre —le había advertido al entrar aquella mañana en la sacristía donde había de presentarla ante la célula del puerto— ponte otro —ordenó.

Ella había barajado todos los seudónimos posibles mientras cruzaba el portón de madera antes de encontrar uno que no le pareciera azucarado con su cursilería novelesca o por una afectación inverosímil.

—Soy Dinia —dijo avergonzada invirtiendo su nombre y estrechando las manos huesudas y callosas de los tres hombres asentados sobre los taburetes de mezcal y las poltronas negras olorosas a bellotas de pino y repellos de barniz de carpintería. Tras los altos vitrales llovía una agua pastosa y caliente que chorreaba las barbas de los apóstoles y abrillantaba los corpiños de las vestales.

—Este es Isaac, este David, este Juan y yo soy Pedro —explicó señalando a cada uno. Nidia no entendió de momento si estaba allí para revivir las Sagradas Escrituras o para comenzar la revolución.

Pero lo que había que hacer, continuaba él, era dar un golpe maestro que los pusiera ante los ojos del pueblo y sentara a temblar al Hombre y sus esbirros, proclamó, una acción súbita y certera que los hiciera encabezar el movimiento nacional en una semana, alzar la tropa, conducir un frente de masas y darle volantín al Hombre, jodido, escupió, eso era imperativo desde el cuartelazo que lo había elevado al poder, ya de General se estaba harto, ¿no era así, es que no era así? Los tres hombres asintieron en silencio, moviendo sus rasgos mestizos sin volverse a ver.

Escuchándolo absorta Nidia descubrió intempestivamente cuál era la última razón de la vida y se estremeció con una angustiosa sensación de premura en que la desazón de sus iniciales titubeos desaparecía disuelta bajo una arrolladora emoción de inspiración y fe. Era hasta ahora que palpaba la escabrosa dimensión de su cobardía, y estaba dispuesta a repararlo. Esto era como una transfiguración, como de pronto encontrarle la utilidad a ser mujer y poder repartirse, prodigarse, hacerse de todos por partes en el objeto de una iluminada y desconocida comunión del mundo. Había que movilizarse, entrar a los gremios, penetrar, penetrar los sindicatos de estibadores, juntar los oficios, despertar los artesanos, sembrar esta nueva semilla que ya le florecía en el vientre y en el calor del corazón, exclamó exaltada cuando Luis Armando le entregó la voluntad de la palabra. Los tres hombres mestizos aplaudieron, al principio tímidamente, después con una efusividad ingobernable que les transparentaba el papel delgado de piel que les sombreaba las angulaturas del rostro.

—No hay tiempo, no tenemos tiempo —cortó él repentinamente en el eco húmedo de la habitación— no podemos esperar la siembra del conocimiento —dijo— hay que actuar, hay que actuar ya —y subrayó los límites del adverbio con un doble palmazo sobre el viejo misal de letras miniadas que ocupaba el atril de los devocionarios.

Eso fue el primer día. La noche siguiente había nueve hombres y dos mujeres.

—Los hombres de color somos malos guerrilleros —explicó uno de ellos— porque le tenemos pavor al resplandor de las armas blancas, pero ahora vamos a superar eso, compañeros —prometió cuando descendió sobre él el momento de votar por la forma en que comenzarían la revolución.

Uno tras otro se sumaron al acto rápido, decisivo, sin más espera que la de sus propios calendarios. Sólo las mujeres concebían la revolución como se piensa un hijo.

—¿Qué fue de nuestro hijo? —preguntó él deteniendo la escoba con que Nidia desgarraba las telarañas amarilladas de luz que moteaban las paredes y el cabestro del entretecho— ¿Es él? —interrogó señalando a Luis en el interior de la barbería.

—Murió —mintió Nidia, volviendo a verlo por primera vez. No le tembló la palabra cuando se encontró de frente con aquellos ojos oscuros y profundos, sombreados por dos arcos filiares profusos y desordenados, en que brillaba aún el fuego de una pasada rebeldía no satisfecha. Observó ligeramente los lamparones gastados, a la altura de los hombros, de la chaqueta traslapada, y no pudo detener un asomo malicioso cuando contempló el pañuelo bordado, hecho con un damasquillo de lunares dorados, que sobresalía en tres puntos meticulosamente dibujados del bolsillo superior. Pero esa calvicie pronunciada, ¿era así, la habían provocado los vendavales del tiempo?

—Murió de falta de padre —explicó— que es la peste que asola este país... No es cierto —rectificó inmediatamente— lo ahogué en un pozo artesiano a los tres días de nacido.

Él endureció la mirada y apretó los puños, pero no dijo nada, inconstante en el balance de la verdad y la mentira. Tres silencios después apenas pudo masticar unas palabras.

—Lo quería... —susurró con la voz apagada.

—El riego del varón no es suficiente —protestó ella, sorprendida por su propia habilidad para amonedar en pocas palabras un monólogo sordo de treinta y ocho años— las cosas se crean, pero también hay que criarlas, hay que formarlas y darles vida, irlas amoldando hasta que tengan fruto —expresó ya incontenida— hay que entrar en ellas con un amor de largo plazo, no sólo creerlas que son posibles. El semen del varón jamás abolirá la necesidad del cuido —dijo.

Él se quedó estupefacto, detenido tras una muralla de reprobación que nunca, ahora se daba cuenta, alcanzaría a penetrar.

—Siempre manejaste un lenguaje con olor a sexualidad —fue todo lo que se atrevió a decir.

—Es lo único que oían tus oídos —sentenció ella.

Entonces él comprendió definitivamente que estaba tan solo como en el principio de la creación.

—Oigan… escuchen… —advirtió alarmada la tercera mujer incorporada a la cuarta noche de la revolución. Los doce varones quedaron en suspenso, detenido en el aire el lápiz con que anotaban el nombre de los partidarios del alzamiento. Afuera un auto pasó raspando despaciosamente la gravilla de la calle que daba a la sacristía; visto tras los cortinajes de los ventanales y bajo la luz del farol amarillo y oscilante del callejón, su presencia recordó brutalmente los límites del juego entre la inocencia y la complicidad.

—No hay peligro —tranquilizó él sin poder evitar que se le enronqueciera la voz y lo vieran inquietarse con una involuntaria tos nerviosa—. Mañana traeremos barajas, o dameros, para hacer parecer nuestras reuniones una diversión sin consecuencias —propuso. Los otros bromearon sobre lo de las consecuencias y encendieron como sin quererlo nuevos y manoseados cigarrillos de ecuanimidad. Luego continuaron esbozando en grandes hojas de contabilidad el tramado rocoso del puerto, delimitando los vericuetos de la comisaría, inventariando el esqueleto de sus atalayas, torreones, troneras y bartolinas; fijando con cruces rojas los sitios de resguardo y recogimiento si se hacía imprescindible huir —no ocurrirá, no ocurrirá, pero debemos prever—, dibujando los posibles buzones de agua y comida, radiografiando los hechos futuros, adelantándose al gesto del tiempo y los amagos de la sorpresa.

El recuento de armas probó resistirse a las abundantes cosechas de la imaginación: dos revólveres, un rifle de caza y un máuser gris podrían muy poco contra las huestes del Hombre, pero con ellas se conquistaría el arsenal de la guardia de la capitanía de puerto, como primer paso de una rebelión que incendiaría la esperanza nacional, clamó él, y los varones aplaudieron, las mujeres se persignaron. Dentro de la sacristía creció el sofoco del verano y una alucinante red de mosquitos vino a instalarse entre capelos, estolas y bonetes huyendo de las brisas violentas de las bascas del mar.

—Todos estos años... todos estos años esperando —reclamó Nidia con una inmensa tranquilidad que hubiera podido confundirse con los entrepaños de una afectuosa ternura correspondida. Descubría ahora, al atardecer de su vida, esta que no tenía en verdad la luminosidad que los rodeaba, la futilidad de todos los improperios y el rencor acumulado en las tres décadas idas. ¿Era esto perdón, era así como decían que se sentía cuando ya se podía morir? La santidad y todos los enhebres del misticismo, ¿es que no eran una forma egoísta de desprenderse de todos los lastres de la vida?

—Todos estos años de represión —musitó condolida— en que estuvimos marcados por un apellido que no nos pusiste, herederos de un afán conspiratorio que no nos delegaste, perseguida, insultada, despedida del trabajo en la escuela del puerto, arrinconada y vigilada en todos los oficios que amamantó la necesidad —recordó, viendo la marea estrellarse contra el malecón— ¿servirá de algo toda esa agua golpeando cada hora contra el mismo muro? —preguntó confundiendo los pensamientos.

—Nidia —replicó él lenta, suavemente— el hombre requiere el peso de los años para aprender a acomodar el arco del golpe. La distancia madura, el exilio hornea y caldea las ideas y los sentimientos, dorando lo que vale y queda. Yo hoy sé que el amor se hace con el tiempo y que sólo los actos del amor sobreviven a la muerte... He vuelto para hacer algo más que presencia.

—Pero todos estos años sin un interés, sin una palabra, un gesto, un brazo a lo lejos...

—Sólo el necio tienta la profundidad del agua con los dos pies, Nidia —reflexionó él.

—...una carta, una noticia, un mensaje, algo que nos recordara que no nos habíamos muerto...

—Nidia —dijo él tomándole las manos y sin escuchar el apellido ronco de los barcos a la distancia— somos dos viejos solos que pecamos de lo que no teníamos culpa, de nuestros impulsos de jóvenes, de nuestra inexperiencia y del arrebato por encender en un día fuegos que necesitaban ser más caldeados y atendidos —Nidia soltó una mano y se la llevó al rostro: palpó la concavidad de unas arrugas aradas por los hierros del sol— lo que no podemos hacer, Nidia —continuó— debemos enseñar a hacerlo. Personifiquemos el error, Nidia, para que no nos imiten —pidió él.

—Yo no —rechazó ella apartándose abruptamente— nunca creí que las cosas duraderas se establecieran sobre el riesgo de una aventura.

—Estoy hablando de nosotros, Nidia —protestó él.

—Estoy hablando de todos —corrigió ella.

En la sexta noche de la revolución el estallido de truenos y la cabalgata de relámpagos de la tormenta tropical apagaban a la puerta las voces de quienes explicaban a contraseña que venían al juego de damero. Los encapotados, iluminados súbitamente por los fogonazos aéreos, destilaban una agua ocre que se les arrastraba por el caucho de las botas de los bananales, que se les desprendía desde el hule de las capas marineras, olorosas a contagio de sudor y pez.

Sobre el mostrador de la sacristía, junto a los cálices refulgentes y los copones dorados se instaló una lámpara de calafate para el momento en que se detuvieran los motores de electricidad de la Compañía, que los sumiera en oscuridad, y de los bolsones de cuero fueron surgiendo las listas y los planes, las nóminas, las láminas y las minutas descriptivas de los accidentes de puerto y, por fin, tomada por un subrepticio atrevimiento, la carta de marear con sus detalles de la dársena y la bocana, por donde podían atravesar el canal los regulares del Hombre. Estaba todo; ahora faltaba designar e investir a los que repartirían la muerte o la vida. La expresión cayó sobre el corazón de todos como el retumbo de un rayo interior.

Ante la vista borrosa y excitada de los siete hombres Nidia alzó la mano, dispuesta al último esfuerzo de su convicción, pero por más que trató de organizar en un discurso coherente aquel haz disparado de emociones que le reconcomía el espíritu, sólo pudo tironear dificultosamente dos o tres ideas redondas y estables.

—No estamos preparados... —comenzó retorciéndose las manos bajo el faldón de la sudadera húmeda y pegada a las formas del cuerpo—. Mejor dicho —corrigió— no hemos educado a nuestra gente, a los que nos tendrán que seguir, no hay tal generación espontánea, seamos responsables —pidió, pero viendo el gran signo de interrogación dibujado en los ojos de los hombres ahogó inmisericordemente las palabras— pero lo que será que sea —dijo— no me temblará la mano.

El hosco silencio sólo fue interrumpido por el lamparazo de un relámpago que desprendió en iris el cromatismo de los vitrales. Luis Armando presintió el balance de los cerebros, que ponía en peligro la misión. Su orden fue entonces audaz y ejecutiva como un rayo.

—Mañana es el ensayo final —concretó—. Ahora todo está dispuesto.

Nidia empujó el mosquitero de la puerta de la barbería en el mismo momento en que caía agobiado el último rayo de luz y la avenida se empozaba en una claridad harinosa que ensombrecía los callejones y depositaba una película mate sobre los flamboyanes.

Casi simultáneamente se encendieron las luces de la capitanía de puerto, los faroles de la calle y los carboncitos titilantes de los cargueros anclados en el ancho brazo espumoso de la bahía. Oyó a Luis subir de tres zancadas la escalera interior de la barbería y gritarle que se metía bajo la regadera. Abstraída quedó contemplando la pulcritud merecida de su trabajo sobre el empedrado.

—Dame tiempo —dijo Luis Armando— y volveré a ser el mismo.

—Dios no lo quiera —exorcizó ella— echarías todo a perder.

—Nadie cometería el mismo error dos veces —suplicó él.

"Yo sí", pensó Nidia, pero nada en la armonía de sus gestos reveló la confluencia de vientos encontrados con que la estaba sacudiendo la repetición de su historia personal.

Entonces lanzó por primera vez una baraja en que se conjugaban habilidosamente la esperanza y el reproche.

—Quizás volverías a dejarnos —indicó con oscuridad malignamente femenina— como nos abandonaste en la plantación de azafrán, en vísperas de un parto difícil —fue la única vez en que contra voluntad le tembló el papel de la voz. Luis Armando se defendió como herido en la oscuridad de la noche.

—No lo hice —reclamó— fue el mismo día en que fusilaron a los mestizos y mi captura sólo hubiera servido para otras muertes más. Escapé para que no te encontraran, Nidia —confesó él.

—¿Dónde quedaron las listas del movimiento? —preguntó ella.

Luis Armando se revolcó en la incomodidad del recuerdo. Se pasó el pañuelo por la frente y evitó contestar. Sólo después de un insistente silencio tornó a hablar.

—Se las comió un mono —reveló terriblemente avergonzado— en los pasos de las montañas de la frontera.

La risa cristalina de Nidia se expandió por la avenida y sofocó los burbujeos nocturnos que emergían desde el fondo del malecón.

El séptimo día de la revolución no existió y quedó por hacerse. Embanderados bajo una pasión que comenzaba a soltarse violentamente, el breve atraso de la caminata por la playa les permitió arribar a la sacristía en el momento en que se aproximaban felonamente los hombres del Hombre, arma en mano, a extirpar una consagración que no compartían. Fue entonces cuando se desenvolvió el ciclón de la huida hacia el exterior de las plantaciones de la cordillera, donde las contradicciones del gozo y el arrepentimiento entrelazaron un nido de pudrición impoluta en que agotaron todos los ejercicios del amor y la culpa. En el vientre de Nidia comenzó a crecer el fruto de la aflicción y la esperanza.

Luis asomó a la puerta de la barbería, abotonándose apresuradamente la camisa de manta. Del antebrazo le colgaba un bolsón de trapo en el que podía siluetearse el contorno rectangular de los libros y los volúmenes arrollados de pergaminos. Nidia sintió iluminársele el rostro por los rubores de la satisfacción, pero no quiso juntar la mirada con la del hijo, abstraída como estaba barajando las cartas de una decisión ulterior. A su espalda comenzaban a silbar los grillos y a croar los batracios de la pequeña laguna donde ya reinaba la oscuridad, dueña y señora de la gestación.

—Me voy, ma —dijo el hombre joven—, esta noche tenemos reunión de damero en el centro.

Entonces el padre quedó viendo fijamente a la madre, desenhebrando velozmente las respuestas a preguntas de las que había estado ausente. Nidia sonrió con una profunda e inconsciente gratitud de sí misma.

—Invita al señor contigo —ordenó señalándolo con discreción.

Luis pareció no entender de inmediato, confundido por la imprudencia senil de la madre.

—Él —preguntó— ...¿conoce el juego?

—Es un maestro —contestó Nidia— pero viene a aprender humildemente —recalcó— las reglas que le enseñemos —y se dirigió al interior del edificio, cansada de luchar inútilmente con los escorpiones.

Cuando cerró la puerta de mosquitero y ajustó los pasadores, abril se había quedado ya dormido sobre la inocencia casta de los flamboyanes.

El espacio de las cosas

Jacinta Escudos
El Salvador

El hombre está dormido boca arriba cuando siente el temblor.

Se despierta alterado y piensa que es un terremoto y su primer reflejo es saltar de la cama, salir del cuarto, buscar refugio bajo el arco de una puerta como suelen recomendar.

Busca la orilla de la cama y comienza a levantar el mosquitero, agitado, con mucha prisa. La rapidez es importante en estos casos. No sabe si el temblor sigue o si son sus nervios los que hacen temblar su cuerpo, pero alterado como está y cegado por la oscuridad de la habitación, no encuentra el borde del mosquitero contra el cual se debate enfurecido, sintiendo que la tela es una pegajosa sombra que se le enreda entre las manos y los brazos.

Ya desesperado, decide dar un jalón para arrancar la tela, partirla, pero la tela no se rompe y se estira como chicle en sus manos al tiempo que la siente pegajosa y húmeda y se pregunta por qué el mosquitero está mojado, no concuerda, no tiene ningún sentido y ya no importa si el temblor continúa o no porque está atascado hasta las orejas con el mosquitero y lo único que le interesa es desenredarse, encender la luz, recuperarse del susto y volver a dormir.

Mientras tanto, los ojos se acomodan a la oscuridad y nota que el mosquitero está totalmente deshilachado, o eso parece, y se le pega en las manos y el cuerpo, y mientras más se mueve para desenredarse, más parece atascarse. Siente que algo lo jala por detrás y piensa que sus propias maniobras lo están enredando más en los hilos. Voltea la cabeza para saber lo que pasa y mira la sombra de lo que parece una gigantesca araña que avanza hacia él a velocidad vertiginosa.

El hombre queda paralizado un momento, tratando de comprender, "las arañas gigantes no existen", se repite a sí mismo como un mantra, pero la verdad es que a medida que se acerca aquella sombra se convence de que lo que viene es una araña de ojos rojos y patas espantosamente peludas y en lo que parece la boca del animal hay un par de mandíbulas que se abren y se cierran lanzando un líquido que viene a pegársele a la piel junto con los restos del mosquitero.

El hombre se agita, apurado, trata de zafarse antes de ser alcanzado, pero se da cuenta que el líquido que el animal lanza comienza a atarle los pies y a envolverle las piernas, desesperado comienza a gritar, a pedir auxilio a los vecinos o a cualquiera que pueda escucharlo, mientras la araña, ya encima de él, continúa llenándolo de saliva y tejiéndole una mortaja al hombre que poco a poco comienza a tener el aspecto de una momia.

Se siente paralizado, inútil, tan atemorizado por los ojos rojos de la araña que están tan cerca de su cabeza que prefiere callar y dejar de gritar porque piensa que la araña podrá enfadarse y arrancarle la cabeza de un mordisco y siente el cuerpo apretado dentro del capullo de la saliva que el arácnido teje a toda prisa para evitar que la presa escape porque las arañas prefieren su alimento fresco.

El hombre ya no resiste. No hay nada que hacer. Apretado en su camisa de fuerza, en su capullo de muerte, cierra los ojos para no ver más y piensa que quizás está dormido y que tiene que hacer un intento por despertar ahora, en este preciso instante antes de que penetre la oscuridad total en sus ojos, antes que el insecto lo toque con sus mandíbulas y le quite el último momento de visión que le queda porque la araña cierra el capullo que envuelve su alimento, y se acerca y comienza a chupar su contenido, a sorberlo lentamente mientras se escucha un leve gemido que no perturba a la araña que sorbe el alimento hasta el final, hasta exprimirlo, hasta dejar un pequeño casco vacío, disecado y comprimido, uno más entre tantos puntos blancos, grises y negros que cuelgan de la telaraña en la esquina del dormitorio, una basurita que cae cuando la tela es sacudida a medida que la araña se retira a su esquina para esperar el próximo alimento, basurita que cae sobre el papel sobre el cual una mujer escribe de noche, en su escritorio y que ella limpia con la mano, fastidiada, tirándola al suelo, una basurita blanca que la asistente doméstica barre al día siguiente, con el resto del polvo y la suciedad que encuentra en el suelo de aquella habitación.

Solitario doble

Lorena Flores
Guatemala

No hay mal que dure cien años ni cuerpo que lo resista

Yo era una de esas mujeres terriblemente aburrida, desdichada, reprimida e ignorada. Leí cuanto libro existía acerca de cómo agradar a tu pareja, cómo ser la esposa ideal y cuanta basura caía en mis manos o era recomendada por mis bien intencionados conocidos. Acudía al psiquiatra, al sacerdote y con Madame Soraya, y nadie dio resultado. Nuestra vida era un desastre, ni siquiera funcionaba en la cama. Un día propuse ciertas innovaciones que tuvieron como único y fatal resultado el bloqueo de mi marido (bueno, mi ex marido); por varias semanas. Finalmente me dejó. Nos divorciamos y para reivindicarme un poco quiero aclarar que no le pedí un solo céntimo. El pobre hizo mucho con aguantarme como para que la ley lo obligara a mantenerme. Además, después de separarnos florecí. Bajé siete libras que me estorbaban; compré ropa bonita y de pronto me volví una mujer atractiva. Quién iba a sospecharlo. Mis amigas con envidia solapada tras lástima me preguntan si no me siento sola. Lo peor es que no me creen cuando les digo que soy feliz. Trabajo, salgo a tomarme unos tragos, conozco gente, hombres especialmente, y me divierto. He descubierto que hay miles de hombres solos y muchos de ellos fascinantes; y no me refiero al sexo, con muchos de ellos puedo llenar horas de buena conversación. De alguna forma me las arreglo y como último recurso está Bernardo, mi ex marido. Nos reunimos y jugamos varias partidas de solitario doble. La semana pasada, por ejemplo, fue terriblemente agotadora: el lunes fui al cine con Luis. Detesta ir con su mujer y me pide que lo acompañe. Su mujer suelta la lágrima por todo: lo aburre y lo hace sentir insensible. El martes me reuní con Francisco en el bar entre la quinta y la sexta. Había noche de damas y en mí ha encontrado su mejor contrincante. El miércoles fui con mi amigo el doctor. Me ofrecí como voluntaria con los chiquillos del hospital. No volveré hacerlo, me hace daño recordar mis enterrados instintos maternales. El jueves fue noche de amigas. La mayoría están casadas e infelices. Así que cuando salimos se dedican a coquetear en la barra, disimulando los años que tienen, usando unos ajustados vaqueros e inyecciones de Botox. Los viernes, por lo general, son noches de citas fuertes, aunque procuro estar en casa antes de la media noche e irme a la cama so-li-ta. El sábado salí con Antonio, es tan gentil que me aburre. Lo peor es cuando se pone más amoroso de lo permitido y empieza a hacer el papel de maridito. Supongo que piensa que me agrada. No podía estar más equivocado. Para rematar la noche vino Bernardo y tuvimos una partida de solitario doble. Estando con él recordé por qué no volvería a casarme ni por la salvación de mi alma. Si tenía dudas acerca de Antonio, ahora sé que tengo que dejar de verlo. Los domingos me levanto tarde, también por regla general. Buena parte de la mañana la ocupo para ponerme al día en mis lecturas atrasadas. Me gusta mantenerme informada; no sé si mi próxima cita será con un abogado y discutamos una nueva ley; un científico o un aficionado a la danza moderna. En algunas ocasiones, acepto la invitación de una amiga a comer en familia. Es agradable pero lo mejor es ser una simple invitada. Eso sí, jamás acepto invitaciones para días festivos, navidades, día de la madre, entre otros. Para eso me he quedado con el perro de mi ex marido y aprendí a jugar solitario.

Santíos Pérez

Franz Galich
Guatemala – Nicaragua

"Así se orina y no por gotas"
Dicho popular

—No voy a decirles que todos conocen a Santíos Pérez. Pero lo que sí les aseguro es que Dios Nuestro Señor que está en los cielos y las autoridades, ellos sí lo conocen. Yo, por eso, no puedo creer que el milagroso Señor de Esquipulas haya ayudado al malas entrañas de Castillo Armas, quien dicho sea de paso no era hombre de armas tomar. Que si no es por los gringos, quién sabe. Yo sé que muchos de ustedes estuvieron en Gualán, en el puente. Ahí sí que se toparon los gringos, supieron lo que es canela fina. Que no es lo mismo verla venir que hablar con ella, ni lo mismo Juana que Chana. ¡Sí señor! ¿Quién iba a decir que los generales allá en la capital se iban a rajar y traicionar al canche Arbenz? Además que la cagó con no dar las armas de la Guardia de Honor. Díganme ustedes si uno no se encorajina que semejante babosada de hombre lleve semejante apellido. Y peor cuando dicen que el Señor de Esquipulas lo ayudó. ¡Pueden creer semejante babosada! Que Dios Nuestro Señor se preste para semejante canallada. Dios, Patria, Libertad. ¿Cuál Dios, cuál libertad, cuál patria?: el Dios de los ricos. Si el Cristo de Esquipulas es aindiado como nosotros. Y así todavía nos quieren babosear. No. No hay derecho. A saber qué santo gringo fue el que les ayudó, porque el Cristo Negro no se presta para esas zanganadas. ¿La Patria? No, a mí no me cuenten cutas, pues cuando ustedes corrían, yo volaba. La patria no es de nadie. La patria la forman los lagos, los ríos las montañas, los bosques y todo ese verdor y ese azular de las aguas, los cielos y las montañas. La patria es del que la trabaja. Si ya lo dice Nuestro Señor en las Sagradas Escrituras: *"Ayúdate que yo te ayudaré"*, o como mi mamá me contaba que decía mi abuela, que Dios tenga en su gloria: *"A Dios rogando y con el mazo dando"*. Y ahora resulta que los que siempre hemos rogado y con el mazo dado, estamos jodidos, nos dejaron pitando en la loma. Mientras que los otros, los de arriba, los que están en la guayaba, se hartan hasta reventar y por si fuera poco, venden la tierra a los extranjeros. Es decir, venden la patria y con ella pretenden vendernos a nosotros. ¡No me jodan! Eso es para carcajearse de la risa. Y si hablamos de libertad, sólo que sea aquella hembra que cantaba lindo, sin tomar en cuenta sus partes, ustedes saben. ¿Díganme ustedes? ¡No hay razón! Yo digo que nos servimos otro tanguarnizazo porque a mí se me seca la garganta de tanto hablar. Los que conocen a Santíos Pérez y a Jacinta Azul, los que nunca le pidieron nada a nadie, los que se quedaron echando riata cuando la invasión, a pesar de ser un par de viejos. Pero orgullosos en puta, los que procrearon a Santíos Pérez, hijo, más conocido como Santíos. Los que le enseñaron a ser macho. Los que murieron cobardemente asesinados, sólo porque no se quisieron someter a las exigencias de la carroña del cincuenta y cuatro. Ellos, o sea mis señores padres, saben que por mis venas corre la misma sangre espesa de Santíos Pérez padre y Jacinta Azul, que de tan dulce, que está a punto de caramelo, que no le teme ni al mismito patas de cabro. ¿Han visto el diablo de la lotería? ¿Simpático verdad? ¿No? Pues como les iba diciendo, el mentado Santíos Pérez, que soy yo, dicho con toda humildad de que mi corazón es capaz, perdió el miedo el mismito día en que ella me paría, en el momento en que vio a su madre, la Jacinta Azul, cuando me paría. Lo que sí les digo es que nací con dientes, pero no los de leche, sino los meros meros, de ahí que mi mamá no me diera mucho de mamar y por eso la gente del pueblo creía que yo no me iba a lograr, que Santíos Pérez hijo, iba a morir. Pero es ahí donde les repito que Dios no puede estar con los ricos y con los pobres: mi madre me llevó a Esquipulas, así como estaba, recién parida, para que el Cristo Negro le hiciera el milagro y se lo hizo. ¿Ustedes saben la historia del Cristo Negro, que se le apareció a un obispo enfermo?: el Cristo de Ek-ikpul-ha, o sea el viento negro que empuja el agua, según la lengua de los naturales. ¿Qué dónde aprendió todo eso Santíos Pérez? Pues sucede que Santíos Pérez sirvió, en señal de agradecimiento y gratitud, en la casa parroquial del pueblo, la que estaba bajo el cuidado de un cura español. Él me enseñó muchas cosas, entre otras, el arte de mentir, escribir, leer y hablar, porque era, eso sí: era muy nervioso de la lengua. La casa parroquial la abandoné el mismo día en que Santíos Pérez mató al primer hombre. Tenía catorce años. Mis padres habían muerto hacía doce. Ese día llegaron unos señores que le pidieron al señor cura hablar conmigo. Los señores se miraban muy educados y dijeron ser familiares de mi persona. Ellos le pidieron al santo varón que nos dejaran solitos. En el acto ellos me dijeron que tenían a uno de los asesinos de mis padres. Hasta ese momento las barbamarillas de la venganza se agitaron en mis entrañas. Yo sentí, así, bien clarito, cómo la luz iluminó mi sangre y vi cómo el Cristo Negro se desclavaba y me señalaba el camino. Salí con los señores que hasta ese momento se pusieron los sombreros de fieltro, pues andaban vestidos como para ir a la capital. Santíos Pérez fue llevado atrás de la escuelita donde trabaja la profesora Zenaida. Ahí fue llevado un hombre un poco viejo, tendría unos cuarenta y pico de años, era algo gordo, no muy alto, de pelo negro, liso, envaselinado. Usaba bigote recortado. La mirada la tenía maleada, era pesada, por los ojos le caminaban dos viudas negras. Tal parecía que era el mismito cachudo. Yo nunca lo había visto pero lo odiaba. Esa fue la primera vez que lo vi. Cuando don Justo me puso el revólver en la mano, no me dijo nada, sólo me miró y con la vista me dijo *"mátalo"*. Yo nunca había disparado un arma. Agarré la Smith y Gueson, le boté el tambor, revisé los tiros. Volví a montar el tambor, levanté la vista y me topé con dos brasas apagadas que me amenazaban. Quité la vista de esa otra vista y vi hacia un costado de la escuela, por donde jugábamos futbol, y vi la retahíla de patojos que en silencio me miraban. Desde el corredor la profesora Zenaida contemplaba la escena. Don Justo encendió un Víctor y echó una bocanada y una narizada de humo blanco y oloroso. Yo avancé hasta una distancia de unos cinco o seis pasos. El sol ya estaba alto y el sudor corría lento, como el día, por mi frente. Con la manga de la camisa me limpié el sudor de la frente, nariz y bigote, que apenas se me dibujaba. Busqué el ángulo donde el sol no me diera de frente. Jalé el martillo y monté la treintaicho especial, despacio. La levanté a la altura de mis ojos. En el momento de agachar el ojo izquierdo para apuntar al corazón del hombre, me topé con la mirada fría, suplicante a pesar de todo. En ese momento todas las sangres de la sangre de los Pérez, se juntaron en mi ojo derecho. Sentí cómo fue llegando, poco a poco, gota a gota, hasta el ojo derecho de Santíos Pérez. Yo sostuve la mirada largo rato. La gente esperaba. El hombre esperaba. Yo esperaba. Santos padre esperaba. Jacinta Azul, mi madre, esperaba. Los dos, desde la tierra, desde la tumba, esperaban. Santíos Pérez, hijo, esperaba. La pistola esperaba. Paré la sangre. Y cuando ya estaba quieta, jalé el gatillo, despacio, lentamente, muy lentamente. Despacio, sin prisa. Yo no oí nada. Sólo vi como el hombre se iba para atrás, levantando las piernas, como si le hubieran jalado las canías con un lazo, como las vacas cuando las lazan. La cara tenía una mueca como de sorpresa, o tal vez de dolor, no sabría decirlo exactamente. Hasta que el hombre caía entre la tierra, oí el tronido del balazo y casi al mismo tiempo el inevitable grito del que siente la muerte, el ¡ay! del valiente que a última hora se acobarda. Bajé el brazo. El olor a pólvora entraba por mis ojos y oídos. En mi nariz aún resonaba el estallido. Oí un murmullo que crecía y se retiraba y se acercaba y se hacía chiquito (allá en la fuente había un chorrito, se hacía grandote, se hacía chiquito). Avancé hasta donde yacía el hombre, parecía un hombre de aserrín. Sus ojos me miraban todavía, entonces sentí verdaderamente cólera, porque lo que antes había sentido era una emoción similar a la que sentí cuando monté por primera vez en carro, o como la que sentí cuando subí por primera vez a la rueda de la feria. Entonces esa sangre que había sido detenida entre mis carnes, empezó a circular muy rápidamente y le di una patada a ese muñeco que estaba tendido que hacía unos minutos estaba tan vivo como yo. Yo no sé si ya estaba difunto, ni me interesa. Eso hizo Santíos Pérez con uno de los asesinos de Santos Pérez padre y Jacinta Azul madre. El hombre se había orinado un poco, tal vez de miedo o tal vez no. Una manchita de sangre, como una tortolita, adornaba su camisa, a la altura de la tetía izquierda. Desde ese día todos empezaron a conocer a Santíos Pérez. Don Justo me tomó bajo su mando. Al cura lo mandé a freír niguas o sea que lo mandé, bueno ustedes saben. Lo demás ya casi todos lo saben. Así que como les vengo diciendo, no creo que Nuestro Señor sirva a dos a la vez, a pobres y ricos. Yo digo que el verdadero es el de los pobres; el de los ricos es falso, ya Él mismo lo dijo: *"Vendrán los falsos profetas y hablarán en mi nombre"*. Porque si no, díganme ustedes: ¿cómo Él me ha protegido?, porque ustedes saben que *"pasar"* cosas en la frontera está prohibido, pero para Santíos Pérez, que no hace nada malo, eso no tiene importancia. ¿Por qué? Sencillo: porque Él me protege y a ustedes les consta; después de las marujias en Honduras y vender la *"mercadería"* reparto la mitad entre mis hermanos que necesitan. Van a creer que es fácil matar a los policías de la Guardia de Hacienda o a los de la Militar Ambulante. Pues para que veyan, no es fácil. Se necesita el consentimiento de Dios Nuestro Señor. ¿Por qué creen ustedes que me hablaron los muchachos que están echándole penca al gobierno en la montaña? Pues resulta que Santíos Pérez se conoce todos los lugares y caminos de la selva y la frontera, y como la misma persona mía siente un desprecio por las autoridades, él era la personificación más *indiqueshon* —¡no!, si también Santíos Pérez sabe sus inglesados— para pasar unas *"mercaderiítas"*. Pueden ustedes creer que Santíos Pérez, el hombre que con un viaje al mes tenía para pasármela tranquilo, requetebién, el resto del mes, sin trabajar, trabajara horas extraordinarias, y por si fuera poco, dormir poco, es decir casi nada, porque el chance era de noche. Sí señores, así es. Efectivamente en efecto. Pero sirvan otra vueltecita de traguito, pues no es bueno que el hombre cuando está con sus amigos y en ratos de celebraciones, no se tome sus buenos chayazos, aunque no debe perder la cabeza porque uno nunca sabe cuándo se las tiene que ver cara a cara con la Siriquisiaca. Imagínese: el

Cadejo en esos trances no lo puede ayudar a uno. Además, parece que la Siriquisiaca tiene más poder que el Cadejo y además es feyo que uno se quede tirado por el trago. Con decirle que ya ni las mujeres lo quieren a uno. Ahora imagínense los enemigos: ahí mismo se lo venadean a uno. Por eso hay que tomarse los tragos, pero no que los tragos se lo tomen a uno. Pero sigamos. Pero eso sí, con paciencia: paciencia piojo que la noche es larga. Pues el día que me las vi color de hormiga, venía con cuatro burritos, hasta los toles: traía dos cajas de chingamusas y lo demás, otros seis bultos, de pura bala. Ahí venía yo cuando ya casi para llegar al río, me veo que hay dos hombres armados: ¿qué dirán ustedes que eran?, dos de la Hacienda. Ni más ni menos, de verde, como que fueran gusanos los hijos de la tiznada. Ellos están platicando. Santíos Pérez es Santíos Pérez y no se atolondra y piensa que va a dejarlos vivos, porque veyan, uno no mata porque sí. No hombre. Además, Santíos Pérez sabía que podía haber otros policías por ahí nomás. Entonces viene Santíos Pérez y decide que va a esperar, tal vez se van. Pero después de dos horas los burritos empiezan a hacer bulla. Entonces, Santíos Pérez como es marrullero, decide salir con un burrito. Bajo la camisa Santíos Pérez lleva su *foryfaif*, que sólo la usará en caso necesario. También llevo mi machete reglamentario. El mismo Santíos Pérez de siempre sabe que lo más peligroso es la M-3, pero el hombre la tiene terciada. Pero lo más seguro es que cuando lo vean aparecer, se pondrán alertas. Santíos Pérez sabe que se tiene que acercar lo más posible para tenerlos al alcance del señor de la agonía. Me llevo dos burritos y me pongo mi respectivo "Payasos" en la boca. Cuando me ven venir los hombres me apuntan y me dicen que me acerque. Ellos no saben que están llamando nada menos que a Santíos Pérez. Me preguntan que qué llevo y les contesto que mercadería su señoría, si gustan la pueden revisar. Santíos Pérez se las sabe todas, se aparta de los burritos y en el momento que los hombres se encaminan para revisar la mercadería, yo le pido fósforos a uno de ellos, y en lo que el otro se para a darme los fósforos el otro se va a ver el primer burrito. En el mismo momento que el policía suelta la mano del fusil para sacar los fósforos, yo le hundo el señor de la agonía en el estómago y me abalanzo sobre el otro que está un poco de espaldas y le hablo: *"Yo soy Santíos Pérez, el mismo que calza y viste, hijo de la María Morales"*, y le doy el filazo en el pescuezo. Al segundo ahí lo dejé nomás. Ahora al primero tuve que regresar a rematarlo, pues todavía tenía ánimos de levantarse. Yo no sé si para matarme o para pedirme ayuda, pero como ustedes saben que Santíos Pérez no hace nada sin el consentimiento de Dios, lo rematé, le pasé el cuchillo de oreja a oreja, como que se estuviera riendo. A los dos les quité el equipo y me fui tranquilo, pensando que entre menos bulto, más claridad o lo que es lo mismo: entre menos burros más olotes. A los dos días Santíos Pérez entregaba la *"encomienda"* a los muchachos de la Sierra de la Minas. Ahora muchos andan huyendo. Otros están muertos. Otros escondidos. Los que están en la guayaba dicen que los derrotaron, que los mataron a todos. ¡Huesos! ¡Huevos Tula y yo a tu lado! Los muchachos andan como el tigre: esperando, esperando, en silencio. Yo sé lo que les digo. Santíos Pérez nunca se equivoca. Cuenta con el apoyo directo de Dios Nuestro Señor y con el miedo a las autoridades. Así se mea y no por gotas. A Santíos Pérez lo van a matar entre vacas, porque a los hombres sólo así se les puede matar. Y que conste: va a ser con la ayuda del falso profeta de los ricos, porque para Santíos Pérez no ha nacido el hombre que le dé el ancho.

Salú.

Claudia Hernández
El Salvador

La mía era una puerta fácil de abrir. Ni siquiera se hacía necesario girar el picaporte. Así hubiera sido cerrada con llave, bastaba con un empujoncito para tener el interior a disposición.

Cambiar la cerradura —estaba yo advertido desde el inicio— no tenía sentido: el conserje la había hecho reemplazar no sé cuántas veces ya sin conseguir hacerla trancar del todo. Pude, pues, haber pasado del apartamento y tomado el de la derecha —que era el que anunciaban—, pero me decidí por él debido a que la renta era bajísima y la vista espléndida si a uno le gustaban los atardeceres por en medio de los edificios. Además, la condición de la puerta me convenía: soy de los que olvidan siempre las llaves dentro y detestan tener que llamar al encargado cada vez que eso ocurre para que resuelva el problema. Me pareció conveniente porque me facilitaba la entrada cuando regresaba de la calle triste de las manos o cargado con las bolsas de las compras. No vi razón de peso para rechazarlo porque, aunque el elevador no se detenía en ese piso, el agua caliente y la calefacción funcionaban de maravilla. Era agradable, iluminado como pocos y amplio. El único inconveniente era que, dadas las facilidades para entrar, la gente pasaba adelante: hombres y mujeres de diferentes edades irrumpían mañana y tarde usando la falta de baños públicos en esta zona como excusa y luego se quedaban para descansar un rato, pasar el tiempo o esperar a alguien con quien habían acordado verse.

Como recién me había mudado a esta urbe y aún no había adoptado la costumbre local de estar solo, agradecí las visitas y hasta lamenté que ni una se quedara a pasar la noche conmigo. Me parecían todas simpáticas porque se trataba de gente educada que se cubría la boca al estornudar, respetaba mis silencios y jamás desordenaba o ensuciaba la alfombra. Saludaban siempre, conversaban sólo si yo lo deseaba y no me interrumpían con preguntas ni respiraciones cerca del cuello mientras me estaba afeitando.

Las visitas eran más bien cortas y en horarios de supermercado. Si alguna llegaba después de la medianoche, era de manera sigilosa, sin perturbarme y avisando siempre al desconfiado conserje, quien apuntaba nombres y horas de entrada y salida por si llegaba a faltarme alguna de mis pertenencias y bosquejaba en un cuadernito sus rostros y apariencias por si llegaba a haber necesidad de que la policía interviniera.

Nunca la hubo. Fuera de llevarse algo, los visitantes dejaban una suerte de objetos que me resultaban agradables (mitades de bocadillos para la cena, ginebra, botellas de vino para postres, abrigos, dibujos infantiles pegados en las paredes, joyería, guantes de baño, peines, atlas en ediciones de lujo, ropa interior, camiones de juguete, palillos de dientes con figuras de chinitos en uno de los extremos, adornos de porcelana con algunos desperfectos, gafas con la graduación suficiente para trabajar en mis miniaturas y hasta muebles en condiciones aceptables) para los que el dinero que ganaba entonces no me alcanzaba. Por eso, aunque el conserje insistiera en que se trataban de basura, yo me los quedaba si después de tres o cuatro días nadie los reclamaba.

A veces eran tantos que yo mismo los desechaba o se los daba al conserje, quien sólo los aceptaba si había pruebas fehacientes de que se trataba de objetos nunca estrenados. Él no concibe la idea de utilizar algo que otro haya desechado, así se trate de una antigüedad. No es su estilo. A él hay que darle sólo objetos nuevos. Y nada de cosillas baratas: no quiere convertir su hogar en una bodega. Tampoco yo. Para evitarlo entonces, limpiaba a diario y, si tenía ánimo, incluso preparaba algo de comer para los visitantes del día con el dinero de las propinas que ganaba en la lavandería. Por eso quizás era que todo era elogios para mí. De acuerdo con el conserje, era el inquilino del siete izquierda más popular que alguna vez había tenido el edificio. Aseguraba que le era agradable incluso al gato de la tienda del frente, que entraba siempre tras mis pasos y se iba media hora después, a menos que yo le pidiera lo contrario, que sucedía por lo general los miércoles por la tarde. El resto de los días, podía prescindir de él pues conseguía una buena conversación sin ayuda suya.

Casi siempre que lo necesité estuve acompañado. No padecí de tristezas mientras moré en el siete izquierda. No me habría mudado de no haber sido porque una vez encontré hurgando mis cajones a una niña —amiga de la del piso cuatro— a la que había visto antes jugando con mis figuras a escala con la misma brutalidad con la que sacudía sus muñecas.

Como yo aún no hablaba bien el idioma de esta ciudad, no entendió mis regaños y, en lugar de someterse a mis mandatos, me incluyó en su juego, cuya lógica no conseguí comprender. Desesperado, bajé a buscar la ayuda de su amiguita, quien respondió que su madre no estaba en la casa y no tenía ella permiso para subir sola mientras estuviera yo en el apartamento porque no podía saberse qué clase de gente podría resultar puesto que venía de un país que no sabían ellas ubicar en el mapa. Mientras, la otra niña continuaba tomando mis miniaturas y disponiendo de ellas tarde tras tarde a voluntad sin que la del cuarto piso interviniera a mi favor debido a que su madre le había prohibido también continuar con esa amistad y no podía desobedecerle. Tenía yo que ocuparme en vigilar a la pequeña de cinco a seis y media, cuidar de que no fuera a quebrar mis piezas con sus deditos toscos, que no se le ocurriera hacerles algún retoque con mis pinceles y que las dejara siempre en su sitio antes de marcharse.

Bien que mal, lo soporté. Mas no pude tolerar que internara sus ojos y sus manos en mis cajones: la tomé por el brazo izquierdo y la obligué a acompañarme de inmediato a lo del conserje. A él le solicité que fuera más cuidadoso en su labor y le entregué a la prisionera, quien fue puesta en libertad de inmediato y enviada de regreso a su casa a pesar de mis protestas y mis demandas por justicia.

El conserje me pidió me que comportara. Luego me explicó que no podía él estar pendiente de lo que mis visitantes —que eran cada vez más numerosos— hacían una vez que entraban en mi apartamento. Lo que a él le correspondía por contrato era vigilar la entrada y los pasillos. A los apartamentos sólo llegaba por llamado de los inquilinos o cuando se perdía algo. Y como todas mis pertenencias estaban ahí y ninguna de mis miniaturas había sufrido daños, nada tenía él que hacer. No había delito que perseguir. No podía ayudarme, salvo sugerirme que, si quería evitar las intrusiones, le pusiera cerrojo a los cajones —aunque eso nunca es garantía suficiente de seguridad: más de uno sabe como violentarlos— o colocara un cartelito en el que prohibiera el fisgoneo en mi propiedad —aunque eso tampoco podría asegurarme obediencia—. Su consejo principal fue que me deshiciera de cualquier cosa íntima o muy personal que guardara en ellos, fueran cuales fueran, porque la gente era curiosa y gustaba de descifrar los misterios que esos objetos podrían contener.

Mi idea de cerrar la puerta por dentro y salir por las escaleras de emergencia le pareció pésima. Decía que sólo empeoraba el asunto porque los visitantes se obsesionarían aún más, acabarían descubriéndolas y evadirían el registro que llevaba él de quiénes entraban y quiénes salían, que lo mejor era que —si era cierto que no tenía yo secreto alguno— actuara como los demás y dejara de vivir en un sitio al que todos tenían entrada. Él podía, si yo así lo deseaba, contactarme con un amigo suyo que estaba buscando quién le ocupara un apartamento. O, si lo prefería, podía mudarme al de la derecha. Ese jamás ha tenido problemas con la puerta. Lo que sí es que la vista no es buena, la renta es bastante más alta y tengo que cuidar siempre de llevar conmigo la llave. En caso de que la olvide, puedo pedirle a él que me abra con su copia. Y, si no lo encuentro o está ocupado, siempre puedo entrar al de la izquierda, que se abre con un empujoncito. De paso, aprovecho para saludar a los conocidos y para cambiarle el agua a las flores del baño: la tipa que vive ahora ahí siempre olvida hacerlo.

Paranoica city

Mildred Hernández
Guatemala

—¿Oíste ese ruido? —susurró la mujer a su marido e, incorporándose en un codo sobre la cama, abrió totalmente los ojos.

—¿Qué ruido? —preguntó él soñoliento.

—Parece que viene del patio, hay alguien en el techo o en la cocina —dijo ella asustada.

—Levantémonos. Andá a ver a los niños, en lo que yo saco la pistola —ordenó él en voz baja y se despertó por completo.

Mientras la mujer iba presurosa hacia la habitación de los niños el hombre sacó la pistola del armario, la revisó y se cercioró de que estaba lista para disparar. De prisa se puso las pantuflas, y entonces escuchó con mayor claridad: había alguien en la parte trasera de la casa, seguramente en la cocina. No habían encendido la luz y los dos se habían movido en el mayor silencio. Desde la puerta de su habitación el marido hizo señas a su mujer de que permaneciera oculta. Él esperó y cuando lo creyó oportuno caminó sigilosamente hasta que, en la cocina, a unos cuatro metros de él, divisó a un hombre que de espaldas estaba abriendo gavetas y metía en un costal lo que encontraba a su paso. Pensó como en un destello que si le hablaba éste podría atacarlo, así que sin pensarlo más, cuando lo tuvo en la mira, le disparó dos veces en la espalda. La mujer sólo escuchó dos fogonazos secos, como dos cohetillos perdidos en las tinieblas y corrió en busca de su marido.

—¿Qué pasó? —dijo, y escuchó su propia voz a punto de estallar en llanto— ¿Estás bien?

—Sí. No te preocupés, pero creo que maté al maldito —dijo el hombre acercándose y dándole un puntapié al cuerpo tendido en el suelo.

—¿Y qué hacemos? ¿Llamamos a la policía?

—¿Estás loca? ¿Querés que por esta basura me vaya a la cárcel? Arreglate rápido que lo vamos a ir a tirar a Las Guacamayas.

La mujer miró a su marido y sin exhalar un suspiro fue a su cuarto y buscó un yins viejo, un sudadero y sus tenis de hacer aeróbicos. No pensaba en nada. Su marido, luego de comprobar que ni la servidumbre ni nadie en los alrededores se había despertado, entró en la habitación y se cambió de ropa.

—Vamos a envolverlo en unas bolsas negras y luego lo metemos al carro —dijo a la mujer que lo miraba como autómata.

—Bueno —dijo ella y sintió un leve escalofrío.

Ya en la cocina, y sin hacer el menor ruido, el hombre levantó el cuerpo del piso, mientras la mujer iba abriéndole las puertas hasta que finalmente llegaron al garaje. Ella abrió el baúl del BMW y sintió el golpe del cuerpo sin vida en la alfombra del carro.

—¿Querés que vaya contigo? —casi suplicó para que la respuesta fuera no.

—Ni modo que voy a ir yo solo. Abrime el portón y te subís después de que saque el carro y cerrés con llave —dijo el hombre.

La mujer obedeció. Estaba impulsada por una voz que no era la suya y que no le permitía ver más allá de sus acciones. Cuando cerró el portón, se metió las llaves en la bolsa delantera del pantalón y vio que en la calle todo permanecía en calma. Se subió al carro con cuidado y rapidez y su marido aceleró hasta el fondo. Dos calles después encendió las luces del vehículo. Ninguno pronunció una palabra hasta que llegaron a las cercanías del barranco.

—¿Estás seguro que no hay nadie?

—No te preocupés, por estos rumbos no se asoman ni las moscas.

—¿Viste bien? ¿No hay otro carro?

—No, no hay nada mujer, ya te lo dije.

—Es que estoy muy nerviosa.

—Yo también lo estoy, pero tenemos que hacerlo. No hay remedio.

—Todo por tu culpa. Si no fueras tan...

—Sí, ya sé. Si no fuera tan violento, ahora quizás, en este mismo momento estarían haciéndonos lo mismo, o a los niños.

—Sí, tenés razón, disculpame. Pero de todas formas me siento nerviosa. Estoy al borde de un ataque de histeria —la mujer se retorció las manos frías y sudorosas y con un movimiento automático se alisó el cabello.

—¿Qué hora es? —preguntó él.

—Las dos y diez. Tengo frío. Me están castañeteando los dientes.

—Procurá calmarte —dijo el hombre—. Me vas a poner más nervioso.

—¿Y si nos descubren?

—*Nadie*, oíste, *nadie* oyó ni vio nada —la voz del hombre sonó amenazante—. Callate ya por favor.

—No recuerdo si cerré la puerta con llave. ¿Y si los niños se despiertan y lloran?

—Hacé sho querés. Ya te dije que no va a pasar nada.

La mujer lo observó de frente y vio esa expresión de furia que siempre la dejaba petrificada. Prefirió ver por la ventanilla del automóvil y mirar atentamente lo que sucedía a su alrededor. Todo estaba en silencio.

—Llegamos —dijo el hombre, y sintió que su voz había sonado hueca. Vio a la mujer de reojo y dándole una leve palmadita en el hombro, como para que reaccionara, le ordenó—: Bajemos.

La noche estaba oscura y no se escuchaba el menor rumor. No había luna y el sitio parecía desierto. El hombre estacionó el auto entre unos matorrales que casi lo cubrían por completo. Ellos solamente lograban reconocerse por el brillo desmedido de sus ojos. Sus voces se convirtieron en leves susurros, como pequeños movimientos casi imperceptibles de hojas.

—No hagás ruido con las llaves —imploró la mujer.

—Callate —dijo el hombre.

Sigilosamente se acercaron al baúl del carro y, antes de que él se decidiera a abrirlo, observaron con detenimiento hacia todos lados. Nada. Sentían como si el tiempo se hubiese detenido y estuviesen viviendo la eternidad.

—No hay nadie —murmuró ella.

—No hay nadie —repitió él entre dientes.

—Abrilo entonces.

Él abrió el baúl del carro y ambos vieron el interior.

—Agarrale los pies. Yo voy a sostenerlo por arriba. Caminemos un poco y lo dejamos entre los matorrales de aquel lado —dijo él.

—No —dijo ella—. Allí lo van a encontrar rápido. Mejor bajémoslo al barranco. Hasta el fondo.

—Que lo dejemos ahí, te digo —El hombre estaba exasperado.

—Si empezamos esto —murmuró ella decidida— terminémoslo bien. Si no lo bajamos me voy ahora mismo.

—No seás idiota. Calmate o te dejo con él —El hombre la miró con odio inaudito.

La mujer cerró la boca. Conocía lo suficiente a su marido como para saber cuando le hablaba en serio.

—¿Ya lo agarraste? —dijo él.

—Ya.

—¿Lista?

—Sí, te digo.

—Bien. A la una, a las dos, a las tres.

Ambos subieron el bulto y sintieron cómo iba a ser una pesada carga.

—Pesa mucho —dijo ella en un gemido entrecortado.

—Cargalo bien o se nos va a caer.

—Caminá vos primero —dijo la mujer. Y agregó atemorizada—: ¿Y si hay culebras?

—Ah, callate de una vez por todas y caminá rápido —dijo el hombre. Se dio media vuelta hasta colocarse de cara a los matorrales.

El barranco era profundo y tardaron unos veinte minutos en llegar a su centro. Caminaban lentamente procurando no tropezarse con las piedras. Cada uno sólo lograba escuchar la agitada respiración del otro. Cuando llegaron al fondo tiraron el bulto, se sacudieron la ropa y se vieron con alivio. Estaban seguros que nadie los había visto. Él la tomó de la mano y presurosos subieron hasta llegar de nuevo a los matorrales. El carro estaba donde lo habían dejado. Entonces se percataron de que habían dejado el baúl abierto. Caminaron uno detrás del otro y, cuando el hombre iba a cerrar la portezuela del baúl, jaló a su mujer. Ambos quedaron como hipnotizados. En el sitio había otro cuerpo sin vida, más grande y robusto que el que habían dejado hacía poco en el fondo del barranco. Se miraron desolados y no pronunciaron ni una sola palabra ¿Quién lo había colocado allí? ¿Los habían descubierto? La mujer empezó a sollozar con un gemido seco, sin lágrimas.

—Callate y agarralo de los pies —ordenó el hombre olvidándose de hablar suave. Su voz era un imperativo ineludible.

—Un, dos, tres, ya —dijo él levantando el cuerpo, sacándolo del carro con ayuda de su mujer y tirándolo a un lado. Cerró el baúl, levantaron de nuevo el cuerpo y, sin decirse nada más, iniciaron otra vez el trayecto. Ahora no observaron con tanta atención como la primera vez y llegaron más pronto al fondo. Tiraron el segundo cuerpo a unos cuantos metros del primero. Observaron y como no vieron nada fuera de lo común subieron casi corriendo. Tuvieron cuidado de no dejar marcas de zapatos. Llegaron a los matorrales y dieron un último vistazo a su alrededor.

Revisaron y todo estaba en orden. Se subieron al carro. El hombre puso en marcha el vehículo, retrocedió y salió rápidamente. Aceleró aún más hasta que el barranco se tornó en un punto lejano en la memoria.

Ningún otro automóvil circulaba por las calles de la ciudad. Antes de llegar a su casa, la lluvia empezó a caer a torrentadas y ambos sintieron que era como un aviso de higiénica salvación. Cruzaron la última esquina y frente a su casa la mujer se bajó a abrir el portón. Entraron y todo estaba en calma. Ya en la mañana quemarían la ropa, lavarían el carro, dormirían un poco más.

Cerraron todas las puertas con llave y ya en su habitación la mujer se desnudó y se puso su ropa de dormir. Se tomó dos tranquilizantes. Él apareció con un enorme trago de ron.

—Es una barbaridad —dijo el hombre mientras con parsimonia se desvestía sentado en la cama—. No me fijé y me puse esta camisa que me gustaba tanto.

—No te preocupés —dijo la mujer ya dormitando— mañana te compro otra.

Su secreto
Enrique Jaramillo Levi
Panamá

Le decían el *bobito del rincón*, porque no importaba en qué parte de la escuela estuviera, siempre se refugiaba en una esquina, probablemente para evitar cualquier contacto con sus compañeros de clase. Desde ahí los veía hacer y deshacer, escuchaba como mejor podía la clase. Ya se había acostumbrado a ser siempre el objeto de todas las miradas.

Era bastante más pequeñito que los otros chicos de su edad, extremadamente delgado, tenía la cabeza grande y los ojos saltones. Pero además se le notaba cierto grado de retraso mental. Sin embargo, entendía muy bien que de muchas maneras era diferente a los demás y, sobre todo, que se burlaban siempre de él. Y el niño sufría.

Sus padres lo enviaban a la única escuelita del pueblo, porque ambos trabajaban en el campo y no podían cuidarlo hasta bien entrada la tarde, a veces hasta la noche. Tal vez sospechaban que el niño no la pasaba muy bien en un ambiente que sin duda no era el más apropiado, pero evitaban hablar del asunto. A su regreso a casa, eso sí —la maestra lo acompañaba hasta la puerta y ahí esperaba unos minutos con él a que llegaran sus padres, quienes solían ser muy puntuales—, éstos lo atendían a cuerpo de rey, lo mimaban como a un cachorrito. Era su hijo único.

Una tarde los padres de Rupertito —que así se llamaba el niño— demoraron demasiado en llegar, y la maestra, que debía marcharse a cumplir un compromiso, se lo encargó a uno de los vecinos. Pero el señor se ocupó en otras cosas y se olvidó de la existencia de Rupertito, quien permaneció jugando en el rústico portal de su rancho.

Cuando al fin llegaron los campesinos, no vieron al niño. Preguntaron por él al vecino y este les dijo que un rato antes lo había dejado jugando tranquilamente ahí mismo. La angustia que se apoderó de la pareja fue muy grande. Por horas lo buscaron en el monte cercano, a lo largo del riachuelo que corría paralelo a la loma. Empezaba a oscurecer y no había rastro de Rupertito.

Como es lógico suponerlo, esa noche fue terrible para la humilde pareja, cuyo llanto se mezcló con el sonido de los grillos y el ulular del viento que horas más tarde se dejó escuchar metiéndose entre las ramas de los árboles. Abrazados se durmieron al amanecer, no sin antes pedirle a Dios que protegiera de cualquier mal a su indefenso hijo.

Al día siguiente volvieron a buscarlo, esta vez con la ayuda de sus vecinos. Llegaron hasta el otro lado del monte y se toparon al final con la carretera que recientemente se había construido. Ahí se plantaron como esperando algo. Al rato, un bus de pasajeros se detuvo ante las señas impacientes de los campesinos, y el chofer aceptó, a regañadientes, llevarlos gratis hasta la ciudad cuando percibió la desesperación de la pareja. Media hora más tarde estaban sentados en la oficina del director de la policía local contándole como mejor pudieron su corta historia, y describiendo con lujo de detalles a Rupertito. Recibieron la promesa de un esfuerzo de búsqueda que empezaría más tarde en la mañana, pero con la advertencia de que se disponía de poco personal y de una sola patrulla.

Los campesinos, desolados, no supieron ya qué hacer, y permanecieron por horas sentados en una banca de madera que se hallaba en la parte exterior del pequeño edificio de la policía. No hablaron entre sí, ya no lloraban. Lo único que hacían era mirar hacia lo lejos, abstraídos. Pero cada tanto tiempo, intensificándoles la angustia, la imagen de su hijo se filtraba en sus mentes haciéndolos volver a la realidad.

Mientras tanto, Rupertito había regresado a su rancho. En algún momento del día anterior, cuando jugaba en el portal, se quedó dormido. En el sueño vio sorprendido cómo lentamente le salían alas en la espalda, alas de águila harpía. Y en seguida quedó fascinado por la curiosa forma que iba tomando su cabeza, y luego su cuerpo, que además se cubría de suaves plumas, hasta convertirse por completo en esa hermosa ave. Por supuesto que no demoró en sentir unas ganas inmensas de volar. Y voló.

Sin aprisa alguna, como si fuera lo más natural del mundo, el ave remontó el vuelo y poco tiempo después todo se veía pequeñito, desconocido y lejano allá abajo. Siguió alejándose, feliz de sentir el aire puro acariciando su cuerpo, abanicando sus plumas. Era una sensación de libertad nunca antes sentida, única, que le daba gran confianza y plenitud. Planeó suavemente sobre los montes durante un tiempo que no tenía límites, y llegó al fin hasta la gran montaña en cuyas faldas trabajaban a diario los padres de Rupertito. Pero el águila harpía no sabía esto porque tampoco estaba en la memoria del niño que antes había sido. Sólo cuando vio en la distancia a otros campesinos trabajando, cruzó por su mente la fugaz imagen querida de la pareja y sintió la necesidad de volar hacia ellos. Lo hizo, pero al no reconocer a ninguna de las personas que esforzadamente labraban la tierra, nuevamente voló hacia las alturas. Empezaba a oscurecer y sintió frío. La aguda visión de sus ojos redondos detectó poco después una pequeña cueva incrustada en una montaña, y hacia ella orientó su vuelo. Ahí pasó tranquilo la noche.

Ahora, sentado en el portal, añorando el regreso de sus padres, Rupertito es incapaz de separar lo vivido, de esta otra realidad que reconocía como propia. Su cuerpo vuelve a ser el mismo, sí, pero extrañamente sigue teniendo la sensación del sitio exacto en su espalda del que habían brotado alas, y en su boca la impresión de un alargamiento en donde había estado el pico. Su aventura, inolvidable, permanece en él como un regalo. Siente entonces un vago agradecimiento. Oscuramente sabe que todo ha sido real, que puede alguna vez repetirse. Se esfuerza por entender, insiste, pero no puede. No le dirá a nadie, será su secreto.

A su regreso de la ciudad esa tarde, sus padres no pueden creer lo que les indican los asombrados ojos. Como si nunca se hubiera movido de ese sitio, ahí está su hijo, dormidito en el portal, intacto. Debe estar muy cansado, porque permanece dormido hasta el día siguiente.

Pero esa noche, cuando la madre de Rupertito lo acurruca en su lecho, en la oscuridad le siente una cierta aspereza en la piel, como dos pequeñas costuras a ambos lados de la espalda. Piensa que deben ser esas feas ronchas, por suerte inofensivas salvo por la necia picazón después, que dejan las hormigas rojas que a veces se meten al rancho. No quiere descobijar al niño, no se vaya a despertar el pobre. Revisa, en cambio, el camastro pero no encuentra señal de ellas. "Mañana será otro día", se dice la mujer, y se pone a prepararle la cena al marido.

Míster Winston
Francisco Méndez
Guatemala

A Ronald Flores

1

Natalia respondió con una afirmación y con plena seguridad a todas sus preguntas. Tras analizar su currículum, el gerente administrativo le sonrió atravesando sus negros ojos con un dejo de malicia. Le estrechó la mano y le brindó la cálida bienvenida. Con esa sonrisa equina de hombre de negocios le expresaba que a partir de ese momento formaba parte de la familia: una prestigiosa empresa de localizadores, con innovaciones en todo el mercado centroamericano.

Ella era una muchacha soltera, pero con la intención de formar en un futuro no muy lejano un hogar con su novio, Joaquín, un universitario que repetía por segunda vez el primer semestre de zootecnia en la Universidad Nacional.

Por supuesto que en el cuestionario contestó que sí, cuando le preguntaron si estaba segura que en los próximos tres años no tendría hijos. Su madre le enseñó desde pequeña que las mentiras piadosas tienen vigencia. El padre, que la abandonó cuando su cuerpo se estremecía en el primer día de su adolescencia, la conminó siempre a mentir cuando se tratara del honor, prestigio y solvencia de la familia.

Sin embargo, esa tarde, cuando tiñó de rojo el centro de las sábanas de su cama, supo por palabras de su madre que Papi no regresaría más a la casa.

Tiempo de narrar

Nunca le guardó rencor, a pesar de que su madre insistía en que era un malparido, que se marchó con una muchacha, que sin cumplir los 18 años llevaba en su vientre lo que sería siete meses más tarde un hermano sólo de parte de Papi, como le explicaba entonces a las compañeras de clases.

A Natalia ese recuerdo la abordó cuando colocó una X en el inciso A, donde le preguntaban si tenía cargas familiares: 1, un hermanastro, aclaraba.

Cuando su padre abandonó a Yamilet, la madre de su medio hermano, esta vez, en un barco bananero con destino Miami, Natalia suplicó a su madre para que se quedaran con el niño, quien recién había cumplido 8 años. Yamilet lo llegó a ofrecer por no más de trescientos dólares. Había tomado la determinación de viajar, primero a Guatemala, donde le ofrecieron trabajar en un prostíbulo, luego a México con destino directo a Tijuana, donde estaría a un paso de San Diego, la puerta que recibe a todos aquellos que quieren subirse al tren del *American Dream.*

2

Le correspondió el turno nocturno en la oficina. Así le sucede a las nuevas, le explicó Olga. Ella fue la que le ofreció el rápido curso de inducción. Su escritorio era muy pequeño. Una computadora conectada a una línea telefónica, un audífono con micrófono, un pequeño cuaderno y su silla giratoria, eran sus herramientas de trabajo.

Le asignaron la clave 21 y le sugirieron que contestara con total amabilidad, buenas noches soy Natalia, para quién es su mensaje, con mucho gusto.

La primera llamada la recibió a las nueve de la noche: Por favor para míster John F. H. Winston, con el número de unidad 34321. Cuál es su mensaje. Qué ojos tan hermosos los tuyos, te amo, de parte de Verónica.

Unos minutos más tarde entró el segundo para la misma persona: Dichosa yo de ser tuya, te amo por sobre todas las cosas, Enma.

Natalia sonrió al transmitir sendos mensajes, pero consultó a Olga acerca de las restricciones de la compañía y las políticas para la transmisión de los telemensajes. Ella respondió que la empresa se caracterizaba por la total libertad, pero toda vez, y eso se lo remarcó con el ceño fruncido, que tuvieran un remitente: mensajes anónimos o de seudónimos no se enviaban.

Natalia tomó un poco de café. Bebió con prisa para acabar con el sueño. Ella tenía la costumbre de dormir temprano, pero a partir de ese día, saldría a la una de la madrugada de la oficina.

Por favor, un mensaje para la unidad 34321, qué ganas de estar con vos a todas horas, Nineth (por favor operadora 21, puede repetir dos veces el mismo mensaje), con mucho gusto, buenas noches.

Recibió dos recados más, pero no como los anteriores, eran emergencias médicas y para un supuesto periodista, que se dirigiera hacia el lugar donde había ocurrido un accidente.

Natalia estaba a punto de entregar el turno cuando recibió un último mensaje para míster Winston: nunca conocí a alguien con esos ojos y ese calor como el tuyo, Verónica.

Cogió un taxi para su casa. El piloto la veía a través del retrovisor con los ojos bien abiertos y casi asustados. Le recordó un caballo que montaba en El Chompipe, una finca donde la llevaba Joaquín a vacunar bestias o a castrar toros. El taxista sacudía la cabeza como si tuviera animales en las crines. Natalia pensó que quizá habría tomado alcohol. De cualquier manera llegó sin novedad a su casa.

Antes de dormir, recordó los mensajes para la unidad 34321. Intentó imaginarse a míster Winston, pero el sueño la venció. Una sonrisa se le dibujó en su rostro, antes de quedarse profundamente dormida.

3

Cuando viajaba en bus hacia la oficina, Natalia observó con más atención los cafetales, las casas, los puentes, especialmente a los hombres que portaban un localizador. Se dijo a su fuero interno que más le valía a Joaquín terminar pronto su carrera, porque ella quería comprar un terreno cerca de la finca El Chompipe.

Le encantaba la vida del campo, los caballos, el bosque, bañarse en el río, ponerle leña a la chimenea. Le fascinaba hacer el amor sobre la copa de un árbol con Joaquín. Por todo lo anterior se había decidido a trabajar duro, para ahorrar plata y, junto a su pareja, alcanzar esos sueños. Su hermano podría ir a vivir con ellos, a él le encantaba montar.

Justo ahora que estaba llegando a la oficina, recordó que dentro de su bolso había metido una foto de Fernandito, montando un caballo negro azabache. En esa ocasión, ella llevó al chiquillo a la finca. Don Albin, el dueño, ante la insistencia del pequeño, lo dejó montar a Tornado. Como fue un día histórico, decidieron tomarle un foto. Fernandito salió con un aire triunfador. El caballo se veía imponente, con ojos de lascivia y un halo de bestialidad sexual. Natalia no se atrevía a ver la cara del animal.

Buenas noches, por favor un mensaje para la unidad 34321: qué tirada, me estremeciste como nunca nadie lo había hecho, Enma.

Para la 34321: espero que tu noche sea tan especial como tu día, tuya, Nineth. Natalia sintió un cosquilleo dentro de su vientre. Recibía otros recados sin trascendencia, pero los dirigidos a míster Winston eran fabulosos. Además, provenientes de numerosos nombres de mujeres, no solamente de uno. Ese gringo ha de ser un bicho en la cama, se dijo, pero se sonrojó al pensar así, porque ella, cuando se refería al sexo, solamente lo hacía pensando en función de Joaquín. Otra llamada la interrumpió: qué polvo, ruego a todos los dioses del firmamento que te den mucha vida, que te alcance lo suficiente para hacerme feliz una y otra vez, Verónica.

Natalia realizaba su turno con otras dos compañeras, Susana e Ivonne. Ellas la recibieron con aquella camaradería y solidaridad típica de salón de belleza. No se atrevió a hacerles comentarios sobre las llamadas que recibía para míster Winston. En el decálogo de la empresa se mencionaba la total privacidad de los mensajes. Se llevaba un control con códigos. Además, era estrictamente prohibido discutirlos con las demás.

Susana sonreía excesivamente cuando recibía un mensaje. Su escritorio estaba ubicado al lado derecho del de Natalia. Alguna vez comentó que tenía un hijo, pero prefería no hablar del padre de la criaturita. Era una rubia guapísima con anchas caderas y ojos verdes. En uno de los tres paneles —a los que ella en conjunto denominaba con ironía el establo— precisamente el que colindaba con el de Natalia, colgaba una herradura de la buena suerte. Ese talismán fue un pretexto para conversar. Platicaron desde el tema de los hombres, las caricaturas, especialmente la del Cabazorro, hasta de los caballos de carne y hueso. Susana era admiradora de las carreras y las apuestas. Le confesó que alguna vez asistió con frecuencia. Allí se divirtió hasta el éxtasis. Además, en ocasiones hasta ganó bastante plata. Las dejó porque apareció, de entre los establos del hipódromo, el padre de su unigénito. Después, evitó aparecerse por cualquier sitio que le recordara esos desagradables momentos.

Cuando Natalia insistió en preguntar por qué guardaba la herradura, Susana respondió que la tomó de las pertenencias del padre de su hijo. Cuando él se atreviera a volver a su lado, la utilizaría como arma contra ese ser despreciable.

Natalia le explicó que lo poco que sabía de caballos lo había aprendido de Joaquín. Su novio, le relató entre sorbos de café, era estudiante de zootecnia, pero también asistía a los jaripeos a montar potros salvajes. Ambas sonrieron, pero cuando timbró la línea telefónica en cada uno de sus escritorios dejaron de conversar. Natalia atendió: para... te amo, te amo, te amo, Verónica (por favor, repítalo dos veces).

A la una en punto se quitó los audífonos y anotó en su agenda las llamadas y códigos. Atrás de ella permanecía Guadalupe, a quien le entregó todo el equipo. Ella era la encargada del turno de la madrugada. Pensó hacerle algún comentario, pero recordó el decálogo. Guadalupe era una mujer que transitaba por los cincuenta años. Era soltera y nunca tuvo hijos. Observarla inspiraba indulgencia. Una mujer muy amable y recatada, sonrió Natalia para sí cuando tomó su chaqueta. Su relevo no iba más allá de buenas noches, feliz retorno a casa, 21, o cuando estaba de buenas, hasta mañana compañera.

Alargó la mano casi en medio de la carretera y detuvo a un taxista. Tras indicarle las señas para llegar a su barrio, recostó su cabeza en el asiento y se imaginó a Susana lanzando la herradura hacia una cabeza de caballo con el cuerpo de palo. La imagen le causó risa y pensó en decírselo al siguiente día a su compañera. A diferencia de otras ocasiones, el conductor del taxi era un hombre respetuoso, maduro, fue la palabra con la que lo describió Natalia. Recordó a su padre. No encontró la mirada de centauro del taxista de días pasados. El tipo escuchaba las noticias y su único comentario fue sobre lo mal que andaba el fútbol por esos días. Ni siquiera la vio por el retrovisor. Natalia echó una ojeada a lo negro del paisaje. Escuchó el canto de un gallo y a lo lejos un potro que relinchaba con placer hacia el infinito, y pensó en míster Winston.

4

Durante los primeros días de trabajo Natalia no se encontró con Joaquín. Únicamente se hablaron por teléfono. Sus cortas conversaciones giraron en torno a hacer el amor dónde y cuándo. Él vacunaba ganado en El Chompipe y ella se reponía de los desvelos. Se quedó dormida sobre el sofá con la imagen de un Joaquín moreno, alto, delgado, lampiño en su pecho, rudo en sus labores, pero más tierno que un potrillo cuando acariciaba su cabello después de que Joaquín tuviera un prolongado orgasmo.

Almorzó frijoles con arroz. Enseguida observó un programa en la televisión, en el que designaban a Harrison Ford como el hombre más sensual del planeta. Trató de imaginar a míster Winston: tal vez tenía los ojos de Di Caprio, la sonrisa de Mel Gibson, el pelo de Brad Pitt, tal vez bailaba como Ricky Martin. Ojalá un hombre con el carisma de Sean Connery o el *sex appeal* de Paul Newman. Tal vez tenía una parte de cada uno de ellos, o quizá era mejor que todos juntos. Se duchó con agua fría. Cuando se vio desnuda frente al espejo, pensó si ella sería del agrado de míster Winston. Cómo era posible que varias mujeres le enviaran esos mensajes tan sugerentes. Algo especial había en el. Su cuerpo se estremeció con solo pensar en averiguar quién era míster Winston.

Buenas noches, un mensaje para la unidad 34321: por favor, nunca me vayas a sacar de tu vida. Quiero verte siempre, siempre, siempre, Nineth. Disculpe, un mensaje para... Qué ser tan divino, Matilde. Para la 34321: todo el día la he pasado pensando en vos, te amo por sobre todas las cosas, Verónica.

Revisó sus apuntes y se percató que la tal Matilde era la primera vez que enviaba un mensaje para la 34321. Por favor, un mensaje para míster Winston: lo voy a hacer con vos tantas veces cuanto me dé el alma y la vida, tuya siempre, Enma.

Cada vez que el teléfono timbraba y Natalia recibía un mensaje para la 34321, el sudor se apoderaba de ella. La voz de las mujeres era muy sensual. Ellas le pedían que transmitiera de inmediato los mensajes, por favor, porfis, porfa, se lo suplico. Por la mente de Natalia trotaba la interrogante, ¿sus compañeras recibían mensajes también para míster Winston o solamente ella? Tras un breve lapso de su mente en blanco, dirigía sus ojos hacia las demás compañeras. Cada una estaba concentrada en los mensajes. Ninguna presentaba en su rostro la típica expresión sensual que provocaba uno de esos breves relatos o de simple complicidad luciferina que alcanzaba la mente. Tal vez, sus colegas de turno eran excelentes actrices para no revelar en su rostro el rubor de una llamada con esas características. Quizás, así como el médico ya no se estremece ante la muerte de un paciente, o el reportero no se inmuta ante la tragedia, a ellas, a sus dos compañeras, tampoco el calor de una llamada les excitaba como a Natalia.

A lo mejor, ellas nunca recibían mensajes para míster Winston.

Un veloz escalofrío, parecido al que generan las sombras de los caballos de carreras cuando se deslizan entre el césped o el fango, recorrió sus piernas, su vientre y se detuvo entre sus pechos. Pensó que el fin de semana se lo dedicaría a Joaquín, tal vez así se olvidaba de una vez por todas del enigmático míster Winston.

Por favor un mensaje para la 34321: si querés hacerme un favor nunca te vayás a olvidar de mí, Nineth.

5

Qué curioso, se dijo a sí misma cuando se levantó el sábado un poco antes de medio día. Alguien había bautizado con el nombre de El Chompipe a la finca donde trabajaba Joaquín. El terreno abarcaba parte de un cerro que asemejaba el lomo de un chompipe agazapado o una chompipa empollando. Desde el alféizar, ella podía observar la espalda del chompipe. También se divisaban tres montañas, denominadas las Tres Marías, una tras de otra, de este a oeste o viceversa. Más de alguno las trató de bautizar con el nombre de las Tres Tetas. Natalia bromeó con Joaquín, que si bien parecían Tres Tetas, muy pronto perderían la virginidad porque con la gran cantidad de cabezas de ganado que invadía las fincas aledañas y la tala despiadada, se podrían transformar en un cercano futuro en un trío de pezones áridos.

El Chompipe y las Tres Marías enmarcaban la parte más alta del paisaje. Todo el aire que respiraban quienes vivían en la ciudad pasaba antes acariciando las montañas y El Chompipe. Más de alguna vez, cuando Joaquín convencía con argumentos de un verdadero piscicultor a don Albin para que sembrara truchas en lo más alto de la finca, simultáneamente se ponía en contacto mental con Natalia. Lanzaba bocanadas de aire. A los diez o quince minutos, ella lo recibía desde su casa en Barva.

Sin embargo, este sábado, ahora que la mente de Natalia se columpiaba entre el sueño y la vigilia, también estaba decidida a investigar sobre míster Winston, ella percibió olor a establo, a bosta. Creyó escuchar cascos de caballo, pero el cansancio la invitó a seguir durmiendo en su alcoba, aprovechando el descanso de fin de semana.

Joaquín la despertó con un beso en la frente justo a las seis de la tarde. Con una sonrisa le explicó que no se trataba del beso de un príncipe que bajaba de su corcel para despertar a la amada, ni de una acción similar. Él era un caballero medieval posmoderno, que la invitaba al cine y luego a un encuentro en la cama de algún buen motel. Natalia le contestó con una ancha sonrisa que prefería aceptar en principio la segunda propuesta. Se bañó muy rápido, enseguida comió un poco de ensalada. El auto de Joaquín giró en dirección a Tres Ríos. Durante el trayecto Natalia le manifestó que percibía un extraño olor a caballo. Pensó que podrían ser los pantalones de Joaquín. Él le agarró con fuerza la pierna con su mano derecha. Le confesó muy cerca del pabellón de su oreja que sentía el deseo de penetrarla. Tengo el mismísimo deseo, le susurró, que le profesa un semental amarrado del otro lado del cerco a la yegua en celo. Natalia se sonrojó, pero lo invitó a que le explicara por qué estaría amarrado el semental. Joaquín, mientras deslizaba su mano entre el regazo de su novia le relató que cruzar una yegua con un semental pura sangre en una finca no es tarea fácil. Normalmente, ese corcel le inspira atracción sexual a la hembra. Y por qué, se estremeció Natalia al instante de sentir húmedo su vientre. Debido a esa falta de química entre ambas bestias, deben amarrar, del otro lado del potrero, a un rocín. Estos caballos son por lo general sin ascendencia brillante, están mal alimentados y físicamente podrían no ser atractivos, sonrió Joaquín, mientras continuaba palpando. Ese mismo animal es el que, maravillosamente, provoca que la yegua sienta el deseo por la carne. Cuando la yegua está, como tú ahora, es decir dispuesta al amor, los vaqueros la amarran al potrero y prácticamente ayudan al semental pura sangre a que la preñe. Y qué pasa con el pobre rocín que está amarrado, se sorprendió Natalia. Pues, bueno, conocés la frase aquella de "brincarse el cerco" le preguntó Joaquín, justo cuando sus manos estaban libres: pues de esa acción surgió. Cuando el pura sangre termina y se va mitad frustrado, mitad complacido, aquél rompe la cuerda que lo mantiene prisionero. Brinca con desesperación. Monta a la yegua sin necesidad de ayuda y la penetra con más precisión que su antecesor. Ella lo ha estado esperando con todas las ganas. Justo en ese momento llegaron al motel. Natalia, ayudada por la diestra mano de Joaquín y por la historia, había terminado de mojar sus calzones.

6

Soy la mujer más afortunada del mundo, Lucky, fue el primer mensaje que recibió Natalia para míster Winston el lunes. El teléfono sonó varias veces. Tuvo que dejar esperando con música de autómatas a Verónica, mientras Nineth bramó por el auricular: Soy tuya, tuya, tuya, gracias por ser como sos. Verónica dejó el suyo: si querés hacerme un gran favor, nunca te vayás a olvidar de este cuerpo que te desea.

Natalia reparó en que Lucky era otra nueva adquisición de míster Winston. La lista casi llegaba a las diez admiradoras o víctimas voluntarias del susodicho. Durante el regreso a su casa pensó en telefonear para enviarle un mensaje a míster Winston. De esa forma, él le devolvería la llamada, pero a dónde, y cómo solicitaría el mensaje para la 34321. Pensó en que tal vez Guadalupe podría contestarle. De seguro ella reconocería su voz. Le pidió al taxista que se detuviera un momento en un teléfono público. Marcó. Estuvo a punto de dejar el mensaje, pero Guadalupe contestó. Colgó el teléfono. Lo intentó en otro teléfono público, pero tampoco se animó. Llegó a su casa. Llamó del teléfono del comedor. De nuevo no quiso hablarle a su relevo en el trabajo. Intentaría por la mañana. Cenó dos manzanas verdes con yogur y se lanzó a su cama casi sin desvestirse. Esa primera semana de trabajo había tocado su alma.

7

Tercer lunes en el escritorio de Natalia:

21:30 Qué ser más increíble, me hiciste vibrar, te quiero, Nineth.

22:17 Cuando querrás, donde querrás y con quienes querrás, allí estaré, Verónica.

22:34 El mundo se ilumina con tu presencia, vamos, sigue adelante, te quiero, Enma.

23:09 Me has hecho ser inmensamente feliz, gracias, Matilde.

23:55 Qué poder, qué potencia la tuya, todo, todo me ha gustado, Lucky.

23:58 De nuevo, alguien que se siente feliz de conocerte, Verónica.

8

Natalia dejó el siguiente mensaje para míster Winston: me gustaría tener una cita, llámeme por la tarde al 5601223. Dejó el número de su casa, pero utilizó su segundo nombre: Mirta. Recibió una llamada al tercer día. Usted es Mirta, le preguntó una voz fuerte del otro lado del auricular. Sí. Usted es... No, no. Quiero saber quién la recomendó para tener una cita con míster Winston. Natalia titubeó, pero recordó los nombres de Nineth y Verónica. Cuándo está dispuesta a venir. Pues, mire, depende... Si contactó, es porque le interesa. Sí, pero, de qué se trata. Escuche, si Nineth y Verónica le recomendaron que llamara, de seguro le explicarían que debe pagar una suma para estar unos minutos con míster Winston. Sí, ellas me lo explicaron, le respondió asustada a la voz masculina, que ahora le hablaba en un tono paternal. Sin embargo, nunca pensó que se tratara de cancelar una suma al tal Winston. De cualquier manera y casi automáticamente, le contestó con la misma determinación que había respondido las preguntas de la hoja de empleo en la empresa. Sí, estoy dispuesta. Cuándo y en dónde. La voz del otro lado del auricular le dictó la dirección, le pidió que fuera muy prudente y le sugirió que era preferible que cambiara de nombre. Los seudónimos son mejores para él y, por supuesto, para usted también. Así que use un nombre que le guste. Ella le respondió Natalia, con cierta ironía. Venga el próximo sábado después de las siete de la noche, y colgó.

9

Durante el resto de la semana, Natalia se debatió entre si asistir o no al encuentro con míster Winston. Ella nunca había compartido la idea de pagar por una relación sexual. Amaba a Joaquín, pero también sentía mucha curiosidad y deseo de conocer a míster Winston. Quizá esa misma relación le cambiaría la vida. Podría aprender algo nuevo. Muchos hombres se han jactado de que mientras más experiencias tengan en la vida, mejores son en la cama, se dijo, por qué yo no voy a intentarlo también, seguiré queriendo más a Joaquín. Además, como debía pagar casi 100 dólares por la cita sabía perfectamente que no podría tener más de un encuentro con él. Una vez bastaba para conocerlo y quitarse las dudas. En ese momento recibió un mensaje. Buenas noches, por favor para la unidad 34321. Sos sensacional, no sé qué haría de no haber estado con vos, Verónica. Natalia trató de imaginar las características de esa muchacha. Cuando estuviera en casa de míster Winston, le podrían preguntar cómo eran las dos madrinas que la habían recomendado. Buenas noches, por favor a la 34321: Realmente sos fabuloso, gracias, Nineth. Natalia fue por un café, pero antes de sorber el primer trago, entró otra llamada: saldré del país durante unos días, cuando vuelva estaré contigo, Enma.

10

Sábado, día de la cita:

Natalia salió un poco antes de las cinco de la tarde de casa. Cuando besó a su madre y a Fernandito, explicándoles que tendría un curso de capacitación en el trabajo, no se atrevió a verlos a los ojos. Desde el dintel de la puerta principal de la casa, gritó que si Joaquín preguntaba por ella, le explicaran que hasta el día siguiente tendrían una cita.

Tomó un autobús que la trasladó hasta la capital. Luego otro, que la condujo hacia el sur. Compró un preservativo en una farmacia. Siguiendo las indicaciones de la voz, tomó un taxi, que la dejó justo en la entrada de una pequeña finca, casi en los arrabales de Escazú. Cuando comenzó a caminar, ya oscurecía. Tras quince minutos de tropezar con piedras por una vereda que la condujo hasta la entrada principal de una lujosa hacienda, se detuvo y tocó tres veces una campana de bronce que colgaba de un árbol de higuerón. A los pocos minutos, un joven alto, de ojos celestes, porte atlético y vestido con un traje negro, inapropiado para la finca, pensó Natalia, le pidió que la acompañara. El tipo extendió la mano y ella sacó la plata. Le pidió que esperara afuera de la enorme casa de madera, que seguramente era la principal. Giró sobre sus talones y se perdió dentro de la lujosa construcción A los pocos minutos apareció un diminuto muchacho con las características y vestimenta de jockey. Usaba un pequeño pantalón de seda, botas altas, una camisa de cuadros blancos y rojos, un casco y un fuete. Le preguntó si ella era Natalia y la conminó a que lo siguiera. Tras avanzar en silencio, llegaron a un establo grande y lujoso, pensó Natalia, para ser un simple potrero. Recordó los de El Chompipe, construidos con caobilla y solamente para el resguardo de las bestias. En ese momento pensó en míster Winston. Quizá era su hora de montar, o tal vez le gustaba recibir a sus clientas entre la paja y los animales.

Cuando el hombre pequeño quitó la tranca, le pidió a Natalia que entrara de prisa. Cerró por dentro y encendió una bombilla. Póngase cómoda, enseguida viene míster Winston. Antes de ir hacia el segundo cuarto, le dio una boleta y le pidió que la llenara. Son puramente formalidades de la finca, le explicó con una sonrisa que le recordó la de su jefe el primer día de trabajo. También mintió en sus respuestas, pero el último inciso la dejó perpleja. Por favor, cada vez que decida regresar con nosotros, le pedimos que ponga un mensaje a la unidad 34321, eso estimula nuestro trabajo y por supuesto, nos reconforta.

El hombrecito llamó a Natalia desde el dintel de la puerta. Le indicó que podía desvestirse tras el pequeño biombo apostado al fondo. Cuando Natalia se despojaba de la última prenda, escuchó la obertura de El Barbero de Sevilla, de Rossini. La reconocía perfectamente porque era el tema de la serie El Llanero Solitario. En la escuela, cuando escuchaba el himno de El Salvador, también se la recordaba. Estaba totalmente mojada. Un olor a sudor de semental la recibió en el cuarto iluminado cuando se aproximó hacia míster Winston, quien la recibió con un excitante relincho y golpeando su pata izquierda contra el piso de madera.

11

Lunes, Natalia solicitó incapacitación.

Buenas noches, un mensaje para la unidad 34321: Gracias, gracias, gracias, Natalia.

El cubano

Rafael Menjívar Ochoa
El Salvador

Por esos días el Coronel andaba fuera de la ciudad y había que esperarlo para que interrogara al tipo antes de que se muriera. Era un asesino profesional que había tratado de matar a un secretario de estado por orden de otro secretario de estado. El que lo había contratado renunció por razones de salud o algo así, y se fue a curarse tan lejos como le alcanzó el planeta. Pero el cubano tenía que morirse. A mí me tocó cuidarlo durante dos noches, por allá por el sur de la ciudad.

El Ronco y el Perro lo habían pescado. Durante un par de días se dedicaron a darle de golpes, como por no dejar. Pero el cubano era un profesional y yo un novato, y no sabía cómo portarme sin hacer el ridículo.

Se veía cansado. Nunca se puso de mal humor, y hasta creo que me agarró cariño. No delató. Tampoco hacía falta: había otros tres o cuatro que habían cantado más de lo que sabían. Había tanta gente metida en el embrollo del atentado que a la semana de investigaciones parecía que todo el país se había puesto de acuerdo para matar al secretario. Así que no era importante que el cubano hablara, y no habló. Aguantó los interrogatorios como el que aguanta ocho horas diarias detrás de un escritorio. Cuando el Coronel habló con él, el Ronco le puso una bala en la nuca. Así terminó nuestra amistad.

Se llamaba Epifanio Cortés, nació en La Habana y llegado a Miami en 1962. Decía que no tenía nada contra la Revolución, pero que le gustaba la buena vida. Le dieron la nacionalidad gringa en 1969 y a los dos meses estaba en Vietnam. Tuvo suerte. Lo regresaron a Estados Unidos cinco meses después, con una herida en una pierna. Me la enseñó. No parecía cosa del otro mundo, y él mismo decía que no era para tanto, pero que le dolía cuando hacía ejercicio o cuando el clima estaba húmedo.

Me habló de las putas vietnamitas —"se ríen demasiado, así como sin ganas", me dijo— y de cómo le perdió miedo a la muerte en una emboscada cerca de Saigón, al mes y medio de llegar.

—Los vietcong eran gente —me dijo—. Parecían diablos, pero eran gente. Los tiros les dolían igual, y hasta más, porque estaban más hambreados. Los gringos se cagaban cuando había balacera y trataban de irse rápido. Pero yo vi la cara de un vietcong que tenía un balazo en la panza. No sé si yo se lo di; creo que no. Estuve viéndolo más de una hora, hasta que se murió. Las balas pasaban por todas partes y yo estaba agachado junto a él, apuntándole a la cara y viendo cómo se moría. ¿Y sabes qué vi? Miedo. Yo me hubiera puesto igual con un agujero de ese tamaño, pero el que se estaba muriendo era él. Todo el tiempo estuvo diciendo cosas, a veces hasta gritaba, pero no le entendí. Creo que me estaba pidiendo un favor. No es cierto que todos se murieran calladitos, como en las películas. Este se murió hablando y asustado. Desde ese día dejé de sentir miedo. Me acordaba de él y se me quitaba el miedo.

Decía que fumaba bastante, pero no había cigarros ni permiso de llevarle, así es que se pasó la primera noche retorciéndose los dedos y diciendo "coño" cada cinco minutos. La segunda noche tenía la boca seca, apretaba los dientes y los ojos se le ponían rojos, como cuando uno tiene fiebre.

—Cuando me maten me gustaría que alguien estuviera conmigo —me dijo—. Quiero decir alguien que se asegure de que me dejaron bien muerto y me cierre los ojos y eso. No quiero que me consuelen, sólo que estén conmigo. Debe ser feo morirse solo. Aquel vietnamita se murió hablándome; a lo mejor me estaba contando cosas importantes. No sé si se murió feliz, pero por lo menos se murió acompañado. Eso es lo que quiero.

La segunda noche fue cuando más habló. Me contó de las noches "de antes" en La Habana, llenas de ruido, luces y mujeres. Trabajaba de afanador en un hotel de paso, y a veces espiaba por los resquicios de las puertas a las putas recién despertadas. Algunos de los clientes, a veces, le ofrecían dinero para que entrara al cuarto con ellos. Me dijo que nunca aceptó, pero de todos modos le daban buenas propinas. Después se dedicó a conectar putas y drogas, hasta que vino la revolución.

—La Habana se puso triste —me dijo, y se quedó viendo una pared como si hablara de la muerte de su mamá.

A eso de las cuatro de la mañana me habló de su hija, que tenía siete años y estaba muy desarrollada para su edad. "Vive en Minneapolis —me dijo—. Si tuviera una foto te la enseñaría". Me dijo que iba a ser igual que su madre. Después dijo que matar gente no era tan malo. La gente le caía bien, pero algunos eran idiotas y querían romper el equilibrio de las cosas. En su negocio pagaban bastante, me dijo, pero eso no era lo más importante; más bien le parecía curioso y "atractivo" ver cómo se moría la gente. Allí estaba una persona, completa, con pasado, presente, familia y hasta títulos universitarios. De repente una onza de metal hacía que se convirtiera en nada. Nada adentro de los ojos, nada en la cabeza ni en las tripas ni en ningún lado. Como un coche descompuesto. Allí está todo el equipo, motor, ruedas y frenos, pero sin chispa.

—¿Te doy un consejo? —me preguntó, y le contesté que sí—. No mates a nadie por odio. Es tonto. Si odias al muerto te vas a arruinar la vida. No vas a dejar de pensar en él. Tampoco mates por placer. Es de gente enferma. Mata por dinero. El que mata por dinero no es asesino. Tampoco mates por lástima. Cuando te veas en el espejo te vas a sentir como un estúpido. Mata por dinero.

Y también:

—No te burles de tus muertos. Son lo único que tienes. Respétalos. Son gente.

Y también:

—Si hay algo que no te huele bien no hagas el trabajo. Hay que seguir las corazonadas.

Le pregunté si había tenido la corazonada de que lo íbamos a agarrar. Se encogió de hombros.

—No siempre resulta —dijo.

Le pregunté cómo conseguía a sus clientes, si tenía una red de contactos, y se rió a carcajadas.

—Las redes son tonterías —dijo—. Alguien canta tarde o temprano. Si quieres dedicarte a esto busca un buen abogado. Siempre hay un buen abogado que te va a poner las cosas en bandeja de plata, y sin peligro. Los abogados saben mucho de la vida —y se rió casi hasta ahogarse.

—¿Quién es tu abogado? —le pregunté.

Él me guiñó un ojo y se quedó callado un buen rato. Me caía bien.

Me preguntó de mi trabajo. Le dije un par de mentiras que lo divirtieron. Me contó que hacía meses se había comprado un abrigo de mink negro, pero que sólo podía usarlo dentro de su casa; no podía llamar la atención llevando algo así en la calle. Lamentaba no haberlo disfrutado más.

—¿Quién eres tú? —me preguntó cuando estaba amaneciendo.

—Un policía —le dije.

—Tú no eres un policía.

—¿Qué soy?

—Un artista —me dijo, y nos reímos como locos—.
Tú y yo somos artistas.

A esas horas se nos acabó el café. Habíamos tomado
más de tres litros y cada media hora nos levantábamos
al baño. No solté la pistola ni medio segundo, no le di
la espalda ni me le acerqué a menos de dos metros.
Pero sabía que éramos amigos y que no trataría de
escaparse.

A eso de las siete los ojos me ardían. Tenía tres días
de no dormir. Él me contó que nunca había comprado
una casa, que guardaba todo su dinero en el departamento de su mamá ("dentro de dos semanas cumple
años", dijo), que su hermana la mayor había pescado
la polio a los tres años y no sé cuantas cosas más.

De repente me ganó el sueño y cabeceé una vez,
sólo una. Duró una fracción de segundo. Fue como si
hubiera dormido una noche completa. Me desperté
descansado, con la cabeza despejada y apuntándole
a la frente. Él no había tenido tiempo de parpadear.

—Méteme un tiro —me dijo.

—No —le dije.

—¿Somos amigos?

—No —le dije.

—Los otros no saben nada de mí. Méteme un tiro.

—No —le dije.

—Mátame tú.

—Nunca mates por lástima —le dije—, ni por
amistad.

Se rascó la cabeza.

—Tú y yo somos artistas —dijo.

A las ocho y media llegaron el Ronco y el Coronel.
Por la noche fueron a tirar al cubano a un canal de
desagüe.

Tiempo de narrar

131

—Así pasa al principio —me dijo el Coronel al día siguiente.

—¿Qué? —le pregunté.

—Nunca te acostumbras —me dijo—, pero después ya puedes dormir en paz.

Me dio cien pesos para que me fuera al cine. Pasaron una de vaqueros.

El domingo hay que consagrarlo al Señor

Javier Mosquera
Guatemala

> *Cando penso que te fuches,*
> *negra sombra que me asombras,*
> *ó pe dos meus cabezales*
> *tornas facéndome mofa.*
>
> Rosalía de Castro

Son tan altos los edificios que ya no es posible ver el cielo. Por eso desde hace generaciones esa palabra perdió su referencia física y se convirtió sólo en un concepto, o símbolo, o ilusión, o metáfora. Depende el caso. Las puntas de los rascacielos parecen curvarse en lo alto y formar una cúpula que lo empuja todo hacia el cemento.

Para colmo de males, hoy llueve, así que todos caminan encorvados, cubriéndose con paraguas negros. Parecen penitentes de tiempos antiguos en busca de consuelo para la culpa.

Aquí estaba el río. Ahora su lecho seco es una avenida de concreto donde se yerguen más construcciones. No se desperdicia ni un centímetro. Ni un solo pedacito de tierra para alguna flor. Las que quedan han sido debidamente planificadas y cultivadas en un ambiente aséptico y libre de escapismos genéticos.

Persisten y prosperan las ratas y las cucarachas. También quedan por allí algunos caminos de hormigas que ya no van a ninguna parte. Y unas pocas mariposas. Eso sí, todas negras.

La mujer que arrastra la vieja carretilla de supermercado camina por la avenida. Va con una sonrisa tétrica y una mirada absorbente. Aunque se cubre sólo con un mantón negro, no le importa la lluvia. Tiene prisa. Y más se apresura al ver a un grupo de personas reunidas en una esquina.

Hay una joven tirada en la calle. La cabeza partida. Los pensamientos regados en la acera, marinados en su propia sangre. Que no se fijó, dicen. Caminaba en la misma dirección de los autos, muy cerca de la orilla. Simplemente se distrajo. Perdió el equilibrio y bajó uno de los pies a la calle. Un carro golpeó su pierna y la levantó en el aire. Su cabeza se estrelló en el borde del tragante. Así de simple.

La mujer de negro espera bajo la lluvia. Al fin la policía dispersa a la gente y coloca la banda de plástico amarilla. Llega el empleado de la morgue, recoge el cadáver y se lo lleva. Entonces la mujer se acerca, busca minuciosamente, hasta encontrar un gancho de pelo que pertenecía a la muerta. Lo recoge, lo limpia y lo mete en su carreta.

Yo caminaba esa tarde por la segunda avenida y once calle. Allí vi cuando tres hombres bajaron de un automóvil con los vidrios oscuros. Uno de ellos se parecía a un primo lejano, que cojea de la pierna derecha. Maniataron a un individuo y a empujones lo metieron al carro.

Quince de marzo. Mil novecientos ochenta y cuatro. Aparte del susto, no hubiera tenido por qué recordar la fecha con tanta precisión. Un incidente así no era nada raro en esos días. Poco después empecé a soñar con una imagen de la Virgen, de la que, sin razón, estaba enamorado. Y una idea obsesiva empezó a golpearme la mente: "el tiempo principia en Xibalbá".

Días después, casualmente, llegó a mi casa el primo cojo. Desde hacía tiempo trabajaba en algún cuerpo de seguridad del estado. Mi padre lo recibía sólo por compromiso, o por miedo. Se puso a tomar con mi tío y a media conversación contó cómo había capturado a un tipo que afirmaba conocer la puerta del cielo. A pesar de la golpiza, nunca dijo dónde estaba.

Entonces lo supe. Yo había sido testigo de la captura de este hombre. No sé de dónde saqué el valor para preguntarle qué iban a hacer con él. Rió a carcajadas y me dijo: "le vamos a dar trescientos". Como no entendí volví a preguntar. "Se lo va a llevar Pancho". Mi padre me hizo señas para que me callara.

Cinco de junio del mismo año. Un día antes de mi cumpleaños. Manejaba mi motocicleta cuando reconocí el auto. Lo seguí con mucho cuidado. Llegaron a un camino de terracería, solitario. Bajaron al hombre, el de la puerta del cielo, a la fuerza. Mi primo desenfundó la escuadra y le dio un tiro.

Esperé a que se fueran y me acerqué. Tenía un hoyo en la cabeza. De él salía un hilo de sangre. Lo seguí con la mirada. Llegaba hasta una piedra, en la que creí ver una puerta. Pensé en lo del cielo y fui corriendo a tratar de abrirla. Pero estaba cerrada. Volví a mirar a donde estaba el muerto. Apretaba algo en su mano. Una vieja vestida de negro se lo arrebataba. Corrí de vuelta a tratar de impedirlo, pero la mirada vacía me paralizó. A lo lejos alcancé a ver a la mujer empujando una carretilla de madera en la que llevaba a una Virgen María violada. Me sonrió con un aire indiscreto y cínico.

Mire usted, es que ya estábamos cansados. Aquí mataban gente todos los días. Por cualquier razón. Para robarle unos centavos, o un celular. Porque alguien insultó a otro cuando manejaba. Porque le dijeron un piropo a la novia de alguno… Para qué le voy a seguir contando.

A todos nos urgía un remedio. Y como basamos nuestra vida en el libro de libros, exigimos sin descanso "ojo por ojo y diente por diente". Al fin nos hicieron caso.

Ellos no quisieron asumir la responsabilidad en cuanto al método de ejecución. Nombraron a una comisión para escogerlo. Así fue como se inventó lo de la vitrina de la muerte.

Claro que nos han acusado de ser muy crueles, pero el método es efectivo. No. Los asesinatos no han acabado. Y la verdad, no sé si hayan disminuido, pero la gente siente consuelo al ver el castigo de los asesinos. Acompáñeme. Hoy, como todos los lunes, va a haber un ajusticiamiento.

Mire. Ahora empieza lo que se llama la expiación. Se trata de forzar a los asesinos a arrepentirse. Se les suelta a media plaza y por diez minutos contados, la gente puede escupirlos, desnudarlos y patearlos. Pero sin exagerar, ya que lo que menos queremos es matarlos en este momento. Vea a esa mujer de negro, la de la carreta. Ya le quitó el abrigo al condenado. Es como un trofeo. Siempre se queda con algo.

Después sigue la resignación. Los sentenciados tienen que meterse solitos al ataúd. Pero pocos lo hacen. Lástima. Nunca se arrepienten lo suficiente. Entonces hay que meterlos a la fuerza. Y no es fácil. Pelean como malditos. Pero al fin se cansan. Sí, y a veces pasa lo que acaba de ver. Si el encargado no se apura a echar llave al cajón, en un descuido, el condenado abre e intenta salirse. Pero la gente ya se la sabe. Casi nunca lo logran.

Una vez se salió uno. Y quiso escapar corriendo. Pero no dio ni diez pasos. A él sí lo patearon muy feo. Por eso se murió tan rápido.

Ya lo llevan a la vitrina. La pecera, le dicen algunos muchachos malvados. No, los condenados no pueden ver hacia fuera. Las paredes de los ataúdes están hechas con ese vidrio, ¿lo conoce?, el que de un lado es espejo y del otro ventana.

Ahora ya sólo falta la consumación. El juez lee la sentencia y lo meten al recinto. Si quiere podemos acercarnos a verlos. Pero a esta hora no tiene mucha gracia. Al principio sólo se revuelcan un poco, y lloran. Lloran mucho. Es a partir del tercer día cuando se pone buena la cosa. La sed les empieza a afectar.

En la noche casi no hay nadie, sólo que ya sean los últimos momentos. Entonces se queda la gente para quemar los cohetes tradicionales. Salvo la mujer de negro. Nunca se mueve de aquí. Sí, la que le quitó el abrigo. Siempre está riéndose de ellos. Dicen las malas lenguas que es a la única a la que pueden oír los condenados.

Lo que pasa es que a la tumba le inyectan aire. Por eso aguantan. Al principio no era así, y se morían bien rápido. Entonces se decidió lo del aire. Como le decía, al tercer día se aglomera el gentío. Todos quieren verlos revolcarse, darse vuelta, arañar la caja. La mayoría no dura más de cuatro días. Algunos han llegado al sexto. En estos casos, se les corta la ventilación para que se ahoguen. Es prohibido que lleguen al séptimo. El domingo hay que consagrarlo al Señor.

La traición

Sergio Muñoz
Costa Rica

La luz de neón es blanca y brillante; atrae una nube de insectos que revolotean a su alrededor. Un muchacho moreno, delgado, de gorra azul y chaqueta demasiado grande para su estrecho cuerpo se coloca junto al poste del alumbrado y mira hacia ambos lados de la calle, antes de voltear y hacer una señal con la mano a los tres hombres que esperan al fondo, junto a un viejo camión rojo. Ellos le devuelven el gesto y se dirigen hacia una gran bodega de paredes sin pintar y una puerta metálica verde. El muchacho se sienta en la acera, con las manos en los bolsillos de la chaqueta. A sus espaldas escucha el ruido de la puerta metálica al abrirse, las voces de Antonio, el Negro Somarribas y el guarda de la bodega, discutiendo qué cargar primero en el camión. La madrugada es fría y se acomoda el cuello de la chaqueta para protegerse la nuca. Luego se dedica a observar los talleres mecánicos al otro lado de la calle, con sus anuncios pintados en las paredes. "No hay casas", se dice, "sólo talleres y bodegas". Una larga calle con tres cuadras ocupadas por bodegas, y dos talleres mecánicos al frente. Nadie en la calle, más que el guarda que ahora les ayuda a cargar las cosas en el camión. Tal como le había dicho Antonio: nada de vecinas chismosas mirando por la ventana, o de chiquillos jugando bola en la esquina.

Todo está tranquilo y saca un cigarrillo de la chaqueta. Al encenderlo, una pequeña nube de humo

Tiempo de narrar

sube lentamente hacia las palomillas que continuaban girando alrededor de la luz brillante. Esperar, era todo lo que debía hacer, sólo esperar a que las cosas ocurrieran. Miró el reloj, con su segundero digital corriendo a toda prisa, y luego hacia la esquina a su derecha: una calle estrecha y oscura, junto a un muro gris. Pronto llegarían, el Gordo se lo había dicho, a las dos, eso lo recordaba bien. Entretanto, no quedaba más que fumar el cigarrillo y esperar, recordando cómo Antonio le había propuesto que los acompañara.

—¿Qué me dice Danielillo?, ¿se apunta al brete? Es fácil, usté nos sirve de campana y se gana una buena harinilla.

Se lo había dicho en la esquina del barrio junto a la pulpería de doña Leila, donde en las noches se reunía la barra del barrio. Desde que Antonio había regresado, después de tantos años de rodar por otros países sin que su madre tuviera más noticias de él que alguna postal que llegaba de vez en cuando, tenía la costumbre de llegar a esa esquina, a contar historias que los muchachos escuchaban sin decidirse a creerlas. Ahí se habían hecho amigos, compartiendo cigarrillos, hasta que Antonio se propuso que lo acompañara a San José, a encontrarse con un amigo de los viejos tiempos.

—Es un negocio que tengo colgando. No se preocupe, ¡ni que tuviera que trabajar mañana!

Fue entonces cuando conoció al Negro Somarribas, en una cantina por la parada de Alajuelita. Un nica de pelo colocho y labios gruesos, que les invitó unos tragos de *Flor de caña* y conversó largo rato con Antonio sobre gente que habían conocido en los días de rodar por la montaña. Y entre tanto, Daniel los escuchaba en una esquina, intentando terminar ese trago que le quemaba la garganta y no mirar a nadie a los ojos. Era un bar largo, con mesas de *pool* al fondo, repleto de una luz blanca y brillante que parecía pegarse a la piel de la gente, al cristal de los vasos, al humo que flotaba en el ambiente.

A su lado, Antonio y el Negro Somarribas discutían sobre una bodega llena de aparatos fáciles de vender y el guarda que les conseguiría la llave. Y cuando se dio cuenta de que estaba incluido en el asunto no pudo hacer nada, sólo quedarse callado y continuar con su trago.

Sentado en la esquina, Daniel recuerda cómo al día siguiente se quedó mirando el techo de su cuarto toda la mañana, escuchando a su madre gritarle a sus hermanas. Pensaba en doña Leila, quien le había dicho que necesitaba ayuda en la pulpería y le podría dar un poco de dinero si llegaba en las tardes. Tal vez si tomaba ese trabajo dejarían de molestarlo en la casa por abandonar el colegio y pasarse las mañanas durmiendo y las noches en la esquina con Antonio y el resto de los amigos del barrio. Miraba el techo y luego las paredes que había empapelado con fotos de los periódicos: del equipo de la Liga y de actrices de telenovela mejicana. Antonio le había prometido también un poco de dinero por servirles de vigilante.

—Piénselo Danielillo. ¿Dónde va a conseguir un brete que le dé tanta harina por una noche?

A media mañana se levantó por fin de su cama y, luego de desayunar, salió de su casa para no regresar hasta la tarde y esperar a que anocheciera frente al televisor, ignorando los reclamos de su madre. Se encontró con Antonio frente a la pulpería y se dirigieron a San José. Encontraron al Negro Somarribas en la misma cantina y él los llevó a un garaje donde guardaba un viejo camión.

—Es de un primo, vamos a tener que soltarle algo de harina por el favor.

—¡Diay Negro!, ni tenemos la plata y ya hay que empezar a repartirla.

—Pues, compa, si no quiere el camioncito vamos a tener que ir cargando los chunches nosotros mismos.

Antonio tuvo que aceptar de mala gana y se dirigieron rumbo a La Uraca, los tres apretujados en la cabina del camión. En el camino Antonio iba contando cómo iba a usar el dinero para irse otra vez de la casa, porque estaba harto de los reclamos de sus padres y las visitas de la policía. El Negro Somarribas, que iba conduciendo y terminando una lata de *imperial*, lo escuchó por un rato y luego le dijo que conocía un carajo que lo podía llevar hasta los Estados por un buen precio y contactarlo luego con gente en Los Ángeles. Y entre los dos hicieron planes, sin acordarse de Daniel, que iba junto a la puerta del pasajero, fumando un cigarrillo y lanzando el humo por la ventana.

Contemplaba a la gente, las casas y negocios que pasaban uno tras otro rápidamente, y en un semáforo a una mujer joven de largo cabello rubio que esperaba el cambio de luz en un auto lujoso y hablaba por el teléfono celular, mientras Daniel observaba sus piernas blancas, hasta que el semáforo cambió a verde y ella se perdió en un desvío a la derecha, mientras el viejo camión continuaba directo a una calle secundario, que los llevó hasta las bodegas y un tipo delgado, con un paño blanco amarrado al cuello, que los esperaba en una esquina, junto a una vieja bicicleta. Lo siguieron hasta la entrada de la bodega y ahí discutieron un rato sobre cómo iban a amarrarlo para que pareciera un robo de verdad y el dinero que le iban a dar por el favor.

Entretanto, Daniel bajó del camión, observó las estrellas sobre su cabeza y respiró el aire helado hasta que todo el cuerpo pareció llenarse con él. Y luego miró a Antonio, que discutía con el Negro Somarribas y el guarda que iban a cargar primero en el camión. Antonio llevaba la camisa militar, verde olivo, que cargaba desde que había regresado y, como siempre, movía mucho los brazos al hablar. Los otros dos lo escuchaban, como hacían todos en el barrio cuando contaba sus historias, hasta que se cansaron de ellas y de los problemas en que metía a la gente. Pensaba en eso cuando Antonio se volteó a buscarlo.

—¡Diay, Danielillo! ¿Qué está haciendo ahí parado como un baboso? A lo que lo trajimos, vaya a la esquina y avise si todo está tranquilo.

A su derecha escuchó el sonido de un motor, y luego de esforzar la vista un poco notó un toyota azul oscuro en la esquina, con las luces apagadas. Sintió cómo los cabellos de la nuca se erizaban y un sudor frío le recorría la columna. Volteó a mirar atrás pero no vio a nadie, los tres todavía estaban ocupados cargando los aparatos en el camión. Daniel sabía que en el toyota debía estar aquel tipo de barriga enorme y un bigote estrecho entre los cachetes inflados, con el que había hablado la tarde anterior; luego que se levantó por fin de la cama, se bañó y luego tomó el bus hacia San José. Y a su lado el otro hombre de piel pecosa, pelirrojo y de dientes manchados de tabaco, que tomaba notas sin mucho entusiasmo.

Al acercarse al auto vio que en la esquina quedaba una camioneta con el escudo de la Fuerza Pública, de la cual bajaban algunos policías que avanzaron hasta cubrirse en el muro de un taller de refrigeración.

Cuando el toyota se detuvo frente al poste de luz, Daniel se levantó por fin. El gordo salió del carro, seguido por el pelirrojo y otros dos tipos que iban en el asiento trasero. —¿Están en la bodega? ¿Cuántos son? —le preguntó con su voz ahogada, como si le costara respirar entre tanta grasa que le apretaba el pecho.

Daniel apenas les pudo responder que tres, cuando el gordo pareció asustarse, sacó una pistola que llevaba en la cintura y empezó a correr lenta y pesadamente hacia la bodega, seguido por los otros policías. Al escuchar los primeros gritos, Daniel corrió hacia la esquina; ya casi llegaba a la camioneta cuando escuchó los disparos, siguieron otros más pero ya él no los pudo contar; había llegado al final de la calle, a la carretera con su tráfico de camiones y carros, y dobló a la izquierda, listo a seguir corriendo hasta que no le quedara ni un soplo de aire en los pulmones.

La segunda resignación
Víctor Muñoz
Guatemala

El día que papá se fue de la casa quedó marcada la frontera entre la tranquilidad y la incertidumbre. Yo tendría tres o cuatro años y sentí el dolor y la angustia de saber que las cosas ya no estaban bien. A la hora que él acostumbraba regresar, pero cuando ya no lo hizo nunca más, me venía la opresión en el pecho. Una cosa que no sé cómo explicar. Algo así como un dolor que no es dolor sino más bien el presagio de un inminente pesar; entonces le preguntaba a mamá por él pero ella sólo me respondía que se había ido lejos; y dando muestras de enojo me decía que la dejara de estar molestando. Ni siquiera una pequeña esperanza; aquello de decir que uno de esos días volvería. Nada. Tal vez pasó mucho o poco tiempo para que me fuera acostumbrando a su ausencia. Tal vez pasó mucho o poco tiempo antes de que dejara de despertarme por las noches preguntando por él.

Cuando comencé a comprender algunas cosas de la vida me dio por pedirle a mamá, con una terquedad obsesiva, que me explicara lo que había ocurrido, pero ella siempre esquivaba mis preguntas, se le venían los enojos y pasaba huraña varios días; entonces yo aparentaba estar tranquilo una o dos semanas, hasta que me entraba otra vez la necedad inútil de saber qué era lo que había pasado. Le preguntaba también a la abuelita, pero ella sólo se limitaba a decirme que aún no había llegado el tiempo en que yo podría saber ciertas cosas. ¿Y cómo sabía ella que yo no tenía derecho a saber qué era lo que había pasado con mi papá? Es que ese era el asunto. Se trataba de mi papá y yo necesitaba saber dónde estaba y por qué no estaba con nosotros. Supe que no se había muerto porque me lo dijo mamá cuando un día se lo pregunté. Que no se había muerto, pero como si lo estuviera, me dijo. Sin embargo, la vida es muy extraña y el comportamiento de la gente lo es mucho más, ya que una tarde de domingo, estando yo tranquilo, sólo escuchando el rumor de una llovizna dormida, mamá se me acercó y me dijo que mi papá nos había abandonado por otra mujer. Y también me advirtió que el tema había quedado suficientemente discutido y que me iba a agradecer si no la volvía a molestar nunca más con mis preguntas. Después de dicha conversación no volví a importunarla nunca más. Ni a ella ni a la abuelita; y aunque algunas veces me mordían las ganas, ya sabía que hablar del asunto equivaldría a iniciar los gritos, por lo que siempre me quedaba callado.

Un día pensé que por lo menos debía saber su nombre; entonces se me ocurrió preguntarle a mi mamá por qué me llamaba como me llamo. Me respondió que la abuelita lo había decidido y ahí se acabó la conversación. Es que supuse que me llamaría igual que mi papá y de esa forma podría iniciar alguna búsqueda, pero nunca logré saber mayor cosa; sin embargo, supe su nombre cuando entré a la secundaria y hubo que llenar los formularios. Mamá lo escribió en el apartado donde había que escribir el nombre del padre del alumno, pero no me dejó ver nada. Mediante ingenio y perseverancia logré que en la secretaría del colegio me mostraran los papeles. Tenía entonces trece años. Me lo grabé de inmediato; sin embargo, bien pronto descubrí que de todos modos, sólo tenía un nombre que no me servía para nada.

Pero llegó el día en que conocí a mi papá. En el fondo de mi corazón siempre mantuve la certeza de que así tendría que ser. Es que hay cosas que no pueden quedar ocultas todo el tiempo aunque el ser humano pierda media vida en esconder su historia. Vi de cerca a mi papá y me di cuenta que no era la persona a quien imaginaba. Mi papá se había quedado perdido entre los llantos de mi niñez cuando preguntaba en vano por él. Mi papá había seguido siendo el hombre que al cargarme despedía un olor a loción que no volví a sentir jamás. Había seguido siendo el hombre que usaba una hebilla metálica grande en el cincho desde la que yo podía ver reflejada la luz del mundo en un color amarillento y ligeramente brillante cuando me abrazaba a una de sus piernas, y quien al acercar su mejilla a la mía me hacía sentir su barba rasposa y todo el cuerpo se me erizaba. Ese era mi papá; la sombra que me visitaba con cierta frecuencia en alguno de los incomprensibles sueños de mi niñez y de mi adolescencia, y no ese señor calvo al que había visto en varias oportunidades, pero sólo fugazmente. Lo había visto cuando me había llamado la atención un señor de breves apariciones que se me quedaba mirando atentamente al salir de la escuela. Que se me quedaba mirando en el banco como si fuera un espía, y que como espía me miraba en la calle, en la cafetería y en los rincones de mi memoria donde ya no me es posible recordar. Y ahora lo tenía ahí, ante mí. Y se trataba de un hombre agachado y anormalmente viejo.

Según van siendo las circunstancias, el ser humano se va creando imágenes de las cosas que no conoce. Yo había llegado a establecer, desde el lado de mi estricto raciocinio, que mi papá tendría que ser un hombre mal encarado y mezquino, un rufián sin escrúpulos, sin sentimientos y sin delicadeza, un ladrón incapaz de disfrutar de la amistad de nadie; y me voy encontrando un señor de sonrisa suave y de mirada ingenua, que al salir del banco deseaba hablar conmigo, y el señor, con voz temblona por la emoción y alguna evidente enfermedad, me dice que no se sorprende al verme así como soy, porque siempre me había visto, y que si antes nunca se había acercado a mí, había sido porque mamá le había hecho prometerle que jamás lo haría; "y yo siempre he cumplido mis promesas; pero ahora ya no me importa, porque estoy viejo y enfermo y ya me voy a morir". Que ahora se pasaba mucho tiempo pensando en la muerte, en lo frágil que es el ser humano y en todas esas pendejadas que piensa la gente cuando ve que la vida ya agarró el despeñadero.

—Así que usted es fulano de tal —le dije.

Me miró con cierta expresión de susto; como si nunca hubiera esperado que supiera su nombre.

Me porté como supuse que lo habría hecho cualquier persona que se hubiese encontrado en mi lugar, y hasta me permití insinuarle algún insulto. Él no se inmutó. Por el contrario, me dijo que yo tenía razón, pero que la vida me iba a ir enseñando que las cosas no siempre son lo que aparentan ser. Que cuando una pareja de esposos toma la decisión de separarse, la culpa es de alguno de los dos, y en el caso de ellos, tal vez el menos culpable había sido él.

—Claro —le dije de la forma más sarcástica que pude—, ahora resulta que la culpable fue mi mamá.

Esbozó una sonrisa de resignación en la que pude advertir todas las emociones que alguna vez le llegan de junto a los hombres, y me repitió que tomara en cuenta lo que me había dicho, que en la vida las cosas no siempre eran lo que aparentaban ser.

A pesar de mi evidente rencor y mal trato, me dijo que se sentía inmensamente feliz de haber platicado conmigo; que lo perdonara por haberme dejado solo, siendo todavía un niño, y que lo único que me pedía era que no le fuera a comentar nada a mamá.

—Y quiero que me lo prometas.

De todos modos yo no iba a decirle nada a mamá porque ya sabía que semejante noticia no le iba a causar ninguna gracia. Se me acercó para darme un abrazo que le correspondí con frialdad. Se le quebró la voz cuando me dio su bendición y luego lo vi alejarse con la cabeza metida entre los hombros. En ese momento no creí que fuera verdad que se estuviera muriendo. A lo mejor quería que fuéramos a tomar un café para platicar un poco y aclarar las cosas, pero por mi actitud comprendió que no se lo iba a permitir.

Desde luego, después de ese encuentro inicié un proceso extraño, y a veces doloroso, de ubicación en la vida. Claro, a esas alturas yo suponía que, ¿qué me importaba si mi papá estaba vivo o muerto? Bien lejos habían quedado las celebraciones de los días del padre; la desgracia esa de que: "todos tienen que asistir con sus papás a la misa", y yo sólo con mi mamá y la abuelita, mirando a todos con sus papás. "Mi papá me llevó el domingo al estadio". "¿Por casualidad, tiene usted familia en San Raymundo?". No, yo no sabía quiénes eran mis familiares, si es que los tenía, ni de dónde había venido. Ni siquiera sabía quién era, entonces toda la cólera y la frustración se me dejaban venir juntas y me entraba el deseo de gritarle al mundo que la vida es un gran desastre porque uno no está completo; porque uno no tuvo nunca quien lo cuidara, quien lo llevara al cine, a la playa o a la piscina.

No sé cuándo fue que decidí que no necesitaba a mi papá para nada. Que no lo había necesitado nunca. Que las cosas se habían resuelto sin él y que jamás me había sido indispensable. Después de todo, en la vida, cada quien se va colocando en el lugar que le corresponde y todo se va acomodando a un orden que hasta llega a ser agradable; o tal vez la rutina lo va haciendo a uno volverse algo así como una máquina que a veces ni siquiera tiene tiempo para detenerse a pensar en nada. Cada quien va caminando hacia la dirección que le dicta su destino, tratando de resolver sus problemas, confiado en que las cosas van a salir bien y que la felicidad se encuentra a la vuelta de cualquier esquina, pero un día se aparece la persona que uno buscó toda la vida y de pronto todo se viene abajo, todo se descompone, todo es otra vez un desastre y el sufrimiento amenaza con aflorar de nuevo.

Y es que con el paso del tiempo me fue viniendo una extraña incomodidad. Como si mi molestia por su abandono guardara una relación inversa y exacta con mi incertidumbre de niño; entonces supe que deseaba verlo para poder explicarle cómo son los sentimientos de frustración, de tristeza y de odio. Hasta preparé un discurso mediante el cual le haría saber que había sido un infeliz y un maldito y todas las cosas que tantas veces le había dicho en mis soledades llenas de lágrimas y desencanto y no le iba a permitir defenderse de ninguna forma. Deseaba verlo llorar ante mí. Le iba a reclamar el hecho de que me hubiera buscado, porque no me hacía falta. Porque hay gente que no le hace falta a nadie y él era precisamente uno de esos seres bastardos. Que en vez de alegría, su visita me había causado daño. Sí, porque él nunca supo lo que lo necesité las veces que me vi desesperado en medio de un callejón oscuro, deseando su mano para que me ayudara a salir. Para que me defendiera de los miedos que aún ahora a veces me acosan. Para que me llevara al doctor la vez que me puse a orinar sangre y mi mamá y la abuelita comenzaron con que "¿ya viste lo que le pasa a la gente que hace suciedades? Ahora te aguantás". Hasta me sonreía ante la inaudita fuerza de mi odio, ante mi habilidad para preparar mi discurso. Lo hice y lo rehice mil veces hasta que se volvió una cosa pesada y oscura que llevaba conmigo a todas partes.

Pero no volvió nunca más. Mi discurso pasó a ser, entonces, una carga inútil, un veneno que sólo ocupaba un enorme e incómodo lugar dentro de mi vida. Al principio me dije que no tenía importancia, ya que si me había pasado la vida sin él, así también podría morirme. Sin embargo, poco a poco fui experimentando una extraña sensación de desamor profundo por la vida misma. Descubrí que otra vez estaba acorralado dentro de un tiempo que de pronto había regresado, y lo peor, quizá para quedarse.

La vida comenzó a deslizarse como lo hace siempre, unas veces despacio y otras con mucha prisa; hasta que un día, y esto me cuesta explicarlo, porque ni siquiera yo mismo lo puedo comprender, me desperté con el deseo urgente de verlo. Deseaba hablarle porque descubrí que mi odio ya no existía. El corazón fue encontrando razones para el amor y estuve seguro de que, después de todo, a lo mejor no era tan malo. Que tal vez había cometido errores, pero no muchos más de los que la gente normal comete. Si antes él me había buscado, me había visto de lejos y a escondidas, ahora yo inicié un proceso absurdo al revés. Comencé a buscarlo por todas partes. Me salía a la calle a caminar sin rumbo, me detenía en cualquier esquina y volteaba la cabeza con la esperanza de encontrar al hombre de apariciones fugaces que desde siempre me observaba y que a escondidas seguía mis pasos. Ante mi sorpresa fui descubriendo que lo amaba; que a pesar de todo lo que hubiera pasado, jamás había dejado de amarlo. Ahora, de la misma forma como en la enorme lejanía de mi niñez, me hacía falta; hasta que un día me dormí llorando. Me brotó solito el llanto. Lloré hasta que me quedé vacío, limpio y tranquilo. Y cuando estuve seguro de que ya no lo encontraría jamás, inicié el doloroso proceso de la resignación.

Me arrepentí por haberlo tratado tan duramente; por haberle dado a entender que nunca lo había querido. Mis brazos se quedaron extendidos en vano para abrazarlo.

No me dejó ninguna dirección o seña para encontrarlo, tan sólo una inútil fórmula para la espera infructuosa. Busqué de nuevo, como lo había hecho tantas veces, su nombre en la guía telefónica, pero no tuve éxito. Se me ocurrió revisar los obituarios de los periódicos desde la fecha que lo había visto hasta esos días, pero bien pronto advertí que se trataría de un trabajo enorme y que a lo mejor no me conduciría hacia ninguna parte.

Un día traté de insinuarle algo a mamá, pero como siempre, de inmediato me amenazó con enfermarse. "Hay que dejar las cosas como están" dijo poco antes de morir, y tuve que aceptar que así quedarían. Que de nuevo había fracasado en esa segunda búsqueda.

Ahora, después de tantos años de que hablé con él esa única vez, cuando ya he perdido definitivamente la esperanza de encontrarlo, cuando de nuevo somos los extraños de siempre y el penoso proceso del olvido ha sido ejercicio de todos los días, a veces siento la mirada de alguien que a hurtadillas me observa; entonces me volteo y busco por todos lados, tratando de encontrar lo que para mí y por siempre nunca existió; entonces se me sale una maldición que me trago de inmediato, no vaya a ser que de veras algún día se aparezca por ahí y entonces tenga que decirle: "no papá, no es con usted, pero véngase, quiero que platiquemos de muchas cosas", y me lo lleve abrazado para ponernos de acuerdo de una vez por todas. Para no tener que iniciar todos los días, con disciplina férrea, el proceso de la resignación.

Caída libre

Alexánder Obando
Costa Rica

Una burbuja en el limbo
Fabián Dobles

Buba: tumor blando, comúnmente doloroso y con pus que se presenta de ordinario en la zona inguinal, en las axilas y en el cuello. Debido a la abundancia de bubas en todo el cuerpo es que la peste bubónica llevó tal nombre.
Diccionario de la Lengua Española

Fast Forward ▸▸

La pared azul empieza a desarrollar bubas, excrecencias, pelotas azules que tan pronto se desprenden comienzan a flotar. Se van por los riachuelos de aire de la habitación hasta alcanzar alguna rendija en la puerta o en las ventanas. Toman, por así decirlo, el "Expreso Mary-Jean", suben hasta el balconcillo de los carros y abren las ventanas para disfrutar más el paisaje. Otras bubitas, las más pequeñas de todas, se hunden en el guindo, en el quicio de la puerta y de ahí son succionadas hasta el exterior. Son los abultamientos acusadores. Pero, más tarde, dentro de muchos segundos, llegarán a los vellos de las fosas nasales y la madre pegará el grito al cielo. Se limpiará las manos con un pulpo rosado que siempre tiene en la cocina y se vendrá soplada hasta la habitación de este vuestro discreto narrador. Ya no me importa que las bubas o bolitas azules de la pared sigan saliendo. Tampoco me importa ver al pez ángel flotando en la pecera en medio de molotes y molotes de comida descompuesta que le he ido echando hora tras hora. El muy glotón se ha jamado todo lo que le eché hasta que casi estalla. Algo pesado y grande se le atravesó en la arteria cardiaca y hasta ahí llegó la cebra de los mares, el caballito de palo pintado como un frugal almuerzo de león. Pero ya siento que la madre ha dejado al pobre pulpo en paz y la verdad es que dura tanto en llegar que se lo debe haber pasado hasta por el *pubis pro nobis* del alma, es decir, el puente, la caverna de donde todos saltamos a la vida. ¡Mierda que solo nos da bubas azules en la pared y peces ángel muertos de cabanga!, o lo que sea (una vez le eché cabada en la pecera a ver si se la comía y el muy rabanito se alimentó con ella hasta mandársela toda, igual que Marcela, igual que Fabián, igual que Patricia, igual que Jazmín igual que todas las perras que en esta vida me he ganado para suave restregada de cuerpos hasta el amanecer). La vara es que las burbujas azules ya no salen solo de la pared. Acabo de ver una salirme de la oreja derecha, o mejor, del huequito del oído. Hizo ¡plop!, al salir y luego se fue flotando por el aire del cuarto hasta aposentarse debajo de la cama. Ahí flirtea con el viento y parece moverse según los compases y designios de un piano. Las otras bubas, las del tren verde —¿o era azul?— siguen viajando el viaje de la muerte. Se pegan a las paredes del clóset y muy pronto hacen ¡plop plis sssissssisss!, por todo el cuarto hasta que la fragancia de su pequeña supernova me acaricia las pestañas y los pelillos de la cara. Un mundo se acaba y la madre por fin entra y deja caer el pulpo rosa que siempre la acompaña cuando entra a mi cuarto. Me agarra con la torre enhiesta a punto de darle de comer, una vez más, al pececito muerto. Pero lo único que escupe es mi pez, mi *pescis penículus, méntula mea, pescis penículus,* y se me sube por la espalda la tarántula del Catulli Cármina y no siento como golpes los pequeños caracoles de puño cerrado que la madre me propina. Más bien la tomo del brazo. La lanzo contra la cama y la obligo; no; le suplico; no; la obligo a que pruebe el almuerzo del pececito ángel que flota cubierto de nieve en la pecera. La madre grita, grita, grita, grita, grita, grita, hasta formar bubas rojas en la pared y demás superficies de la casa. No la obligo más. Ella sale corriendo despedazando decenas de bubitas en el aire y yo, ya más calmado y desnutrido, me llevo a la boca mi propia cabada.

Play ▶

Entra la china que me tiene ahí desde el martes o desde otro día. Ya no sé cuántos días son de papeles, escritorios, lápices nerviosamente mordidos, basureros, vomitadas, amenazas de fuego eterno sin derecho a teflón y los maes de negro (no necesariamente Will Smith) que se meten la mano dentro de la sotana cuando les cuento mis masturbaciones con mis amigos y las cogidas con Marcela, Patricia, Fabián, Jazmín etc., etc., etc., *ad bubiam*. Pero entra la china como ya les dije y me insulta de una manera solapada. Me llama mal hijo, mal alumno, mala cama, etc. Yo me quejo de esto último y ella decide probármelo. Los hombres de negro salen del cuarto luchando con su propio pez ángel y la china me entra en su bosque de añil.

Fast Forward ▶▶

Las piernas como dos montañas de Shangri-La. El palacio dorado y blanco que se extiende al sol después de meses de buscar entre las nieves perpetuas. La china me lleva de la mano y caemos por una fuente, una montaña rusa hecha con su piel y llena de vellitos vaginales. Este tren sí que no se detiene. Las pestañas de sus labios estiran y encogen, chupan y acarician para darnos la fuerza de empuje, la electricidad necesaria que nos lleva al palacio dorado; al mundo de las bubas azules, rojas y verdes de la fantasía de Oz. No hay más fricción que el placer de rozarla y ella como gigantesca flor de loto en primavera, se abre a la mañana de nieve y nos muestra todas las burbujas, todas las bubas donde en cada una va insertada la cara de un amor, el gesto de un robo, la finalización de un orgasmo, el cierre de un libro, la antorcha de una quema de jueces y padres, la guitarra maniática de Reznor o la nariz violentamente coqueada de Robert Plant. Salen millones de burbujas a conquistar el universo conocido mientras la china, una y otra vez sobre mí, grita el abecedario de su idioma en otras siete o nueve lenguas que le sueltan el pelo. Las tetas de la china en el bosque de la china, un Magritte de bubas amarillas y blancas flotando en el aire de la mañana, como los peregrinos a Roma con antorchas en la neblina de los bosques medievales. La crema de la china frotando mi estandarte hasta que Reznor nos toca *March of the Pigs* y la hermosa doctora china se cae de mi palo por falta de destreza en eso de jinetear machos. Ella furiosa pega gritos de horror mientras *la créme de la créme* salta por los aires en busca del orificio de una virgen de las grutas que la pueda acunar los próximos nueve meses; y la china vuelve a gritar mientras el semen viaja cuesta arriba hasta los golosos labios de su vagina. Una vez terminado su orgasmo, la china grita furiosamente y pide auxilio.

Pause II

La madre está echando palabras de color rojo bermejo por la boca. Sigue sin soltar el inseparable pulpo rosado que la acompaña a todas partes. Dice que soy un fariseo, un amonita y un filisteo. Que creo en sacrificar víctimas humanas a Baal en lo alto de las montañas y toco a las mujeres cuando están bañadas en su propia regla. Mi padre dice lo mismo pero en otro tono: que soy un antipatriota, que no creo en el destino manifiesto que dios nos otorga y que a veces, aunque solo sea a veces, cojo con hombres. La mayor parte del tiempo, según su testimonio, estoy en la cama fumándome a María-Juana, inhalando perico y tomando guaro. Nada de esto me preocupa. El celador ya me ve con mugrosa lascivia y lo que es mi mamá, tal vez quiere que la fuerce una vez más, por eso se opone al encierro y me defiende, pese a que fue la que estuvo más de acuerdo en que yo no la merecía como madre.

Fast Forward ▸▸

El padre pidió tan solo cinco minutos a solas conmigo. Las bubas, grandes y negras, saltan de mi cara, de mi boca, de mi cuello al estrellarse ruidosamente contra las paredes. El color rojo y negro lo mancha todo mientras mi tata me mete dos dedos por la nariz y me la fractura desde adentro. Luego me patea en el suelo, me daña la columna y yo me cago de tanto dolor. Las bubas color café apestan el cuarto y entran los hombres de negro, una vez más a masturbarse sobre lo que queda de mi cadáver. Yo levito y pongo cara de Sor Juana mientras los monjes bañan mi hábito en grotescas marejadas blancas que cuelgan de mi cuerpo. Ya no soporto tanta carga, tanto dolor y caigo estrepitosamente al suelo.

Pause ▮▮

Paso un mes en el hospital. Las bubas y globos de color celeste o amarillo acompañan mi sueño en forma constante.

El televisor pasa fotos del lunar de Madonna a escala tres mil. Es un grotesco montículo de mierda en medio del paisaje lunar. Madonna da un beso y de repente es Marilyn Manson posando de Marilyn Monroe. Y Manson, hay que reconocerlo, tiene mejores piernas que cualquiera de las otras dos. El celador de las tres trae la misma caca de todas las tardes: un budín lleno de moscas negras (pasas, según él) sobre el desvaído paisaje de tres o más barbitúricos con avena y azúcar. Mi problema no es la caca sino el celador. Es playo y dice que tengo cara de chiquita. Una noche se me mete a la cama y siento que me voy por un túnel de cacao hasta desembocar en no sé que glándula hiperroja y muy nerviosa. La tal glándula mide la proporción de mi desdicha o mi felicidad. Su dictamen es felicidad moderada o no cognoscente. Sigo cayendo por el túnel y de paso me topo a la china con unas enormes tijeras en forma de anteojos de gato. Me circuncida durante el coito y luego me manda a seguir el viaje por el húmedo túnel de postres de cacao y chocolate. Pienso en mi pececito ángel ya muy inflado y a punto de disolverse en la pecera de mi cuarto. Los padres probablemente le han alquilado la habitación a un maje de buenos modales y malos pasos, con lo miopes que son. Pero eso me recuerda la herida del padre: mordisco en el cachete que me ha dejado desfigurado (a pesar de lo que el celador diga) la nariz quebrada y los ojos muertos de tanto llorar pensando en mi pececito *méntula méntula mea penis península penis méntula mea...* yea... yea... yea. Sigo la caída de altazor y cuando todo ya es oscuro y nieva en la avenida central de Costa Rasca, siento cómo las agujas ya no permean ni la piel de libélula que he desarrollado. Mis ojos son un gigantesco mar de espejos y la proboscis con que me alimento me hace vomitar todos los sábados la Big Mac que nos meten por tubos de alegría inocularia. Una orden de papitas, una coca grande y dos Monday de uva. ¡Pero, cómo que no hay Monday! Y la proboscis se ve obligada a succionar treintaidós sundaes de cada sabor imposible; aguacate, cola de buey, cangrejo, mondongo, hígado de carnero y ojos de mono tití con una cereza encima. El lunar de Madonna ya parece el mar de las lluvias y poco a poco nos vamos alejando en caravana a una vida alterna, una muestra de que todo es posible cuando se trata de viajes en el tiempo y cambios de cuerpo; trasmutaciones indelebles que sin embargo dejan algo de los otros en nosotros. Yo decido ser un adolescente de Sinus Iridum, gran metrópolis lunar de nuestro siglo, y recojo plata, recojo a mis amigos y a mi cabra y me voy "*moon diving*", deporte que se mide ya no en metros sino en kilómetros. Llego hasta la cúspide marciana de Mons Nix y desde ahí dejo que la débil atmósfera de Marte me lleva lentamente a los próximos treinta años de paraíso. La caída dura para siempre. El viento sobre un rostro inmortal es indescriptible. Pasa de serlo todo a no ser nada, y sin embargo sigue siendo todo.

Toco con las manos el ojo del universo.

Play ▶

Al celador es al que culpan de haber dejado mi ventana abierta.

Stop ■

Bitácora: insomnio

Mauricio Orellana
El Salvador

Una noche despierta sobresaltada. Eso de comer pizza a la hora de leer Génesis y Proverbios, y luego dormir, es paso seguro hacia las pesadillas. Lo que le espera: cuatro horas de insomnio, y a las cinco y media, para arriba a trabajar. Pensar en que no va a poder dormir: eso es justo lo que su ansiedad soltera necesita para volvérsele insomnio casado con ella.

Te preguntarás qué hace Nora para defender su soltería. Te lo diré: primero intenta concentrarse en la respiración insomne, pero un quejido en el apartamento vecino le obstaculiza el buen esfuerzo; luego trata de jugar al recipiente inventado en donde sistemáticamente debe tirar cualquier indicio de pensamiento ilegal que se le asome a la mente con dudosas intenciones; lo malo es que los quejidos de al lado se incrementan y le hacen perder concentración. Resultado final: Nora, cero; quejidos de al lado, dos.

Vuelta y vuelta en la cama. Brazo entumecido. Acidez estomacal. La mente al galope. Finalmente, un cigarrillo. De pronto el quejido vecino cobra vida y se vuelve al principio una voz, y de inmediato un nombre. ¿Su nombre?

De un salto se incorpora, acomoda su aparato auditivo derecho en la pared compartida y: "No-ra", cae sentada en la cama.

Todavía espera un rato, con el oído aguzado. La voz no cesa. "¿Es que se ha enfermado esa mujer?", piensa. No pierde el tiempo: se mete en su bata, calza las pantuflas y esgrime su lamparita de mano. Abre la puerta y sale al pasillo. Llega a la puerta vecina. Eructa sin querer el ajo de la pizza y toca. La puerta se abre sola.

Una tenue luz verdosa se escapa por la puerta entreabierta. Nora agarra valor y con las yemas de los dedos termina de hacer la tarea que el aire ha empezado.

Una anciana fluorescente está sentada en un sofá vencido. Le sonríe.

—Usted disculpe —dice Nora, aún con la torpeza del insomnio interrumpido—. La puerta estaba abierta —se excusa—. ¿Está usted bien?

—¿Tú eres Nora? —pregunta la mujer, con voz asmática y rota—. Pasa, cierra la puerta y toma asiento.

Nora obedece. Pronto se da cuenta de que el único asiento disponible es una silla rústica colocada justo frente a la anciana.

—Yo también me llamé Nora.

Nora observa sorprendida, por entre el verdor incandescente que emana con dispares efluvios el cuerpo de la otra Nora, que los brazos y piernas de la anciana están encadenados al sofá: grilletes de espesor considerable le impiden casi cualquier movimiento. A la mujer parece divertirla el observar la sorpresa que paren los ojos de Nora.

—Ni te fijes —le dice, levantando pies y manos hasta donde el largo de cadena lo permite—. Ya estoy acostumbrada. Casi puedo decir que nací con ellos.

De pronto un eructo prende los aires de la periferia de la boca de Nora con un juego de luces verdosas. La anciana ríe con una pesadez casi necia, corrompida, rota como la voz, anestesiada por un leve dolor también verdoso que presuntamente comienza a instalársele en el pecho.

—Te debo de haber preocupado —le dice la anciana—. Es que un pequeño dolor en el pecho me ha estado molestando. No hagas caso, es apenas una leve opresión. Un como pequeño fuego, o sus ascuas, mejor. No hagas caso.

—Si no se siente bien puedo llamar a emergencias.

La anciana le hace una seña con la mano para que no se preocupe, mientras con la otra mano se toca el pecho como buscándose el lugar exacto en donde un ataque final ha recién empezado a molestar. Se ve mal y se pone peor, mucho peor a cada instante que pasa.

Nora se levanta preocupada al verla padecer la repentina crisis. "¡No hay tiempo!", alcanza a decirle la anciana en medio de una contorsión de rostro. "¡Dame la mano!".

Casi en el mismo momento en que Nora obedece, un cólico masivo empieza a insuflarle, en las tripas, un dolor con intensidad de cinco cálculos vesiculares sonando sus respectivas apoteosis al unísono, hasta hacer que se doble por el medio hasta quedar como mazorca seca: bestial eructo, fogonazo verde, y al suelo. Cinco horas inconsciente.

Despierta. Un hálito verdoso le rodea el cuerpo: lo genera el intenso dolor en el pecho. Está sola. Se vuelve a ver las manos y las manos son unos racimos marchitos encadenados al sofá vencido de la habitación de al lado. La silla rústica de enfrente, que en un momento de la madrugada ella misma ocupó, está vacía. El malestar digestivo ha cedido, pero, en cambio, el dolor en el pecho la está matando. ¡Matando de verdad!

Pese al insomnio que se le metió a la cama desde bien temprano, en el apartamento vecino, alguna otra Nora se ha levantado y duchado para ir al trabajo.

Sale ahora al pasillo. Camina. Vuelve a ver a la puerta vecina casi con desprecio. Se detiene un instante al escuchar un quejido sordo al otro lado (¿el último?, ¿el más profundo de su antigua vida?), y sigue caminando imperturbable hacia la calle.

La muñeca

Carlos Paniagua
Guatemala

Mi mamá siempre quiso una muñeca plástica como la mía. Que llora cuando la aprieto o la pongo de cabeza, que se mea cuando le doy de beber y que no chilla cuando le jalo el pelo o le acerco fuego. Yo de oídas sé la vida de mi mamá; ella sin querer, me la ha contado toda.

La hallaron tiernita en el basurero de El Trébol; una mancha de zopes la estaba picoteando y por poco le sacan un ojo. Por eso tiene cicatrices en la cara que cuando le preguntan se encabrona. Un borracho la halló y se la dejó a una vieja que vivía en una covacha de por ahí. Como a los seis meses, en medio de la hedentina y de un remolino de zopilotes, tuvieron que botar la puerta para sacar a la ruca hirviendo en gusanos. La vieja tenía más de diez días de muerta y mi mamá como quince de no comer.

Una cabrona que mendiga en los semáforos de La Reforma y la Liberación la recogió. La hijelachingada se llama Graciela. De chava fue puta; hoy es un espantapájaros con el pelo teñido, que tiene que mantener a los hombres para que se la cojan.

Cuando se apropió de mi mamá, vivía de una docena de huérfanos; los mantenía enchiquerados y los mandaba a mendigar en las horas de más tráfico. Les volaba ojo desde el semáforo. Para esa desgraciada mi mamá fue el sebo perfecto; le enseñaba a la gente su esqueleto y por pura lástima conseguía billetes.

Cuando pesó mucho para cargarla, la cabrona sacó quién sabe de dónde, un patojito con polio, con cara de mico y medio tarado. Le puso Rubencito; atarantado con puras pastillas, también fue carnada hasta que un mexicano que estaba de paso, lo compró y se lo llevó a El Salvador para criarlo como a su hijo. Ahí, mi mamá pasó a ser parte de la bola de cabrones que apretaban la jeta contra los vidrios hasta que les dieran algo.

A las tres de la mañana de un viernes, cuando mi mamá tenía nueve años, paró un carro con placa diplomática; desde su asiento el chofer negoció la virginidad de mi mamá con la Graciela. Al otro día la dejaron en El Obelisco con la cara pintada. Tenía miedo, vergüenza y un billete en la mano. La había desvirgado un viejo gordo y perfumado que no hablaba español. Ese fue otro negocio para la Graciela.

Cuidando carros, vendiendo lotería, pidiendo limosna, robando y acostándose con la clientela de la Graciela, mi mamá cumplió los catorce años; como era el día de su santo, pensó que podía quedarse con un billete; el querido de la Graciela la descubrió y le pegó una arrastrada que casi la mata. Dos chavitos la llevaron medio muerta al hospital. Ahí pasó en coma seis meses por golpes en la cabeza, quebraduras y embarazo. Cuando despertó la pasaron a la maternidad; ahí nací yo, un lunes veintidós de marzo, en la vecindad de donde juntan a los muertos. La trabajadora social, una vieja con cara de inodoro que nunca oyó a un enfermo, se las arregló para mandarnos a un correccional de donde mi mamá huyó conmigo a los tres meses.

Regresó a la calle y a lo de siempre; pero ya sin la hijeputa de la Graciela. En el semáforo de la Liberación y la Montúfar conoció a un chavo que se ganaba la vida escupiendo fuego vestido de payaso.

Mantenía la cara tiznada para no gastar en maquillaje y para esconder las quemadas; hacía trucos que no daban grandes ganancias porque los cuatro carros que disfrutaban su espectáculo durante la luz roja, se iban a la mierda cuando cambiaba a verde. Al payaso le decían Gavilán.

Todo ese tiempo mi mamá fue alegre. Se enamoró de Gavilán porque la hacía reír, porque se la cogía y porque me regaló una muñeca plástica que llora cuando la somato contra el suelo, que se orina cuando la obligo a beber y que no chilla cuando le pego o le arranco el pelo.

La felicidad de mi mamá se hizo humo un domingo que la policía hizo redada en el zoológico. Gavilán hacía ahí su acto callejero; después del alboroto nadie dio razón de él y nunca lo volvimos a ver. La alegría también se terminó para mí, porque cuando a mi mamá le entra la amargura, le da por chupar y emborracharse, por llorar y repasar a gritos la ingratitud de su vida y por desquitarse con la muñeca que se orina de miedo cuando la obliga a beber, que llora cuando la somata contra la pared, que grita cuando le arranca el pelo y que se desmaya del pánico cuando la quema con cigarrillos.

Yo soy la muñeca de mi mamá...

Estuardo Prado
Guatemala

La conciencia, la última frontera...

Estos son los viajes de Masterdrogo, su misión: el descubrir nuevos estados alterados de la conciencia, encontrando realidades alternas en la estructura del universo. Para llegar a donde ningún otro drogo ha llegado antes.

Ta
Ta Ta Ta
Ta Ta Ta...[1]

("Beam my up Scooty", dijo capitán Kirk poniéndose la pipa de crack en la boca).

---

[1] (Música de fondo)

"Some people never go crazy
but truly borring lives they
must lead."
WASP

Ayer me detuvo la policía por haberle prendido fuego a las plantas de un parque en el centro, cuando en realidad ellos deberían —porque ese es su deber— de ayudarme a incendiar todos los parques, pues la misión tanto de ellos, como la mía es la de servir a la comunidad. Aunque pensándolo bien, la mía es mayor aún. Yo lucho por la sobrevivencia de toda la raza humana quemando arriates.

No sé cuándo fue... me parece que han pasado varias vidas ya, desde esa primera vez que trascendí la realidad aparente del cosmos —el velo de Maya— y encontré el ser esencial, el Eido Kosmos, tal como lo llamara el avatar Philip K. Dick, que dicho sea de paso fue la última encarnación del Bodhisatba de Buda en la Tierra, antes del final del Kali Yuga en preparación del principio de la era de acuario. Pero bueno ese es otro trip. Llevaba un gran rato de estar fumando *speed balls on the rocks*[2]. No sé cuantos días había estado haciendo esto... tan sólo me recuerdo que en varias oportunidades vi que se hacia de día y de noche.

Estaba sentado frente al televisor, no mirando nada en especial —me gusta ver figuras o imágenes sueltas que disparen un sinnúmero de recuerdos almacenados en mi inconsciente, sobre el pasado, el presente y por supuesto también el futuro... lo cual es posible porque todas las mentes están inmersas en lo que Jung llamó inconsciente colectivo, y De Chardin la noosfera con forma de un gran cerebro ectoplásmico sobre todo el planeta... aunque para ser sincero yo ya lo vi en un viaje astral, y no tiene forma de cerebro, sino más bien

---

[2] Una mezcla de heroína y crack.

tiene la forma de un huevo, esto es porque la noosfera de la Tierra es uno de los testículos del universo, un portal cósmico al germen primigenio donde el espíritu de Dios vuela sobre las aguas. ¿Que por qué vuela sobre la tierra? simple... porque si nosotros somos el huevo fecundado, la paloma tiene que estar cerca... es obvio no, o por lo menos para un iluminado —como yo— que se ha despertado el chacra tántrico con la ayuda de la energía kundalini que las prostitutas de la segunda avenida me han hecho fluir, son feas y gordas, pero cobran barato y a nivel de iluminación o avivamiento del aura corporal no es la calidad, sino la cantidad la que cuenta.

Puta... ya se me fue la onda otra vez del tema central. La cosa es que estaba frente al televisor, cargué la pipa con media piedra de crack y un canuto de heroína negra, y al estar aguantando el humo en los pulmones además del adormecimiento placentero que sube por la nuca a toda la cabeza, de la parte posterior hacia los temporales, tuve una visión, tal vez causada por un ataque epiléptico en el lóbulo temporal izquierdo. De primero comencé a ver figuras geométricas —rombos, triángulos y círculos que se cambiaban de una forma a otra— iban apareciendo en el aire tejiendo una estructura simétrica en el espacio, colores vívidos que cambiaban del azul al rojo, pasando por todas las tonalidades del espectro de la luz. Parecía que estaba teniendo un episodio sinestésico, o que VALIS me estaba tratando de contactar, lanzándome información no en un lenguaje simbólico verbal; sino a través de sonidos que se hacían imágenes, para después volverse sensaciones táctiles y olfatorias, cambiando de un estímulo sensorial a otros, en una sinfonía caótica en donde todos mis sentidos estaban siendo impresionados de una forma nunca percibida por otro ser humano. Por la fuerte cantidad de drogas había expandido el umbral sensorial que Max Weber había descubierto, permitiéndome percibir más allá de la cotidianidad que se presenta a todas las personas.

Después de haber pasado algún tiempo viendo pinturas de Kandinsky en el aire, percibí que me estaba acercando al encuentro con la Santa Sophia, al igual que David Bowman al acercarse al monolito en "2001: Una odisea espacial", estaba inmerso en el túnel de luz, el universo entero se iba a abrir ante mí. De pronto todo se acabo quedándome en completa oscuridad. En mi loquera pensé "¡Puta! Ya me cortaron el cable por falta de pago", pues no sabía en ese momento bien ni qué pisados estaba viendo. Del centro de las tinieblas un gran ojo se abrió. Era el gran ojo cósmico, Cuzco o el ombligo del universo, el cual estaba todo colorado como si se hubiera fumado un pito, lo cual confirmó la primera teoría que tuve al trepanarme el cráneo para que mi cerebro pulsara al mismo ritmo que los latidos del corazón, expandiendo así la conciencia: que el universo entero está hecho de moléculas de humo de marihuana.

El ojo se convirtió en la Tierra y de ella salieron grandes gusanos que destrozaban las ciudades y los campos, para después curvearse en el aire y volverse a ensartar con sus grandes fauces hambrientas —igual que en el ultimo vídeo de Pearl Jam— en las masas de personas que corrían de un lugar a otro sin encontrar refugio en donde esconderse de los voraces asesinos. Contemplé detenidamente a uno de los que corrían y vi que era yo mismo, los gusanos me atacaron tirándome al suelo y salieron miles y miles de ellos de una cloaca que estaba cerca del lugar en el callejón en donde había caído, el cual era una de las escenas del nivel 8 de "Doom 2", introduciéndoseme los gusanos en el cuerpo por todos los orificios que encontraban, sentía cómo las masas de animales repugnantes se me metían por los oídos, por la nariz, por los lagrimales, por el ano y por la punta de la verga. Mis gritos de desesperación fueron callados con los cientos y cientos de gusanos que se adentraban en mi boca; y pude sentir cómo devoraban mis entrañas, prosiguiendo con la piel cuando ya no había nada que comer, no dejando más que huesos que parecían albóndigas en un plato de espagueti vivo y putrefacto, que eran los manojos de gusanos que se enroscaban unos sobre otros.

Y vi sobre un edificio a una gran lombriz que chillaba de una manera horrorosa, mientras las babas se le escurrían sobre su gordo y seboso cuerpo por lo sobrealimentada que estaba, mientras escuchaba "E5150" de Black Sabbath de música de fondo. De alguna manera supe que ese aullido de la horrible bestia era el grito de lucha que dirigía la turba de gusanos que atacaban a los humanos, comiéndoselos a todos (la música cambió en ese momento a "The Mob Rules", viniéndome a la mente algunas escenas de "Heavy Metal"). El fin del hombre había llegado y de pronto supe —al meterme telepáticamente en la mente del gusano líder, pues aprendí esto de "Scanners"— que ya ellos habían exterminado a los antiguos pobladores de la tierra, antes del hombre con los dinosaurios y antes con los animales del periodo cambriático y así en una lista de devastaciones una tras otra, llegando a animales de épocas tan remotas en la tierra, e inclusive en otros planetas que ni los científicos modernos han descubierto en todas sus especulaciones imaginarias más aventuradas. Esta era la verdadera plaga de " Invasion of the body snatches" y yo era Karen Allen.

Después de la ultima visión apocalíptica del fin de la raza humana, me vi de nuevo sentado frente al televisor, quedándome varias horas en una posición hierática, como una estatua babilónica, mientras asimilaba la visión que me había sido revelada y volvía a tener control sobre mi cuerpo.

¡Sí!... después de haber estudiado durante tantos años filosofías orientales, los discursos de Timothy Leary, los libros de Terence Mackenna y las obras de Jhonn Lilly, al conjuntarlo con el conocimiento apodíptico que me ha sido revelado en las visiones alucinógenas que he llegado a tener; por fin llegué a descubrir la respuesta a los enigmas centrales de la humanidad: ¿qué es el hombre? y ¿cuál es su fin? Las respuestas eran tan obvias, que nadie las había descubierto. No somos más que una manada, un rebaño de ganado para proveerle de alimento a los verdaderos seres superiores en este mundo...

En algún lugar debajo de la tierra deben estar cuidando que su alimento se siga multiplicando, para que la sociedad de los gusanos de la carroña siga su existencia. Seguramente debajo del edificio de las Naciones Unidas hay un tonel enterrado, en donde gusanos telepáticamente controlan las decisiones globales para que sus rebaños no decrezcan, siendo verdaderamente ellos los que dominan al mundo. Por eso es por lo que la ecología se ha puesto de moda... "salve un árbol, salve un bosque", pues claro, si allí es donde los gusanos se congregan esperando a que caigamos muertos para brincarnos encima y comernos. Por eso hay que matar de un ladrillazo a todos los ecologistas, así como prohibir las caricaturas de los Planetarios, pues estas pervierten la mente de los niños. También es por eso por lo que al fumar mucho crack se ven gusanos por todas partes —blancos, fosforescentes y negros—, sobre el cuerpo, entrando entre la piel, lloviendo del techo, volando en el aire y metiéndosenos en los pulmones al respirar. Todos creen que estas son alucinaciones, pero no, son la visión de la exacta realidad, la cual es propiciada por la expansión de las facultades mentales del hombre, a través de la ingestión de drogas.

Seguramente son tan avanzados que decidieron, hace millones de años, cruzar varios genes de gusanos con los de cualquier animal, un cerdo, un perro, o tal vez un mono imbécil; para que así piense que su fin en la Tierra es "crecer y multiplicarse" (de allí la cita bíblica, que no era la voz de Dios, sino del supremo y soberano Gusano); así sobrepoblaron al mundo y tienen tanta comida en abundancia que pueden hacer festín tras festín en una orgía perpetua de despojos putrefactos... Por eso es que no nos queda más que pisotear las jardineras en las casas, romper las macetas, quemar los bosques, destruir toda capa de suelo fértil en donde los gusanos se puedan refugiar... y por último prenderle fuego a nuestros hogares con nosotros y nuestras familias adentro, para que todo el mundo arda y la tiranía-ironía de los gusanos se acabe.

* * *

"Un hombre estuvo una vez quitándose bichos de su pelo. El doctor le dijo que no tenía ningún bicho en el pelo. Después él paso ocho horas bajo el agua caliente de la regadera, sufriendo el dolor que le causaban, salió y se secó pero todavía tenía bichos en el pelo; en realidad, tenía bichos sobre todo su cuerpo. Un mes después los bichos estaban en sus pulmones".

Philip K. Dick

N.E. Este cuento en su versión original, estaba ordenado de izquierda a derecha, ya que según el autor se estructuraba así "para introducir el abandono de lo convencional, lo cual es fundamental para descubrir la belleza en la fealdad, lo curativo en la enfermedad, la lucidez en la locura...".

Animalario
Marta Susana Prieto
Honduras

Mientras la cola del engendro serpentea, algo en su talante evoca en mí el enfado de los felinos en ese instante preciso de conmoción en el que, con el rabo ondulante y fijeza en la mirada, están a punto de saltar sobre su presa. Los ojos del cazador, afianzados al botín, no miran otra cosa que la presa; es el espasmo supremo de la agitación contenida en el relámpago del acecho, donde no hay cabida para otro designio que no sea la captura. La extremidad culebrea su impaciencia en medio de las zancas que sostienen la masa ratonil: las manos de ardilla se enjuagan la una hacia la otra, sedientas de avaricia, anticipadas al goce.

En mi temblor de presa, pienso fugazmente: *si tuviera valentía, saltaría por encima de la cola; traspondría la puerta y a un movimiento del pestillo encontraría, por fin, la libertad...* A sabiendas de que no me atrevo, flirteo con la idea de mi osadía, sé que, para mi cuerpo delgado, lo contrario de aquella molicie aberración, no sería difícil traspasar la estancia, alcanzar la entrada y burlarme de la bestia para siempre. A pocos metros de la puerta hay un santuario, la estación de policía; un poco más allá, la seguridad, la zona militar.

¡...*Shhhzaaaz...*! Suena un latigazo sobre el piso. Lo espero, aunque no siento miedo. Sé de esos movimientos calculados para no tocarme; simplemente amedrentarme. No es su propósito pegarme, sino advertirme; crear una frontera hasta donde la víctima se mueva, establecer un parámetro, un *¡hasta aquí…!* Si de veras lo deseara, la enorme cola se ensañaría en mí, en mi absurda pequeñez. Siento húmedas las manos.

Algún día habrá el momento oportuno, huiré. Pero… ¿y si no logro escapar? ¿Qué tal si tropiezo, si se me traba la mano en el cerrojo, si la sabandija me pilla con la cola? Soy torpe cuando estoy de prisa. Me quedo inanimada, ojos lacrados. Pero es que no sólo es eso. Me doy cuenta de que puedo ser y no ser la misma persona; a veces me gusta el acoso y coqueteo con la fiera; hay algo de aventura en ese estira y encoge de esconderse y volverse a rebelar y ser uno mismo sin ser nadie una y otra vez, ni no, qué quiere decir cuando le agarro la cola y la jalo y salgo corriendo y él detrás tirando sillas y mesas y salimos por la puerta de la cocina y damos contornos en el patio y entonces me hago la capturada pero sé que aquel *te como, te como,* con las manecitas a punto de sujetarme son sólo un decir porque no me come, cuando me alcanza me lame como si fuera un confite de los que llaman *eternos* porque nunca se terminan y es que en verdad no quiere que termine.

Un chillido me vuelve a tierra. Ahora trae entre manos el manuscrito; ah, ya va a empezar otra vez con esa cosa, lo del contrato, lo pactado no entre los dos sino que tiene que meter a Dios de por medio, para hacer más sagrado el compromiso como una manera de intimidarme, recurrir a lo extraterreno para someterme, no se arriesga a aludir a algo tan poco elevado que le reste seriedad aquí, entre nosotros, en la Tierra. Porque siempre mete a Dios en estas cosas, pobrecito Dios, como si no tuviera suficiente quehacer. Me recuerda otra vez el protocolo, que si aquí está escrito en las cláusulas es algo que se debe cumplir; como siempre, evita la fábula de Adán y Eva y otros cuentos para no restarle formalidad al asunto, como si no supiera que de todas maneras nadie va a dejar de creer, por eso mejor habla de temblores de tierra, del fin del mundo, de que no pasamos del siglo veinte y de la gran oscuridad que nos espera a la vuelta del fin de año, como si no supiera que nada supera a la fuerza de las piernas que me llevarán tan lejos como pueda correr.

A nadie le importa que un día hayan comenzado a salirle gruesos pelos en el cuerpo, y el abdomen se fuera abultando, hasta convertirse en una masa pegajosa cubierta de gris que produce un olor nauseabundo. Por ese tiempo, comenzaron a hacerse inoportunas las visitas de familiares y amigos; las amistades se espaciaron, hasta que nadie llegó a vernos más. *En un momento de descuido, podré saltar por encima de la cola y trasponer la puerta...*

Voy subiendo su mirada, por las patas de conejo y la enorme panza hasta los ojos, en donde, si sabemos leer, está escrita, en todos los seres, su verdad. Aún estaban, en el fondo, las pupilas brillantes, se me antoja que el hueco de la boca es una herida en pleno rostro; un agujero hermoso y brutal al mismo tiempo, como sexo, del que pueden salir besos y poemas; escupitajos y vómito por igual. Adivino, bajo el hocico alargado, las dos hileras filosas de dientes.

De pronto, se da el instante mágico que a todos nos ocurre alguna vez. El tantas veces esperado frescor de vida, el descuido del animal. En segundos hago lo tantas veces pensado: un salto sobre la cola y luego el pórtico... Tras loca carrera, vislumbro el templo, la estación de policía, la zona militar, ¡la autonomía...! Lejos quedan los rugidos inútiles del fenómeno. La noche me da otro latigazo en pleno rostro: es el aire fresco de la libertad.

Aquí todo será distinto, viviré entre personas que me harán olvidar la sensación patente de profunda soledad, se acabarán las calamidades porque no hay que pensar más en huir sino en ser lo que uno en verdad quiere ser, sin pensar que aquellos ojos relampagueantes te están siguiendo para ver cómo te atrapan y hacerte esclava; caminaré con las manos al revés —*querebés querebés que te lo cuente otra vez*— hasta que llegue el día en que me comiencen a sonar huecas las palabras iglesia, porque son paredes nada más, y zona militar, porque sin uniformes no hay nada, y estación de policía, porque ahí están los mismos que están acá.

Y todo eso lo pensé en un ratito antes de abrir la puerta y volver a escuchar, de nuevo, el reconfortante rugido del animal.

Lejos, tan lejos
Uriel Quesada
Costa Rica

Me senté en la barra aunque quería hacerlo en una mesa. Nunca me han gustado las barras, son el espacio público, el terreno de todos, es allí donde convergen las conversaciones y los extraños se conocen, y aunque la soledad tienda a quemarme prefiero protegerla, guardar su privacidad y la mía, aislarla y aislarme. Por otra parte los bancos de la barra no tienen respaldar, por lo que al rato me duelen los músculos de la espalda. A eso debo agregar que en más de una ocasión he fallado estruendosamente intentando subir o bajar de ellos, pues sufro de lo que un amigo llama irónicamente "vértigo de poca altura", una especie de mareo o más bien de inseguridad. Pero lo peor, insisto, es que cuando vos andás solo es casi seguro que alguien indeseable se sienta a tu lado y te mete en una conversación que no te interesa. Pero reglas son reglas incluso en lugares como un restaurante, dedicados supuestamente al placer y la atención de personas. Era sábado, todas las mesas parecían ocupadas, algunos clientes aguardaban en la puerta, y desde que me acerqué a echar un vistazo al menú puesto como por casualidad en un atril de madera más bien bajo, comprendí que la única manera de comer barato y rápido era accediendo a ocupar sitio en la barra, pues no iban a perder una mesa dedicándola a sólo un comensal.

Me senté como pude, pedí una birra y alguna fritura. Quise pan, pero no estaba incluido en el platillo y sólo pensar en el cargo extra más los impuestos y la propina me hizo desistir. "De todas formas el pan engorda", me dije sin mucho convencimiento. Tomé a sorbitos, no fuera a acabar mi bebida antes de que llegara el plato principal y único. Otras veces me había pasado pues la cerveza me gusta mucho, sobre todo con tanto calor. Si las ventas de mes habían estado buenas y me alcanzaba, pedía otra botella y otra y otra. Sin embargo, esa noche las cosas eran diferentes. Debía guardar birra para el momento de cenar, de otra forma acabaría con sed, me atragantaría de repente, o me vería en la penosa faena de pedir agua, que es gratis y humillante para el bebedor, y además nunca te la ofrecen.

A mi izquierda, a un asiento de distancia, una pareja conversaba comiendo hamburguesas. A mi derecha una pandilla de amigos se reía. Seguro también andaban cortos de dinero porque todos habían pedido el especial de la noche: un daiquiri de frambuesa de precio ridículo. Vi al barman prepararlo: mucho hielo raspado en vasos cortos de vidrio, un líquido rojo como sirope, rodajas de limón para darle identidad de coctel. Los muchachos apenas probaban el mejunje, evidentemente el daiquiri era sólo un truco para quedarse con permiso en el restaurante, protegerse del calor y contemplar a quienes sí podían pagarse una comida fuera de casa a mitad de mes.

Yo podía presumir de que mi caso era distinto: estaba de paso por la ciudad, había dormido casi una semana en un cuartito de alquiler invadido por cucarachas, pulgas y gusanos peludos parecidos a bigotes, y añoraba una cena caliente. Estaba harto de entrar a los supermercados y sentarme luego en un poyo del parque a armar sánguches de jamón, mortadela, queso, atún, tomate. Ya no quería saber nada de galletas, principalmente me tenían cansado las de soda, porque se desmoronaban encima de mí excitando a las hormigas y a los bichos nocturnos que habitaban mi cuarto. Tantos bichos me hacían sentir que yo era el indeseable invasor de un espacio ajeno. Llevaba días tomando refrescos incapaces de soportar el clima, pues se calentaban rápidamente en la mesita de noche y me raspaban por dentro como si en vez de algo para la sed hubiera tomado por error de la botellita de jarabe para la tos. En fin, me sentía fatigado, harto y nada podía hacer sino esperar. Se me acababa rápidamente el dinero y no quedaba otra opción sino ser paciente y visitar una y otra vez la oficina donde debían pagarme unas facturas atrasadas.

—Pero no llega la orden, mi amigo —me explicaba siempre un tipo de corbatín—, y no podemos girar su cheque sin un papel firmado o sin la autorización directa del jefe.

Hacía tanto calor en esa ciudad que desde temprano me iba del cuartito a andar calles. Es curioso: mientras el frío te hace recoger velas y buscar cobijo, el calor te expone, te engaña, te ordena permanecer bajo su azote. A mí me dolían los pies, tenía la piel deshecha, de mi boca quedaba un estropajo, pero seguía caminando por parques ya recorridos, me asomaba a las tiendas reconociendo en los empleados caras familiares, aunque ellos me veían cubierto por la invisibilidad de los extraños.

—Estamos haciendo todo lo posible para efectuar el pago cuanto antes, pero quienes deben autorizar la emisión del cheque están fuera de las oficinas centrales. Ahora, si usted quisiera ir directamente allá...

Pero no era posible ni razonable dejar esta ciudad para ir a otra a probar suerte. Además, no me daba la gana. Quería el dinero completo, no el dinero menos los costos de un viaje que no me garantizaba nada. Debía ahorrar, mi mujer ya me había advertido que por favor dejara las llamadas a cobrar, que de seguir así hasta el último centavo se iría en cuentas telefónicas, que no insistiera a menos que fuera importante, una emergencia, por ejemplo. Asentí, guardé silencio, y desde entonces lo he seguido guardando casi por completo. Tanta gente en esa ciudad, miles de personas riendo y comprando, pero nadie tenía nada que contarme ni estaba interesado en mi historia de la factura pendiente de pago.

Para celebrarme a mí mismo fui a ese restaurante. Había pasado frente a él varias veces sin atreverme a entrar y darme un premio, un cariño, una compensación. Esa noche, una vez estudiado con detenimiento el menú, decidido el platillo, agregado el costo de la cerveza, los impuestos y el cargo de servicio, entré al restaurante y fui directo a la horrible barra, que como todas tenía un enorme espejo al fondo. Dudé unos minutos, pero cuando sentí al barman interrogándome con la mirada di la orden fatal casi sin respirar. Tal acción irresponsable cortaría de golpe las últimas luces de mis ahorros y separarían definitivamente el hoy y el mañana. Por eso cada sorbito de birra debía ser perfecto y saber a gloria, a la cerveza que Dios saborea en su trono, porque una eternidad sin cerveza es prácticamente infierno y el infierno es un lugar donde los agobios no pueden aliviarse con una fría en las manos.

Bebía y aguardaba. A un lado una silla vacía, luego la pareja de novios ocupada en sus hamburguesas. Al otro lado, los chicos y las chicas coqueteando dentro de un círculo donde no faltaba nadie. El barman estaba muy ocupado. Corría de aquí para allá, su tema de plática era una noticia deportiva que yo ignoraba. Traté de indagar sobre el asunto pero no tuve éxito: parecía cuento largo como para repetirlo a alguien que consumía muy poco.

Mejor me aparté de la conversación y bebí más, imaginando dentro de la botella de cerveza astillas de hielo, sólidas lágrimas de frescura. Llegó el plato de frituras y lo ataqué ceremoniosamente. Masticaba tratando de hallar sabor debajo de la gruesa capa de harina, huevo y aceite. En alguna parte había pescado y ese era mi objetivo final. Comiendo recordé lo que más me había impresionado de la ciudad: unos escaparates. Luego de tantos años en el negocio he aprendido a ver las vitrinas con distancia crítica, pero hubo unas en particular que me produjeron algo así como una herida. Pasé media hora anonadado frente a ellas, después corrí a llamar a casa. Traté de explicar la complejidad de mi descubrimiento, pero me interrumpieron desde el otro lado de la línea diciendo que la llamada era muy cara, que no perdiera tiempo en tonteras y que hablara de mí. Entonces pregunté por papá, mamá, los suegros y los chiquillos, indagué si seguía lloviendo inmisericordemente. "Como toda la vida", dijeron. Entonces me despedí dando excusas por desperdiciar el dinero y corté.

Yo quería contar de los escaparates. Estaban en una de esas tiendas a las que vos nunca entrás, donde lo que ofrecen no forma parte ni de las posibilidades de tu bolsillo ni de las pretensiones de tus sueños. La tienda ocupaba casi una cuadra y tenía un tipo uniformado con saco a los tobillos, sombrero y guantes. Sudaba como un condenado mientras les abría la puerta a los clientes, luego se colocaba en posición de firmes y seguía derritiéndose. Habían dedicado las vitrinas a la colección J. Iglesias de cerámica fina. ¿Quién carajos era J. Iglesias para merecer una exposición en la tienda más elegante de la ciudad? En cada uno de los aparadores, suficientemente grandes como para exhibir juegos de sala, había un solo artículo de J. Iglesias. ¿Me explico? Vos veías un espacio enorme al otro lado del vidrio, limitado por paredes cubiertas de terciopelo, desnudo excepto por un pedestal muy estilizado. Sobre él reinaba un plato de cerámica, ilustrado con sandías, papayas, loritos, aguacates, en fin, lo típico del lugar común tropical. En el siguiente escaparate encontrabas otro pedestal, pero esta vez coronado con un pichel igualmente iluminado con desperdicios de patio latinoamericano. Un fondo de terciopelo, luces indirectas, cada objeto irradiando algo incomprensible sobre el vacío, y todo de la colección J. Iglesias. Yo estaba impactado. ¿Cuánto costaría una pieza cualquiera si todas eran tan arrogantes que tomaban el espacio que un buen juego de comedor merecía? Tal vez no fueran verdaderos platos ni ensaladeras sino obras de arte destinadas a museos, fundaciones o coleccionistas. Quizás hasta eran invaluables, tal vez porque J. Iglesias había muerto muy joven, y se llevó para el Gran Bar Celestial el secreto de cómo hacer piezas que a simple vista parecían los trastos de mi abuela. Tal vez había traído barro de una isla secreta y por eso una taza cualquiera subía de categoría hasta convertirse en *la taza* y merecer el asombro de los comunes mortales.

Pero la cerámica de J. Iglesias me dio miedo. Nunca antes le había temido a objetos cotidianos como un plato o un pichel, ni la representación de frutas y animalitos domésticos me había parecido tan extraña y amenazadora. Puras tonteras mías hablar de ello, ¿cierto? ¿Pero de qué otra manera abandona uno el temor si no es contando su absurdo a un oyente sensible? Yo tenía un dolor pegado en el esófago desde la hora maldita en que pasé frente a los escaparates. La cerveza no lo calmó, tampoco lo hizo el plato de frituras que cuanto más frías eran más difíciles de comer, ni el ambiente del restaurante con tantas personas riéndose y dejando pasar la noche con suavidad.

Fue entonces cuando se formó un barullo a mis espaldas. El barman dejó sin recoger unos vasos sucios para seguir con la mirada a alguien que había entrado y se dirigía al área de mesas. Llamó a la persona con un ¡hey!, y le hizo señas para que se acercara. A mi lado se posó una figura desordenada, con cabello de sobra y muchos kilos apretados por una camiseta sin mangas y un blue jeans desteñido. Se movía con dificultad, tratando de mantener bajo el control de sus manos una silla plegable, muchas bolsas y una gran caja de cartón. Me encogí un poquito escandalizado, ni yo mismo hubiera dejado que alguien así se dejara ver en un negocio de mi propiedad. El barman le explicó la regla de oro:

—No hay mesas disponibles para sólo un comensal, si desea tomar algo quédese en este asiento libre aquí en la barra.

La figura trepó con dificultad en el banco a mi izquierda, intentando mantener sujetos los paquetes. Después dejó resbalar la silla plegable, la caja y algunas bolsas por sus piernas para que cayeran con suavidad al piso. Puso en la barra una carterita transparente, adornada con estrellas y muñequitas. De ella sacó pedacitos de papel, lápices de colores y unos cuantos billetes y monedas. El barman le preguntó si deseaba beber algo, y la figura dijo:

—Dame tiempo, cariño.

Con las manos en alto y la mirada en el área de mesas, el barman chasqueó los dedos. Vi por el espejo a un tipo fornido prestar atención, dejar su puesto en una esquina del comedor, acercarse a la barra a conversar en voz baja con el barman, asentir y echar un vistazo a la figura, mientras ésta pedía casi a gritos un daiquiri de frambuesa. El barman asintió de mala manera, tomó un baso desechable y puso hielo, sirope y limón. Sin aguardar ninguna orden adicional de la figura, regresó donde el hombre fornido y ambos siguieron susurrando. Finalmente el tipo se retiró de la barra, pero no muy lejos, apenas lo justo para no perder de vista a esa masa de carne y pelo rizado sentada a mi izquierda.

Los novios que comían hamburguesas seguramente sintieron invadido su espacio, pues cesaron su plática y trataron de entender la situación mirando el espejo. La figura tomaba su daiquiri un poco encorvada, como si quisiera estar a espaldas de todos. El grupo de amigos seguía en lo suyo, aunque algunos chicos señalaban al tipo fornido, al barman, a la figura, me imagino que incluso a mí; inmediatamente otros muchachos hacían un comentario y todos reían. El barman siguió atendiendo pedidos, y cada vez que hacía un movimiento muchos ojos lo seguían, luego se posaban en la figura, luego volvían a él. Constantemente le preguntaba a la figura si quería algo más, si pensaba comer y las respuestas se reducían a un desafiante "no, querido."

—No vuelva a decirme así —regañó el barman.

—¿Cómo, querido?

—Pues "querido".

—¿No te gusta? ¡Tan lindo que lo quieran a uno!

—Provóqueme y va para la calle.

—Échame y te armo un escándalo del que te acordarás toda la vida.

Los dos buscaron entre la multitud al tipo fornido, el cual giró la cabeza como convocado por las miradas: desde un lado de la barra el barman parecía suplicarle ayuda; desde el otro, desbordándose por cada lado del banco, la figura desafiaba. Pero además estábamos los curiosos atentos al espejo. Sin ninguna discreción esperábamos algún suceso, la anécdota para contar después entre risas: "Vieras que fui a cenar y de pronto…". Pero el hombre fornido quizá se confundió, o tuvo pena, y en vez de acercarse a la barra dejó que sus ojos resbalaran de aquí para allá hasta que finalmente se desviaron por completo, como buscando el origen de otros desórdenes más importantes. Me pareció que la multitud reunida en el comedor se lo fue tragando, tal vez él mismo decidió empequeñecerse, procurar que el ruido y el movimiento lo volvieran invisible.

La figura se acomodó de nuevo en el banco. Triunfante, empezó a soplar por la pajilla, produciendo burbujas en la superficie del daiquiri rosa.

—No me vuelva a llamar así —rogó el barman.

—¿Cómo?

—No lo intente de nuevo.

La figura miró su coctel. Las burbujas se apiñaban antes de reventar con un sonido modesto, casi imposible de oír. El barman se fue a atender a otros clientes, su rostro había perdido la sonrisa profesional y sus gestos sólo señalaban cierta mecánica eficacia. Mientras tanto yo me atragantaba con la fritura, sediento aunque la cerveza casi se acababa. Cortaba pedacitos de comida fáciles de masticar, bebía sorbitos de líquido caliente, hacía esfuerzos por tragar de manera natural. De paso miraba a la figura jugar con su bebida. Me recordó a mis hijos cuando se aburrían en los almuerzos e inventaban mundos para meterse en ellos y sacarle provecho al tiempo. La figura sabía que no era bienvenida en el restaurante, si la toleraban era porque aún consumía y porque ni el hombre fornido ni el barman tenían ganas de montar una escena inconveniente, que alertara a los buenos comensales y les hiciera pensar: "¡Carajo!, la clase de gente que dejan entrar aquí".

La figura sacó un peine de la carterita adornada con estrellas y empezó a deslizarlo por esa masa salvaje que le caía sobre los hombros. Seguí sin disimulo el movimiento del peine hasta que los ojos de la figura sorprendieron a los míos. Me quedé inmóvil, aturdido al darme cuenta que había pasado de mirar a ser mirado. La figura transmitía tanta seguridad como si estuviera acostumbrada a llenar escenarios y provocar curiosidad, admiración y reverencias. Coquetamente agitó la cabeza para acomodar el cabello alrededor de la cara y bebió daiquiri, saboreando el mejunje rojizo con la misma expresión de quien ha encontrado uno de los mayores placeres del mundo.

—Usted no me conoce, ¿verdad? —dijo volteándose hacia mí.

Quizás por intento empujé el plato de frituras hacia la figura, como si pudiera protegerme colocando obstáculos entre los dos.

—No, nunca he oído de usted.

—No sea pesado. Vamos, inténtelo. Usted ve televisión, lee revistas, al menos al periódico le da una ojeada.

Traté de buscar ayuda. El barman conversaba con un cliente al otro extremo de la barra, y yo tuve la certeza de que no se acercaría a nosotros. La pareja de novios simuló comer, el grupo de amigos cerró su círculo, desde una esquina el hombre fornido vigiló a alguien que se desplazaba por el comedor. Otros comensales interrumpieron su cena para vernos con interés y señalarnos con disimulo. Yo sentí la necesidad terrible de otra birra. La figura gozaba con su daiquiri y, con mucha delicadeza, dejaba ir sus ojos ambiciosos sobre el plato de frituras.

—No sea tímido, contésteme. ¿Lee?

—Algunas cosas. Viajo mucho y mato el tiempo leyendo.

—Entonces debe saber de mí. ¿Le gustan las publicaciones de la vida social?

—No, yo compro deportes y relatos de viajes. Sinceramente no recuerdo su cara. Tampoco conozco su nombre.

—Trate de adivinar, verá qué fácil —insistió mientras me empujaba por el hombro. La gente alrededor seguía pendiente.

—Usted es J. Iglesias —dije para terminar esa espera sin sentido.

—¡Oh, no! ¡Cómo va a ser! —la figura se rió estruendosamente y tomó con sus dedos de uñas grandes y nacaradas un pedazo de fritura—. J. Iglesias y yo somos amigos, casi confidentes. Seguro usted supo de mí por los reportajes de los banquetes de J. en La Riviera.

Descaradamente siguió robando bocados de mi plato. Me describió una casa de playa fabulosa con veintitrés habitaciones, varias terrazas, piscinas, salones de juego, obras de arte valiosísimas, muelle y yate, una mansión frecuentada solamente por personas muy escogidas de la alta sociedad. La figura siempre hablaba de "nosotros" cuando se refería a los visitantes, quienes asistían a eventos fastuosos, animados por los cantantes y humoristas de moda, y a reuniones en las cuales gozar la vida consistía en conversar sobre finanzas, alta costura y farándula. Yo no podía retener tanto detalle: lámparas de dinastías árabes, jarrones hindúes, alfombras de alpaca, cerámica pompeyana, Gloria Estefan, vinos guardados en caja fuerte, los Rockefeller, Celine Dion, Mercedes Benz blindados, un zoológico con tigres, serpientes, monos amaestrados y cocodrilos, una sala de cine donde "nosotros" veían las películas antes de su estreno mundial… Aguardé, pero al darme cuenta de que aquello era una ráfaga inacabable decidí interrumpir.

—Me refiero a J. Iglesias, el de la colección de platos. La figura se detuvo estupefacta.

—¿Platos?

Yo sospeché que para la figura lo mismo daban platos, gobelinos o bacenillas: siempre tendría una respuesta. Sin embargo, yo no quería provocar otro torrente de explicaciones sobre cómo vive la gente de dinero.

—El que exhibe platos.

—A un alfarero se refiere usted, ¿no? —dijo la figura con cara un poco grave, tratando de esconder el desconcierto y sin dejar de comerse mi cena.

Yo no supe en qué momento empecé a hablar, aún no sé exactamente cuánto tiempo hablé. Tal vez sólo dije frases inconexas relacionadas con mi experiencia de vendedor, el uso de escaparates, el valor de mi simple tazón decorado con periquitos y soles mañaneros, esas caminatas por la ciudad que te dejan los pies rotos, el juego de buscar cómo agotarse, a toda costa agotarse y llegar de vuelta a tu cuartucho cuando hasta los sentimientos más insistentes están cansados, dormir pensando en espacios aterciopelados, en atriles de cristal, en llamadas telefónicas imposibles, en echar de menos, morirse aguardando, comer frituras que no te gustan y te indigestan, aguardar que alguien agradable se siente a tu lado para robar pedacitos de conversación, seguir caminado, entrar en las tiendas, preguntar por artículos, probárselos, devolverlos a la dependiente con cualquier excusa, sentir las piedras que no te dejan vivir el momento, los momentos que no se acaban aunque rogués, la incomprensión de Dios, la soledad de Dios, la sed de Dios, la cerveza, la incapacidad de estar en un lugar, simplemente estar, algunas sombras que no se proyectan sino se arrastran y pesan, la ciudad con vos siempre, no importa dónde estés, el consuelo de unas frituras, las últimas monedas en tu bolsillo, el ataque de los insectos, seguir caminado, la gratitud por una sonrisa, la sospecha ante una sonrisa, el vértigo, el deseo de tener una puta mesa esa noche para sentarse y aguardar el sueño…

Me detuve sintiéndome muy mareado, sudando intensamente, con una especie de amargura en los ojos. Supe de la mirada de todos y me dio vergüenza. Me pareció que el barman dio un puñetazo a la barra, tal vez quejándose de su suerte e incluyéndome en su disgusto. El hombre fornido, sin moverse de su esquina, arrugó el entrecejo. Los amigos intentaron aislarse hablando más bajo y más cerca. Quizá sorprendidos por la hora, los novios decidieron pagar la cuenta y marcharse a toda prisa. La figura, alta desde su pedestal de madera, prestaba una atención casi reverente mientras mordisqueaba restos de polvo de pan y huevo, quemados y brillantes de aceite. Con el dedo índice apartó mechones de su cabello, como para oír y ver con claridad. Dio un vistazo al fondo del vaso desechable, de un sorbo acabó el residuo de agua teñida de rosa, luego dijo:

—Te comprendo perfectamente, cariño, yo sí te comprendo.

Entonces le di rienda suelta al dolor acumulado en mis ojos. Sin capacidad de pensar me dejé ir sobre el brazo enorme y suave de la figura, buscando donde apoyar mi frente y ayudar a mis lágrimas renuentes. Casi libre lloré, casi vacío de angustia seguí llorando, mi piel contra esa otra piel caliente y gentil. Lloré con los ojos apretados para ver bien lo negro de las lágrimas. Seguí con mi llanto hasta crear un torrente que arrastrara todo el sentimiento fuera de mí y quedar devastado en lodo y piedras, en ruinas, en minúsculos pedacitos.

Abrí los ojos y me pareció despertar a un instante nuevo. El restaurante era el mismo lugar de antes, lleno de voces más que de personas. Sin embargo, me pareció que el barman abría dos cervezas cubiertas de escarcha y nos las traía sobre una bandeja adornada con aves de color tropical. Vi al hombre fornido sonreír y acercarse, listo para contar una historia divertida. Los novios se decidieron por otra bebida sólo para brindar con nosotros. El grupo de muchachos se volteó para invitarnos a vivir esa noche con ellos. Los demás comensales levantaron sus daiquiris rosas proponiendo otro brindis. Vi a todos acercarse lentamente con los brazos abiertos, deseosos de estrecharme y decirme "nosotros también te entendemos". Volví a cerrar los ojos, agradecido y abrumado por el exceso de afecto. Hasta cierto punto sentí pena por la gente en el restaurante, pues en ese pedazo del mundo formado por dos bancos y una barra solamente cabíamos la figura y yo. Para cualquier otro ya era tarde. Aunque alguien intentara levantar un puente o tirar lazos de reconocimiento, nosotros —la figura y yo— nos habíamos convertido ya en un deseo inalcanzable, como esa libertad que la rutina nos ha negado por años. Por más que los otros intentaran llegar hasta nuestro secreto, yo estaba seguro de que no podrían nunca. Con los ojos cerrados y la frente contra el brazo de la figura sentí compasión por el barman, el hombre fornido, los novios y los amigos. Me dieron pena los otros comensales, la gente que pasaba por la calle, la que se moría de tedio frente a la televisión, mi familia. Me dio lástima la humanidad entera, pues aunque el ser más desesperado quisiera acercarse a nosotros en ese momento, no podría romper las amarras de sus islas y no le quedaría más remedio que continuar mirándonos desde lejos, desde tan lejos.

Aparición en la fábrica de ladrillos

Sergio Ramírez
Nicaragua

A Danilo Aguirre

Siempre estará regresando a mi mente la noche aquella de la aparición que cambió mi destino, ahora que no tengo ni silla de ruedas por lo menos de un lado a otro dentro del templo como yo quisiera, a doña Carmen se la prometen de la Cruz Roja y nunca cumplen, doña Carmen, la más valedera entre mis feligresas aunque le sobran los años, ella me trae el bocado cuando puede, y me asea, sentado como quedé para el resto de mi vida en este taburete de palo no por ningún accidente que me hubiera dejado paralítico ni nada por el estilo, sino porque de pura gordura me fui inmovilizando hasta no poder levantarme más, con sólo el esfuerzo de incorporarme ya se manifiesta el ahogo del corazón, gordo del cuerpo y macilento de la cara, un enfermo con exceso de peso así como le ocurrió a Baby Ruth que igual padeció de males cardiacos, muy propio de cuartos bates engordarse demasiado pues es sabido que la potencia de un *slugger* para enviar una noche la bola a cuatrocientos pies más allá de la cerca, donde comienza la oscurana, depende de la alimentación apropiada, y por esa razón en tiempos de mi fama me sobraba qué comer, los propios directivos del seleccionado nacional me llevaban las cajas de alimentos a mi casa, además de suplementos dietéticos como Ovomaltina y Sustagen.

Pero eso ya todo acabó, todo se fue en un remolino de viento revuelto con la basura, y lo que me queda es la grasa de los viejos tiempos después que se me aflojaron y se consumieron los músculos, una reserva inútil que se me va agotando lentamente. Una vez, cuando todavía podía caminar, aunque ya con paso lerdo, me fui al Mercado Oriental con mi alforja de bramante a regatear mis compritas, y una carnicera que vendía cabezas de cerdo en la acera, al verme pasar, se asoma entre las cabezas colgadas de los ganchos, se pone las manos en el cuadril, muy festiva, y comenta a grandes gritos: "¡Ese gordiflón que va allí rinde por lo menos una lata de manteca!". Y viene otra de edad superior, que está cuchillo en mano pelando yucas, tapada con un sombrerón de vivos colores, y le dice: "¿Qué no te fijás que ese gordo mantecado fue nada menos que un gran bateador?"; a lo cual la de las cabezas de cerdo le contesta: "Verga me valen a mí los bateadores", y las dos se quedaron dobladas de la risa.

Tenía catorce años de edad en 1956 cuando ocurrió la aparición. Ya para entonces el béisbol era el motivo único de mis desvelos, bateando hasta piedras en los patios y en las calles, o naranjas verdes robadas de las huertas que se reventaban al primer estacazo, dueño además de una manopla de lona cosida por mí mismo, y tampoco me alejaba del radio de don Nicolás, el finquero cafetalero que vivía en la esquina frente a la fábrica de ladrillos "Santiago" de Jinotepe donde yo trabajaba, jugara quien jugara oyendo los partidos de la liga profesional que narraba Sucre Frech, ya no se diga los de la Serie Mundial entre los Yankees de Nueva York y los Dodgers de Brooklyn que narraba Bob Canell en la Cabalgata Deportiva Gillette, una voz llena de calma hasta en los momentos de mayor dramatismo, que se acercaba y se alejaba como un péndulo debido a que las estaciones locales tomaban de la onda corta esas transmisiones, y entonces, cuando el péndulo se alejaba, sólo don Nicolás podía oír lo que la voz decía porque pegaba la oreja al radio instalado en su sala, y nos lo repetía a todo el muchachero descamisado que se juntaba a escuchar el partido en la acera.

Pero confieso que mi peor pasión eran las figuras de jugadores de las Grandes Ligas que venían en sobrecitos de chicles sabor de pepermín y canela, y algunas de esas figuras, como las de Mickey Mantle o Yogi Berra alcanzaban un valor estratosférico en los intercambios, mientras otras eran despreciadas y uno podía hallárselas tiradas en la cuneta, como las de Carl Furillo o Salvatore Maglie, por ejemplo, una injusticia, no sé por qué, tal vez porque jugaban en los Dodgers y nosotros los del barrio de la ladrillería íbamos con los Yankees; pero entre esas injusticias estaba también despreciar la figura de Casey Stengel, el propio mánager de los Yankees, y en este caso quizá porque se le veía como un viejo agriado y a veces chistoso que sólo se pasaba sentado en la madriguera vigilando el juego, dando órdenes y apuntando en su libreta, y no había manera de hacer que nadie cambiara su opinión aunque mil veces yo explicara que se trataba de un verdadero sabio que ya había llevado a los Yankees a ganar varios campeonatos mundiales seguidos, prueba más que clara de que en el béisbol la sabiduría no siempre despierta admiración, sino por el contrario encumbra más tumbar cercas, robar bases y engarzar atrapadas espectaculares.

Todavía tengo bien presente lo que el viejo Casey Stengel había declarado a los reporteros antes de comenzar el quinto juego de la Serie Mundial de ese año de 1956 de que estoy hablando: "Abro con Don Larsen y no voy a cambiar de *pitcher*, ni mierda que voy a ensuciarme los zapatos caminando hasta el montículo para pedirle la pelota, porque él va a lanzar los nueve *innings* completos, y óiganme bien, cabrones, Don los tiene de este tamaño, así, como huevos de avestruz, y yo me corto los míos si no gana este juego". Y tenía toda la razón. Después de que en el segundo partido de esa Serie Mundial Don Larsen no había podido siquiera completar dos *innings* en el montículo, expulsado por la artillería inclemente de los Dodgers, salió de las sombras de la nada para lanzar aquella vez su histórico juego perfecto; y apenas colgó el último *out*, don Nicolás, entendido como pocos en béisbol, al grado de que llevaba su propio cuaderno de anotaciones y conservaba muchos récords en su cabeza, se salió a la acera y muy emocionado nos dijo: "Vean qué cosa, el más imperfecto de los lanzadores viene y lanza un juego perfecto".

La aparición ocurrió una noche de noviembre, recién terminada esa Serie Mundial que otra vez ganaron los Yankees. Había salido a orinar al patio de la ladrillería como lo hacía siempre, dejando que el chorro se regara sobre el cercado de piñuelas, desnudo en pelotas y calzado nada más con unos zapatones sin cordones porque en el encierro de la bodega donde dormía el sofoco era grande y prefería acostarme sin ningún trapo en el cuerpo, respirando a fuerza la nube de polvo gris suspendida día y noche en el aire ya que aquella era la bodega donde almacenaban las bolsas de cemento Canal para la mezcla de los ladrillos. Y así desnudo estaba orinando sin acabar nunca, con ese mismo ruido grueso y sordo con que orinan los caballos, cuando sentí una presencia detrás de mí, y sin dejar de orinar volteé la cabeza, y entonces lo reconocí. Era Casey Stengel. Bajo la luna llena parecía bañado por los focos de las torres del Yankee Stadium.

Su uniforme de franela a rayas lucía nítido y los zapatos de gancho los llevaba bien lustrados, pues ya ven que no le gustaba ensuciárselos. Y allí en el patio donde se apilaban los ladrillos ya cocidos, me volví hacia él, afligido de que me viera desnudo y fuera a regañarme por indecente; pero pensándolo bien, mi sonrojo no tenía por qué ser tanto, la indecencia está más que todo en la fealdad; yo no era ni gordo ni flojo como ahora, una bolsa de pellejo repleta de grasa que se va vaciando, sino un muchacho de músculos entecos, desarrollados en el trabajo de acarrear las bolsas de cemento a la batidora, vaciar la mezcla en los moldes y mover el torniquete de la prensa de ladrillos.

Sus ojos celestes me miraban bajo el pelambre de las cejas, y encorvado ya por los años dirigía hacia mí la nariz de gancho y la barbilla afilada, cabeceando como un pájaro nocturno que buscara semillas en la oscuridad. Mantenía las manos metidas en la chaqueta de nylon azul y la gorra con el emblema de los Yankees embutida hasta las orejas, unas orejas sonrosadas que se doblaban por demasiado grandes. "Tu destino es el béisbol, muchacho, un destino grande", me dijo a manera de saludo, con una sonrisa amable que yo no me esperaba, y luego se acercó unos pasos, y así desnudo como estaba, me echó el brazo al hombro. Sentí su mano fría y huesuda en mi piel que sudaba, cubierta del polvo del cemento que también tenía metido en el pelo. "¿Por qué?, no me lo preguntes; es así. Pero si insistes te diré que tienes brazos largos para un buen swing, una vista de lince y una potencia todavía oculta para tumbar cercas que ya te vendrá comiendo bien, huevos, leche, avena, carne roja. ¿Quieres saber más? Cuando Yogi Berra quiso que le dijera por qué estaba yo seguro de que sería un gran *catcher*, le respondí que no me preguntara estupideces, a las claras se veía que su cuerpo estaba hecho para recibir lanzamientos, lo mismo que el de un ídolo en cuclillas".

Desde que se me apareció Casey Stengel supe que mi destino era darle gloria a Nicaragua con el tolete al hombro, porque se acordarán que cada vez que me paré en la caja de bateo hice que las ilusiones levantaran vuelo en las graderías como palomas saliendo del sombrero de un mago prestidigitador, miles de fanáticos de pie, roncos de tanto ovacionarme mientras completaba la vuelta al cuadro después de cada cuadrangular. Mi nombre, escribió el cronista Edgard Tijerino Mantilla, pertenece a la historia, y mis hazañas están contadas en todos esos fólderes llenos de recortes, fotos y diplomas que se apilan allí, al lado del altar, porque cuando perdí mi casa del barrio de Altagracia lo único que pude rescatar fueron mis papeles y dos de mis trofeos, esos que están colocados al lado de las cajas de fólderes; aquel trofeo dorado, que parece un templo griego sostenido por cuatro columnas, me lo otorgaron cuando me coroné campeón bate en la Serie Mundial de diciembre de 1972 que se celebró en Managua, la serie en que pegué el jonrón que dejó tendido al equipo de Cuba, hasta entonces invencible.

A los jugadores de la selección de Nicaragua nos tenían alojados esa vez en el Gran Hotel, y cuál es mi susto que la noche del triunfo contra Cuba tocan con mucho imperio la puerta de mi cuarto, y ya acostado porque temprano teníamos entrenamiento, y voy a abrir y es Somoza en persona acompañado de todo su séquito, detrás de él se ven caras de gente de saco y caras de militares con quepis, y yo corro a envolverme en una sábana porque igual que la vez que se me apareció Casey Stengel me encontraba desnudo tal como fui parido, y entra Somoza y detrás de él las luces de la televisión, se sienta en mi cama, me pide que me acomode a su lado y los camarógrafos nos enfocan juntos, yo envuelto en la sábana como la estatua de Rubén Darío que está en el Parque Central, él de guayabera de lino y fumando un inmenso puro, y delante de las cámaras me dice: "¿Qué querés? Pedime lo que querrás". Y yo, después de mucho cavilar y tragar gordo, mientras él me aguarda con paciencia sin dejar de sonreírse, le digo: "General Somoza, quiero una casa".

Esa casa prefabricada de dos cuartos, un living y un porche ya la tenían lista de sólo instalarle la luz en uno de los repartos nuevos que no se cayó con el terremoto que desbarató Managua ese mismo diciembre, fui a verla varias veces con mucha ilusión y me prometieron que me la iban a entregar de inmediato, pero todo se disolvió en vanas promesas con el pretexto de que el terremoto había dejado sin casa a mucha gente más necesitada que yo. Entonces, tras mucho reclamar y suplicar se fue un año entero, y la propia fanaticada agradecida, aún palmada como había quedado con la ruina del terremoto, prestó oído a una colecta pública que inició *La Prensa* para regalarme mi casa, y unos llevaban dinero, otros una teja de zinc, otros bloques de cemento, y allí en mis fólderes tengo la foto del periódico donde el doctor Pedro Joaquín Chamorro me está entregando las llaves. Pero esa es la casa que perdí porque una hermana por parte de padre, de oficio prestamista, a quien se la confié cuando tuve que emigrar a Honduras, ya que nadie estaba con cabeza suficiente tras el terremoto para pensar en béisbol, la vendió sin mi consentimiento alegando que me había dado dinero en préstamo, es decir que me estafó, y otra vez quedé en la calle.

Hará dos años que me presenté al Instituto de Deportes y tras mucho acosarlos escucharon mi súplica de que me permitieran entrenar equipos infantiles, pues aunque fuera sentado en mi taburete podía aconsejar a los muchachitos de cómo agarrar correctamente el bate, cómo afirmarse sobre las piernas para esperar el lanzamiento, la manera de hacer el swing largo; pero me pagaban una nada, además de que los cheques salían siempre atrasados, exigían que fuera yo personalmente a retirarlos, y hastiado de tantas humillaciones mejor renuncié. ¿Qué podía hacer de todos modos con esa miseria de sueldo si ni siquiera me alcanzaba para las medicinas? Hagan de cuenta que soy una farmacia ambulante y doña Carmen, el Señor Jesús la bendiga, se las ve negras para conseguirme en los dispensarios de caridad las que más necesito, pastor como soy de una iglesia demasiado pobre en este barrio donde las casitas enclenques se alzan en el solazo entre los montarascales y las corrientes de agua sucia, la mayor parte hechas de ripios, unas que tienen las tejas de zinc viejas sostenidas con piedras a falta de clavos, y otras que a falta de pared las cubre en un costado un plástico negro y en otro cartones de embalar refrigeradoras, de dónde van a sacar mis feligreses para facilitarme el dinero de las medicinas si a duras penas consiguen ellos para el bocado, y no sólo pasan hambre, aquí donde estoy encerrado tengo que vérmelas con las quejas que en mi condición de pastor me vienen todos los días de casos de drogadictos que golpean sin piedad a sus madres, niñas que a los trece años andan ya en la prostitución, estancos de licor abiertos desde que amanece, y yo les ofrezco el consuelo divino, aunque sé que no basta con predicar la palabra para aplacar la maldad entre tanto delito y tantas necesidades, y todavía dicen que aquí hubo una revolución.

Esa mi casa del barrio Altagracia tenía para mí un valor incalculable porque me la regaló mi pueblo de aficionados. Allí guardaba en una vitrina especial los uniformes que usé en los distintos equipos que me tocó jugar, mi uniforme de la selección nacional con el nombre Nicaragua en letras azules y el número 37 en la espalda, un número que si tuviéramos respeto por las glorias ya debería haber sido retirado para que nadie más lo usara; mis bates, incluyendo el bate con el que pegué el jonrón contra Cuba, mi guante, mis medallas, reliquias que un día debieron ir a dar a un Salón de la Fama; pero mi hermana la usurera no se conformó con vender la casa al dueño de un billar sino que se hizo gato bravo de mis preseas o las destruyó, nunca llegué a saberlo; y si hoy puedo conservar estas cajas de fólderes y estos pocos trofeos, es sólo gracias a que otro hermano mío, uno que después perdió las piernas en un accidente de carretera, se metió a escondidas de ella en la casa antes de que la muy lépera la vendiera y los rescató.

Cuando se desató la guerra contra Somoza en 1979 yo era camionero. Con mil dificultades había conseguido fiado un camión, y no me iba mal transportando sandías y melones a Costa Rica, pero al arreciar los combates guardé mi camión por varias semanas esperando que se aliviara la situación, que se presentaba comprometida precisamente del lado de la frontera sur; y llega el día del triunfo, contagiado de alegría pongo el camión a la orden de los muchachos guerrilleros que van entrando a Managua a fin de acarrearlos a la plaza donde se va a dar la celebración, no menos de cinco viajes hago aportando el combustible de mi bolsa, y vaya a ver lo que ocurre entonces, que gente malintencionada de mi mismo barrio que está en la plaza me acusa de paramilitar y allí mismo me confiscan el camión, y va de gestionar para que me lo devuelvan y todo en vano, no me pudieron probar lo de paramilitar, algo ridículo, y entonces me salen con el cuento de que me había tomado una foto con el propio Somoza, véase a ver, la foto aquella de la noche en que llegó por sorpresa a mi cuarto del Gran Hotel para ofrecerme como regalo lo que yo le pidiera, una promesa vana, ya dije, pero nada, caso cerrado, sentencian, y me voy entonces a la agencia distribuidora de los camiones a explicarles y no ceden, deuda es deuda alegan, me echan a los abogados en jauría, si no pagás vas por estafa a la cárcel, con lo que de pronto me veo prófugo, el robo público que me hacen del camión y después el escarnio de tener que huir de los jueces, ese es el premio que me da la revolución por haber bateado consecutivamente de hit en los quince juegos de la Serie Mundial de 1972, un récord que nadie me ha podido quitar todavía, el premio de los comandantes a las cuatro triples coronas de mi impecable historial. La fama que me ofreció Casey Stengel aquella noche de luna, como bien pueden ver, no fue ninguna garantía frente a la injusticia.

De no haber sido beisbolista me hubiera gustado ser médico y cirujano, pero la pobreza me estranguló y desde pequeño tuve que ambular en muchos oficios, ayudante de panadero, oficial de mecánica, operario en la ladrillería "Santiago". "No te importe", me dijo aquella vez Casey Stengel, "yo quise ser dentista allá en Kansas City, pero mi familia era tan pobre como la tuya y jamás pude lograrlo, encima de que para sacar muelas cariadas yo no servía". Con esfuerzo estudié por las noches y aprobé la primaria, mientras de día me afanaba en la ladrillería donde me daban de dormir; y desde que ocurrió la aparición, aún siendo poco lo que ganaba me hice cargo de mi destino y fui apartando de mi sueldo para comprar mis útiles, los *spikes*, el bate, la manopla, a costas de quedarme sin una sola camisa de domingo, para no hablar de otros muchos sacrificios. "El béisbol es como una santidad y nada se parece más a la vida de un ermitaño", me había dicho Casey Stengel; "ya ves, tiene razón tu vecino don Nicolás: mi muchacho Don Larsen lanzó un juego perfecto siendo él imperfecto, porque creyéndose carita linda siempre le ha interesado más una noche de juerga que un trabajo a conciencia en el montículo. De modo que a ti puedo decírtelo en confidencia, hijo: ese juego perfecto de Don fue una chiripa, y te vaticino que en pocos años lo habrán olvidado. La gloria verdadera, por el contrario, es asunto de perseverancia, y cuando llega hay que apartarse de los vicios, licor, cigarrillo, juegos de azar, y sobre todo de las mujeres, porque todo eso junto es una mezcolanza que sólo lleva al despeñadero de la pobreza. La fama trae el dinero, pero no hay cosa más horrible que llegar a ser famoso y después quedar en la perra calle". Y vean qué vaticinio, todo lo que gané se me fue en mujeres.

No sé si ya he dicho que tengo diez hijos desperdigados, todos de distintas madres, porque en aquel tiempo de mi gloria y fama no me hacían falta las mujeres que tras una fiesta de batazos en el estadio se acercaban a mí donde me vieran, y me decía una en el oído, por ejemplo, mientras bailábamos: "Ando sin calzón ni nada, restregame la mano aquí sobre la minifalda para que veás que no es mentira", asuntos que recuerdo con recato por mi papel que ahora tengo de pastor y con bastante remordimiento porque a ese respecto nunca logré hacerle caso a Casey Stengel. Y por muy halagadores que todavía puedan ser esos recuerdos, que discurren ociosos en mi cerebro sin que yo lo quiera, ahora de qué me sirve, si a los casi sesenta años de edad que tengo padezco de inflamación del corazón, de artritis, soy hipertenso, y sobre todo de este mal de la gordura; y entonces esas visiones de mujeres se vuelven un tormento mortal que debe ser mi castigo, mujeres de toda condición y calaña que se me entregaron, dueña una de un Mercedes Benz de asientos que olían a puro cuero, otra que me invitaba a su mansión a la orilla del mar en Casares, también aquella de ojos zarcos que vendía productos de belleza de puerta en puerta llevando las muestras en un valijín, lo mismo una casada con un doctor en leyes que se tomó un veneno por mí y por poco muere, y por fin la doncella colegiala alumna de la escuela de mecanografía que fue la que pidió que le restregara la mano mientras bailábamos, y era cierto que andaba sin calzón ni nada.

Después de que me expropiaron el camión quedé en el más completo desamparo y entonces comenzaron a visitarme todos los días unos hermanos pentecostales que me llevaban folletos ilustrados donde aparecían a todo color en la portada escenas de familias felices, por ejemplo el esposo en overoles subido a una escalera cortando manzanas de los árboles repletos, la esposa y los niños cubiertos con sombreros de paja acarreando canastas con toda clase de frutas y verduras cosechadas en su propio huerto y unos corderos blancos con cintas en el cuello pastando en el prado verde, todo aquello bajo un sol brillante que parece que nunca se pone, un cuadro de dicha que sólo se logra por la bondad infinita de la fe, según la prédica locuaz de los hermanos que eran dos, uno de Puerto Rico y el otro de Venezuela, al Señor le importa un comino la gloria mundana o los ardides de la fama, sentados a conversar conmigo por horas como si nada más tuvieran que hacer en el mundo que predicarme la palabra, y como si yo fuera el único en el mundo entre tanta alma atribulada al que tuvieran que convencer, y ya después me dejaron una Biblia, y cuando se dieron cuenta de que la fruta estaba madura decidieron mi bautizo, que fue señalado para un día domingo.

Me obsequiaron para esa ocasión una camisa blanca de mangas largas, que por encontrarme tan gordo fue imposible cerrarle el botón del cuello, y una corbata negra, para que luciera con la misma catadura que siempre se presentaban ellos; alquilaron una camioneta de tina en la que me subieron con todo y taburete, y conmigo en la tina iban los hermanos predicadores y unos muchachos con guitarras que cantaron por todo el camino himnos de júbilo, y cuando llegamos a un recodo sereno del río Tipitapa junto a una hilera de sauces, más adentro de la fábrica de *plywood*, allí me bajaron y sentado en el taburete me metieron en el río, me sumergieron de cabeza en el agua los hermanos como si se tratara del mismo Jordán, y aunque esa noche me dio una afección del pecho y me desveló la tos, la paz interior que sentía era muy honda y muy grata porque el Señor Jesús estaba dentro de mí. Confieso que nunca me imaginé que yo fuera de la palabra, si lo que sabía era batear jonrones, para lo cual no se necesita ninguna elocuencia; pero el Espíritu Santo dispuso de mi lengua y aprendí a predicar, por lo que los hermanos me dejaron al servicio de esta iglesia antes de partir hacia otras tierras.

Si algún fanático beisbolero de aquellos tiempos me viera metido aquí, entre estas cuatro paredes sin repellar, bajo este techo de zinc pasconeado por el que se cuelan el polvo y la lluvia, en este templo que sólo tiene cuatro filas de bancas de palo y un altar con una cortina roja que fue una vez bandera de propaganda del Partido Liberal, mis cajas de fólderes y mis trofeos en una esquina, y el catre de tijera que doña Carmen me abre cada noche para que me acueste, porque el templo es mi hogar, ese fanático que digo no creería que soy el mismo que fui, y sobre todo si llegara a darse cuenta del estado de invalidez en que he caído, al extremo de haberme defecado una noche mientras dormía, en sueños sentí cómo se vaciaba sin yo quererlo mi intestino, y nunca he padecido un dolor más grande en mi vida, amanecer embarrado de mi propio excremento; y ese fanático que antes me adoró sufriría una tremenda decepción, ya no se diga las mujeres aquellas que se quitaban sus prendas íntimas antes de acercarse a mí, el rey de los cuadrangulares, para que yo les palpara la pura piel desnuda debajo de la minifalda.

¿De qué me sirvió la fama, conocer el mundo, salir fotografiado en los periódicos que ahora se ponen amarrillos de vejez metidos dentro de mis fólderes en la caja de cartón? Me acuerdo de aquella noche de enero de 1970 en el estadio Quisqueya de Santo Domingo, era mi turno al bate y sonaba un merengue que tocaba una orquesta en las graderías porque íbamos perdiendo ya en el séptimo *inning* y la gente bailaba, gritaba como endemoniada, mi cuenta era de dos *strikes* con corredor en segunda y en toda la noche no le había descifrado un solo lanzamiento al pitcher, un negrazo como de seis pies que tiraba bólidos de fuego, me quiere sorprender con una curva hacia adentro, le tiro con toda el alma y entonces veo la bola que va elevándose hasta las profundidades del *centerfield*, más allá de los focos, más allá de la noche estrellada, disolviéndose en la nada como una mota de algodón, como una pluma lejana, y yo viéndola nada más sin empezar a correr todavía, y hasta que ya no se divisa del todo dejo caer el bate como en cámara lenta y mientras inicio el trote alzo la gorra hacia las graderías en penumbra que ahora son un pozo de silencio al grado que hasta mis oídos llega el rumor del mar, voy corriendo las bases lleno de júbilo, paso encima del costal de tercera, erizo ya de emoción, y tengo unas ganas inmensas de llorar cuando piso el *home plate* aturdido por el resplandor de los flashes de los fotógrafos porque con ese batazo le he dado vuelta al marcador, un juego que ganamos, y entonces no es ya esa noche en Santo Domingo sino la tarde de diciembre del año de 1972 en que derrotamos a Cuba gracias al palo de cuatro esquinas que otra vez pegué y por el que me prometieron la casa que nunca me dieron, y ahora el rumor del mar son las voces de los fanáticos que se alzan incesantes desde las graderías, bulliciosas y encrespadas.

El Señor Jesús me ha puesto delante la vida y el bien, la muerte y el mal, porque muy cerca de mí está la palabra, en mi boca y en mi corazón, para que la cumpla; acepto entonces que no me debo quejar ni darle lugar a los remordimientos. Y en la soledad de este templo sobre el que se desgrana el viento sacudiendo las tejas de zinc, sentado en mi taburete de palo, ya sé que cuando la puerta se abra sola con un chirrido de bisagras ensarradas, y en la contraluz del mediodía aparezca la figura de Casey Stengel con su cara de pájaro que busca semillas, y me diga: "¿Estás listo, muchacho?", será la hora de seguirlo.

La prueba
Rodrigo Rey Rosa
Guatemala

Una noche, mientras sus padres bajaban por la autopista de vuelta a una fiesta de cumpleaños, Miguel entró en la sala y se acercó a la jaula del canario. Levantó la tela que la cubría, y abrió la puertecita. Metió la mano, temblorosa, y la sacó en forma de puño, con la cabeza del canario que asomaba entre los dedos. El canario se dejó agarrar, oponiendo poca resistencia, con la resignación de alguien que sufre una dolencia crónica, tal vez porque creía que lo sacaban para limpiar la jaula y cambiar el alpiste. Pero Miguel miraba al canario con los ojos ávidos de quien busca un presagio.

Todas las luces de la casa estaban encendidas; Miguel había recorrido cada cuarto, se había detenido en cada esquina. Dios, razonaba Miguel, puede verlo a uno en cualquier sitio, pero son pocos los lugares apropiados para invocarlo a Él. Por último, escogió la oscuridad del sótano. Allí, en una esquina bajo la alta bóveda, se puso en cuclillas, al modo de los indios y los bárbaros, la frente baja, los brazos en torno de las piernas, y el puño donde tenía el pájaro entre las rodillas. Levantó los ojos a la oscuridad, que era roja en ese instante, y dijo en voz baja: "Si existes, Dios mío, haz que este pájaro reviva". Mientras lo decía fue apretando poco a poco el puño, hasta que sintió en los dedos la ligera fractura de los huesos, la curiosa inmovilidad del cuerpecito.

Un momento después, contra su voluntad, Miguel pensó en María Luisa, la sirvienta, que cuidaba del canario. Y luego, cuando por fin abrió la mano, fue como si otra mano, una mano más grande, le hubiera tocado la espalda: la mano del miedo. Se dio cuenta de que el pájaro no reviviría. Dios no existía, luego era absurdo temer su castigo. La imagen e idea de Dios salió de su mente, y dejó un vacío. Entonces, por un instante, Miguel pensó en la forma del mal, en Satanás, pero no se atrevió a pedirle nada.

Se oyó el ruido de un motor en lo alto: el auto de sus padres entraba en el garaje. Ahora el miedo era de este mundo. Oyó las portezuelas que se cerraban, tacones de mujer en el piso de piedra. Dejó el cuerpecito del canario en el suelo, cerca de la esquina, buscó a tientas un ladrillo suelto y lo puso sobre el pájaro. Oyó la campanilla de la puerta de entrada, y subió corriendo a recibir a sus padres.

—¡Todas las luces encendidas! —exclamó su madre cuando Miguel la besaba.

—¿Qué estabas haciendo allá abajo? —preguntó su padre.

—Nada —dijo Miguel—. Tenía miedo. Me da miedo la casa vacía.

La madre recorrió la casa apagando las luces, en el fondo asombrada del miedo de su hijo.

Esa fue para Miguel la primera noche de insomnio. El hecho de no dormir fue para él lo mismo que una pesadilla, sin la esperanza de llegar al final. Una pesadilla estática: el pájaro muerto debajo del ladrillo, y la jaula vacía.

Horas más tarde, oyó que se abría la puerta principal; había ruidos de pasos en el piso inferior. Paralizado por el miedo, se quedó dormido. María Luisa, la sirvienta, había llegado. Eran las siete; el día aún estaba oscuro. Encendió la luz de la cocina, puso su canasto en la mesa, y, como acostumbraba, se quitó las sandalias para no hacer ruido. Fue a la sala y levantó la cobertura de la jaula del canario. La puertecita estaba abierta; la jaula, vacía. Después de un momento de pánico, durante el que permaneció con los ojos clavados en la jaula que se balanceaba frente a ella, miró a su alrededor, volvió a cubrir la jaula y regresó a la cocina. Con mucho cuidado recogió las sandalias, tomó su canasto y salió de la casa. En la calle, se puso las sandalias y echó a correr en dirección al mercado, donde esperaba encontrar un canario igual al que, según ella, por su descuido se había escapado.

El padre de Miguel se despertó a las siete y cuarto. Cuando bajó a la cocina, extrañado de que María Luisa aún no hubiera llegado, decidió ir al sótano a traer las naranjas para sacar el jugo él mismo. Antes de volver a la cocina, trató de apagar la luz, pero tenía las manos y los brazos cargados de naranjas, así que tuvo que usar el hombro para bajar la llave. Una de las naranjas cayó de su brazo y rodó por el suelo hacia una esquina. Volvió a encender la luz. Dejó las naranjas sobre una silla, hizo una bolsa con las faldas de su bata, y fue a recoger la naranja que estaba en la esquina. Y entonces notó el ala del pajarito que asomaba debajo del ladrillo. No le fue fácil, pero pudo imaginar lo que había ocurrido. Nadie ignora que los niños son crueles; pero, ¿cómo reaccionar? Los pasos de su esposa se oían arriba en la cocina. Se sentía avergonzado de su hijo, y, al mismo tiempo, se sintió cómplice con él. Era necesario esconder la vergüenza, la culpa, como si la falta hubiera sido suya. Levantó el ladrillo, guardó el cuerpecito en el bolsillo de su bata, y subió a la cocina. Luego fue a su cuarto para lavarse y vestirse.

Minutos más tarde, cuando salía de la casa, se encontró con María Luisa que volvía del mercado, con el nuevo canario oculto en el canasto. María Luisa lo saludó de un modo sospechoso, pero él no advirtió nada. Estaba turbado; tenía el canario muerto en la mano que escondía en el bolsillo.

Al entrar en la casa, María Luisa oyó la voz de la madre de Miguel en el piso de arriba. Dejó el canasto en el suelo, sacó el canario y corrió a meterlo en la jaula. Con aire de alivio y de triunfo, levantó la cubierta. Pero entonces, cuando descorrió las cortinas de los ventanales y los rayos del sol tiñeron de rosa el interior de la sala, notó con alarma que una de las patas del pájaro era negra.

Miguel no lograba despertarse. Su madre tuvo que llevarlo cargado hasta la sala de baño, donde abrió el grifo y, con la mano mojada, le dio unas palmadas en la cara. Miguel abrió los ojos. Luego su madre lo ayudó a vestirse, bajó con él las escaleras, y lo sentó a la mesa de la cocina. Después de dar unos sorbos del jugo de naranja, Miguel consiguió deshacerse del sueño. Por el reloj de pared supo que eran los ocho menos cuarto; María Luisa no tardaría en entrar a buscarlo para llevarlo a la parada del autobús de la escuela. Cuando su madre salió de la cocina, Miguel se levantó de la mesa y bajó corriendo al sótano. Sin encender la luz, fue a buscar el ladrillo en la esquina. Luego corrió hasta la puerta y encendió la luz. Con la sangre que golpeaba en su cabeza, volvió a la esquina, levantó el ladrillo y se convenció de que el canario no estaba allí.

Al subir a la cocina, se encontró con María Luisa; la evadió y corrió hacia la sala, y ella corrió tras él. Al cruzar la puerta, vio la jaula frente al ventanal, con el canario que saltaba de una ramita a otra, y se detuvo de golpe. Hubiera querido acercarse más, para asegurarse, pero María Luisa lo agarró de la mano y lo arrastró hacia la puerta de la calle.

Camino de la fábrica el padre de Miguel iba pensando en qué decirle a su hijo al volver a casa por la noche. La autopista estaba vacía; era una mañana singular: nubes densas y llanas, como escalones en el cielo, y abajo, cortinas de niebla y luz. Abrió la ventanilla, y en el momento en que el auto cruzaba por un puente sobre una profunda cañada, quitó una mano del volante y arrojó el pequeño cadáver.

En la ciudad, mientras esperaban el autobús en la parada, María Luisa escuchaba el relato de la prueba que Miguel había recibido. El autobús apareció a lo lejos, en miniatura en el fondo de la calle. María Luisa se sonrió y le dijo a Miguel en tono misterioso: "Tal vez ese canario no es lo que parece. Hay que mirarlo de cerca. Cuando tiene una pata negra, es del diablo". Miguel, la cara tensa, la miró en los ojos. María Luisa lo cogió de los hombros y le hizo girar. El autobús estaba frente a él, con la puerta abierta. Miguel subió el primer escalón. "¡India bruja!", le gritó a María Luisa.

El autobús arrancó. Miguel corrió hacia atrás y se sentó junto a la ventana en el último asiento. Sonó una bocina, se oyó el rechinar de neumáticos, y Miguel evocó la imagen del auto de su padre.

En la última parada, el autobús recogió a un niñito gordo, de ojos y boca rasgados. Miguel le guardaba un lugar a su lado.

—¿Qué tal? —el niño le preguntó al sentarse.

El autobús corría entre los álamos, mientras Miguel y su amigo hablaban del poder de Dios.

Después de tanta lengua
Gloria Melania Rodríguez
Panamá

> *"Después de tanta lengua*
> *y tanta gramática;*
> *tanta memoria colectiva,*
> *tanto sánscrito*
> *y tanta historia patria..."*
> Héctor Miguel Collado

Se detuvo frente al solar. Ahí estaba uno de los marcos de hierro de aquel vagón del *ferry* que usábamos para anotar los goles, más oxidado que antes, pero ahí. La misma agua asquerosa por el surco en medio del patio, saliendo a través de una cañería rota a la calle. Las mismas horquillas con sus tendederas de ropa. El mismo lavadero común allá al fondo. El mismo chancleteo de un lado a otro. Las mismas cabezas con rollos multicolores.

Cuando se enfoca un plano distante, se desenfoca el primer plano. A la puerta del solar había una negra joven mirándolo, como quien dice "de dónde vendrá este y a santo de qué esa miradera". Al fin la vio. Curiosa y todo, era bonita. Estaba chupando un casco de naranja y le caía jugo en el escuetísimo trapo que tenía por vestido.

—Aquí vivía un amigo mío hace veinticinco años —le dijo, para ser atento y justificarse. Y para volver a probar eso de hablarle a una negra bonita de un solar.

Ella lo miró con ojos de ignorancia, esos de poco me importa. Terminó de chupar su naranja y la lanzó a la calle. Entonces dijo:

—¡Debe haberse muerto!

Con carácter la niña. Pero a él le hizo gracia.

—No sé. Cuando dejé de verlo ya vivía en otra parte. Un tal José.

—¿José? Aquí vive un José importante.

—¿José María Pinilla, José Dominador Bazán o José Antonio Remón? —se la dio de chistoso y sabio.

—Qué Pinilla, ni qué Remón; se llama José, José Ortega.

—José Ortega, ¡sí!…

La joven lo miró aburrida. Se sacó un bagazo de los dientes, volvió el rostro hacia adentro y vociferó:

—¡Joseeeeeé..., Joseeeeeé!

Entonces, en medio del patio apareció un viejo mirando inseguro hacia la entrada. El otro, obligado, le hizo un gesto. Y el viejo fue a ver, pisando a un lado y otro del agua pestilente. Cuando llegó, la joven le dijo:

—Te buscan aquí. Si vas a salir, entonces me voy a chismear con tu mujer —le dio una palmada en la espalda y entró muerta de risa.

—¿Qué se le ofrece? Ya no arreglo locomotoras.

El visitante estaba perplejo. José había exagerado en eso de dejarse caer los años.

—José "Nigromante" Ortega… ¿No te acuerdas de mí?

El viejo escudriñó aquel rostro. El otro tuvo que ayudarlo.

—La secundaria, la mina de CODEMIN, el acero del Orinoco, la construcción del…

—¡Benigno! —exclamó el viejo, sonriendo con todos los dientes que le quedaban.

—No, qué Benigno ni qué ocho cuartos… Arístides.

El viejo se quedó mirándolo, boquiabierto, como un pote de barro chitreano.

—El Arístides —dijo al fin. Pero a Arístides no le quedó muy claro si realmente se acordaba.

—Di contigo de casualidad, no pensé que…
—Pero pasa, pasa.
—Bueno, es que no tengo mucho…
—Vamos, Carmela nos hace café.

Tuvo que irse tras él, con la súbita sensación de haber fallado. José Ortega vivía en uno de los cuartos que daban frente al lavadero donde había más movimiento y cuchicheo de mujeres. Se oían dos o tres radios en competencia unos con otros: lotería, música, horóscopo…

—Yo vivía en aquel solar, ¿te acuerdas? —dijo, señalando un cuarto de la otra franja del terreno.

Era verdad. Le pareció entonces que sí, que Ortega estaba claro… ¡Phelophepa! ¡Así es como le llamaba a su casona de madera! Igual al barco desde cuya cubierta una mujer le lanzó un pañuelo florido. Ya se le había olvidado esa palabra. Se habría muerto sin volver a acordarse de ella.

Entraron a la "Phelophepa" actual de Ortega. Era más o menos como la otra, según la recordaba. Una salita minúscula y una cortina de tela que seguramente daba a un cuarto también minúsculo con un bañito y una cocineta. En la sala había un taburete, dos sillones de mimbre desfondados y una mesita mínima sosteniendo un tocadiscos que con seguridad no funcionaba. Por suerte pensó y entonces se dio cuenta de que acababa de revivir la olvidada experiencia de conversar en competencia con un radio o un televisor que el dueño de casa no está escuchando, porque está conversando, pero que no es capaz de apagar. Ni siquiera de bajarle el volumen.

Se sentaron uno frente al otro. La puerta quedó abierta por el calor, sin duda. En cuanto al ruido de fuera… daba lo mismo cerrarla, tenía podrida la parte inferior y hasta le faltaban unas cuantas rejillas, de modo que por ahí podría entrar, ya no el ruido sino, hasta un gato.

Ortega apartó apenas la cortina y gritó:

—¡Carmela, haznos un cafecito!

Imposible oír la respuesta que le dieron.

—Nigro, cuando yo me fui te dejé viviendo en otra parte y metido en una construcción —lo dijo en voz baja por si acaso, para ser discreto. José Ortega lo oyó perfectamente. Se veía que estaba acostumbrado a captar la parte del ruido que era para él.

—Ah, sí. Me metí un siglo en eso. Fíjate, cuando había una cosa no había la otra, luego nos faltaban las dos, o simplemente no había dinero; y mientras, viviendo con una tía de ella, que eso era lo último, hasta que lo nuestro explotó. Ni terminé el cuarto. Tuve que volver para acá. Por suerte en esos días se murió una vieja solterona que vivía aquí y gestioné la casona esta. No fue fácil, pero lo conseguí.

—¿Cuándo volviste para acá?

—¿Volver? Pues eso fue... —José Ortega apartó la cortina— ¡Carmela! ¿Cuándo vine a vivir acá?... Ah, sí, tienes razón, en el setentiuno. Carmela vivía por aquí cerca.

José "Nigromante" Ortega estaba sentado en su taburete, semirrecostado a una de las cuatro paredes de la salita, la única de la cual colgaba un cuadro pequeño, con la figura de una mujer de la alta burguesía. Pero él tenía que inclinarse hacia delante para poder oír lo que respondía su mujer. El esfuerzo empezó a cansarlo. Era increíble que él y su mujer filtraran así los sonidos y se oyeran con tal facilidad en medio de aquella algarabía. No recordaba si él, antes de irse, había llegado a acostumbrarse al exceso de ruido o simplemente no le era todavía insoportable. Para colmo, unas mujeres habían comenzado a discutir por algo relacionado con un chiquillo y se gritaban de todo.

—¿Y a ti cómo te va? ¿Extrañas mucho?—preguntó Ortega.

—Bueno... sí, claro. Algunas cosas, los amigos, los juegos de dominó y...

—Yo extraño a Rosa. A veces, no siempre. Carmela lo sabe, es que Carmela lo sabe todo, yo con ella no tengo secretos. Pero me las vi negras cuando estaba con Rosa en casa de su tía. Al principio todo se veía lindo, puro amor y cariño, tú sabes... Fue ella quien me narró las historias de mi familia; ella quien me inculcó el orgullo de raza, que me estimuló a través de las vicisitudes; ella, ella en verdad, quien alivió la aflicción que mi físico me causaba y quien me alentó a seguir adelante por el camino...

—Sí, color de rosa como dicen.

Ortega se rió. Menos mal.

—¡Así mismo es! Pero luego eso fue volviéndose un infierno. Después estuve un tiempito con Maryluz... ¿Tú conociste a Maryluz?

—No, Nigro, si cuando yo me fui tú todavía...

—Yo empecé con Maryluz en el año... —se quedó pensando. Apartó de nuevo la cortina— ¡Carmela! ¿Cuándo empecé yo con Maryluz?... ¡Efectivamente! En el setenticinco. Pero eso duró poco, duró menos de lo que dura el calorcito de una taza de café. Cuando ella vio que no había perspectivas, que mi dinero no alcanzaba para sus exquisitas compras por las tiendas del "Piex", que por más esfuerzo que hice no le entendía ni sus gustos al momento de comprar —es decir, todos los días—, entonces se las buscó por otro lado...

—Bueno, Nigro, ¿qué haces?, ¿en qué trabajas?

—Imagínate, hago lo que puedo... trabajito por aquí, por allá... a veces vendo botellas, otros días estoy en la plaza negociando... ¿Y tú?

—Bueno, ahora cambié de trabajo, pero estaba...

—Eso es a lo que yo le tengo miedo, a la inestabilidad. Con decirte que el hermano de Carmela se fue... debe haber sido... ¡Carmela! ¿Cuándo se fue tu hermano?... Verdad que sí, en el setentisiete, después de la firma de aquellos tratados; y cuando vino, que estuvo por aquí para ver a Carmela, todavía andaba en la cuestión de buscar un trabajo de qué se yo; y fíjate que él vino... ¿cuándo fue que él vino?... ¡Carmela! ¿Cuándo vino tu hermano?... Ah, sí, en el ochentiuno, antes del accidente aéreo aquel.

—¿No tienes hijos, Nigro?

—Sí, el de Rosa. Ese fue otro problema. Acabado de nacer el niño pasó lo de mi trabajo... ¡Carmela! ¿Cuándo fue lo de mi trabajo?... Ah, claro, en el setentiuno. El niño no tenía ni un año. Imagínate, yo estaba loco por terminar el cuarto de arriba de la casa de la tía de Rosa para tener un poco de privacidad, ¿no?, y conseguí unos materiales a través de mi propio trabajo. Oye, te digo un secreto, ¡ahí todo el mundo robaba!, pero me tocó a mí pagar por todos...

—¿Por qué? ¿Qué pasó?

—Y luego fue lo del niño. Todo vino junto, como un paquete, como los barcos esos que pasan cargados de varios contéineres.

José Ortega se quedó mirando afuera. Tenía una expresión extraña y Arístides temió un mal momento. En eso, una mujer en el patio, enrollada en una colorida toalla, de espaldas, se inclinó a recoger algo del suelo y no llevaba puesto nada debajo.

—¡Carmela! —dijo Ortega— ...¿Viste eso?

Arístides se desconcertó. La comprensión de Carmela no podía ser tanta.

—Nigro, ¿te acuerdas de cómo nos poníamos a registrar los barcos que transitaban diariamente por el Canal?

—¡Sí señor! ¡Esa fue la mejor época!... ¡Carmela! ¿Cuándo fue que me agarraron preso creyendo que yo era un espía?... ¡La secundaria! ¡Efectivamente!

—Oye, ¿Carmela estaba en la secundaria?

—No, no… pero ella sabe todos mis cuentos. ¡Si no fuera por ella! Porque a mí lo de Rosa me dejó mal. En medio de mis amarguras y resentimientos, su belleza estupenda que no ajaba la mucha edad, y el ardiente cariño con el cual me envolvió, resplandecen y alumbran mi pasado. Maryluz no, esa fue el clavo que saca a otro: una boca carnosa, un par de ojos habladores, alta y un trasero al que se le ajustaba bien todo. ¡Ah, y bailadora! Pero no sacó nada, por el contrario, me hundió más económicamente.

Ya le dolía la cabeza. Le vendría bien el café, pero la cafetera de esa gente debía estar pasando por problemas.

—Nigro, yo no conozco a Carmela, ¿verdad?

—¿No?... ¡Carmela! ¡Apúrate, mujer, para que conozcas a Arístides! ¡Este es de la vieja guardia!... Oye y después de todo, ¿tú no has tenido problemas allá con ese nombrecito?

—¿Yo? ¿Por qué?

—¡Arístides! Ese nombre allá debe ser problemático, ¿no?

—No, hombre, no —dijo riéndose.

—Pues mira, el arquitecto de mi trabajo, antes del problema mío, le quiso poner Pol a su niñito y tuvo su problemón, lo analizaron y todo, porque le dijo a no sé quién que era por el Pol Macarni. Al fin le puso Manuel. Por eso te digo, los nombres tienen su lío. Yo al mío le puse Eduardo. Eduardito… debe estar por venir del periódico… también vendo periódico los domingos, es que yo le tiro a todo.

—Nigro, qué ganas tenía de verte…

—Sí, compadre. Quisiera uno seguir en la secundaria, ¿verdad?... ¿Te acuerdas de Diana? ¡Me encantaba Diana! Fue la primera vez que pronuncie esa cursilería de un "te quiero", muy elemental y silvestre, pero que salía del alma. Hace poco la vi, ¿puedes creer?...

¡Carmela! ¿Cuándo fue que vimos a Diana?... ¡Ochenticuatro! ¡Claro, el día de las elecciones! Bueno, ya hace años. A uno le parece que el tiempo no pasa, ¿verdad? ¡Pero pasa!

Se quedaron mirando al patio común, tan animados. Y la gente los miraba a ellos. Más bien a Arístides, con su ropa tan distinta.

—¿Qué tú piensas hacer, Nigro? —en cuanto terminó de hacer la pregunta se arrepintió de haberla hecho.

—¿Qué pienso hacer de qué?

—Bueno... es que en estas condiciones...

—No, no, yo voy defendiéndome... Yo estoy más derecho ahora, no creas, la racha mala ya pasó.

Uno de los radios que estaban en el aire era grabadora. Y para disfrute colectivo su joven dueña lo había sacado de casa y se había sentado con el fantástico equipo en un rincón del solar, frente al portal de José Ortega.

—Nigro, tengo que irme...

—¿No vas a esperar el café?

—Es que... estoy apurado. Lo que quería era verte.

—¡Carmela! ¡Se va Arístides!

Esperó un momento. Era necesario, cuestión de modales. Pero Carmela no aparecía. Probablemente fuera de esas que se intimidan cuando hay extraños. Y si son de fuera, peor.

Al fin, se levantó y salió al solar. José Ortega lo acompañó unos pasos. Se dieron un abrazo en pleno patio.

Cuidado, no resbales —le dijo Ortega a Arístides —. ¡Voy, voy! —le gritó a Carmela, y volvió a su "Phelophepa".

La negra bonita estaba a la salida, campante y reída. Al parecer vivía en la acera.

—Por fin, era su amigo, ¿no? —le dijo ella.

—Sí, el mismo. Y lo encontré gracias a ti, mi reina.

—¿Y no conoció a Carmela, mi rey?

—Bueno… no, no llegué a verla.

La joven soltó la carcajada, dejando entrever la goma de chicle que mascaba. Él se quedó un momento mirándola. Luego se despidió con un vago gesto. Ella entró al solar caminando despreocupada, pero intensa, le gustaba el tlac-tlac de sus chancletas. Él echó a andar calle abajo. A los pocos pasos volvió la cabeza. La joven alzó una mano y lo saludó con todo el cuerpo, riéndose.

La señal
David Ruiz Puga
Belice

Aún perdura en el recuerdo de los muy viejos, la estrella con una gran cola que opacó la luna llena, la madrugada cuando Dominga Guzmán sintió desmayarse de los dolores de parto.

Los dolores le habían llegado a la hija de doña Petra al atardecer del día de San Leodegario y se le prolongaron pasada la medianoche. En la madrugada, cuando los espasmos comenzaron a sacudirle las entrañas con más frecuencia, la jovencita enrolló las manos en las cuerdas colgadas de las vigas, y apretó los ojos.

Una ansiedad brilló en el rostro de doña América, la comadrona. La vieja había hecho los cálculos del parto según le había enseñado su bisabuela. La criatura nacería entre la primera y segunda semana de noviembre; coincidía con el mismo tiempo cuando se vería algo en el cielo, según el pronóstico del padre Guillermo.

El párroco recién instalado en el pueblo, había anunciado dos meses antes, desde el púlpito, de una señal única en el firmamento. Se daba cada mil y cuando, pero no era indicio del fin del mundo, quizás sería un buen presagio, así había dicho. Sin embargo, al abrir el almanaque para ofrecerle al pueblo una explicación del fenómeno celeste, sintió un golpe en el corazón. El cura barbilampiño tenía dentro del gran leccionario el libro que le habían enviado desde Manila donde trabajó por diez años en el observatorio Jesuita. Volteó las páginas desesperadamente de un lado a otro. Finalmente lo notó; alguien había roto la hoja con los detalles de la señal del fin de siglo. Lanzó una mirada sobre la congregación, sumergida en un silencio absoluto. Hasta los perros callejeros que solían deambular ladrando en la iglesia se habían echado. La mirada del cura permaneció congelada junto con la de los feligreses, quienes lo veían fijamente con las quijadas colgando. El hombre caucásico apretó las mandíbulas y volvió la mirada al libro de capa verde. La cabeza comenzó a llenársele de miles de pensamientos; se preguntaba de la razón que habría tenido el culpable de romper la hoja. "Acá nadie sabe leer y todos se limpian con *bacales*", pensó. Después de un rato, al darse cuenta que aún estaba en la iglesia se persignó y gruñó:

—¡Ya les dije de los perros, no los quiero en la iglesia!

Se dio la vuelta en dirección de la imagen en bulto del Cristo Negro, dobló la rodilla y se metió a la sacristía. En seguida, la iglesia de guano se inundó con el murmureo de la gente; zumbaban como enjambre de abejas silvestres fumigado con guano seco. Las mujeres se tiraron sus chales negros sobre la cara y se hincaron en el piso de tierra a cantar. Eran las alabanzas interminables, transmitidas de generación a generación, que dieron inicio a una velada frente al Señor de Esquipulas, pidiendo protección para el pueblo contra el mal agüero. Las beatas lo habían vislumbrado en la mirada del religioso cuando enmudeció después de haber aludido a la señal en el cielo.

El cura blanco se apareció a la orilla del río muy temprano el próximo día en su sotana de viaje con su valija negra en una mano, y un crucifijo metido en la cintura. Antes de abordar el cayuco de don Prisciliano se volvió a su dueño con cara de nance encurtido y le dijo:

—Me voy pero regreso pronto... ¡Ah! ¡Se verá en el oriente, díselo a todos!

Tomó los canaletes y se dejó llevar por las corrientes del agua. Ya a medio río, hizo señas con las manos y, llenándose los pulmones de aire, le gritó al viejo quien permanecía estático a la orilla:

—¡Pero diles que no es el fin!

El anciano sacudió la cabeza sin despegarle la mirada al cura que había empezado a desahumar el cayuco con incienso. Al desaparecer el cayuco entre la cepeda, el anciano volvió a la plaza donde toda la noche no se había dejado de hablar de la señal celeste. Entre cantos y gritos habían hecho cálculos y se dieron cuenta que haría luna llena precisamente la segunda semana de noviembre.

Doña América miró rápidamente a su alrededor. Su mente estaba alborotada. Doña Petra se paseaba de lado a lado. Muy temprano por la noche, habían cerrado las ventanas cubriéndolas con trapos negros y espejos de todo tamaño para ahuyentar la energía maligna de la "señal de la luna" como se había denominado al fenómeno en el cielo.

—¡Empuja! —le ordenó la partera de cuerpo rollizo hundiendo sus manos en el vientre inflado de la joven empapada en sudor.

Dominga apartó más las piernas y suspirando profundamente, se aferró a los mecates de hamaca, y empujó con todas sus fuerzas.

—¡Más fuerte! ¡Más fuerte! —insistió la vieja apretando las mandíbulas desdentadas.

Cuando la hija de doña Petra Canek viuda de Guzmán confesó el amor que la arrastró al pecado mortal, el padre Guillermo citó a la sacristía al tal Marcelo Blackmán, el mecánico que había aparecido como eclipse en el pueblo. Ya cara a cara con el joven escuálido, el cura lo amonestó. Tenía el deber de casarse con Dominga Guzmán como lo mandaba la Santa Madre Iglesia. Marcelo Blackmán escuchó atentamente al cura de ojos azules y después de un rato de silencio, se levantó y lo miró serenamente.

—Yo sólo estoy de paso por estos rumbos, señor —dijo.

Abrió la puerta y se salió, dejando al cura con la palabra en la boca. El joven de botas negras jamás se volvió a ver en el pueblo. Días después, Dominga Guzmán comenzó con las náuseas y las ganas de comer jocote encurtido en sal, y jícama en naranja agria. Cuando doña Petra se dio cuenta de la ineficacia del purgante de aceite de castor con cerveza negra, la llevó con doña América para ver de un remedio. La vieja le salió con la novedad del fin de siglo: la Dominga estaba bien "gorda".

Doña Petra se paseaba mientras se tronaba los dedos. Ya no le importaban las habladurías de la gente. Había desplegado su ira sobre su hija cuando doña América le dio las noticias del embarazo de aquella quien apenas había mudado las muelas de leche. Le dio con la cacerola en la cabeza hasta sentir los brazos entumidos y la encerró por varios días en su cuarto. Entonces comenzaron los murmullos. Todos se compadecían de la pobre niña a quien habían dejado como "longaniza embutida". Cada tarde, cuando doña Petra llevaba a su hija con doña América para que la sobara, la gente esperaba en el dintel de su puerta a que cruzaran la calle, como lo hacían cuando pasaba la procesión de *Corpus Christi*. No desviaron su atención en la deshonra de la hija de doña Petra Guzmán hasta la noche cuando el padre Guillermo hizo su anuncio astronómico. Entonces, comenzaron a observar con ojos pelados el cambio de la luna por las rendijas del *coloché*.

Sin embargo al oír de la boca de doña América sobre la fecha del nacimiento de su nieto, doña Petra se enfrentó con un mayor agobio. La señal podría ser mal agüero, así habían dicho las mujeres durante la velación al Señor de Esquipulas. Además, doña Chon llegó una mañana perturbándole aún más el espíritu. Dijo haber visto la noche anterior una manada de garzas volando en círculo sobre el caballete de la casa de doña Petra Guzmán. Las noches de velación solamente sirvieron para sembrar mayor angustia en su corazón. Mientras los hombres tragaban chicha alrededor de una fogata en la plaza, las mujeres traían al recuerdo las desgracias que, según los antepasados, habían procedido al oscurecerse la luna. Se habló de la noche de chapulines. Fue una mañana, cuando el sol se cubrió por una gran nube de insectos voladores que medían un pie en tamaño y dejaron las milpas convertidas en tierra. Sucedió tiempos atrás, precisamente dos días después de oscurecerse la mitad de la luna. Don Félix, el prioste mayor de la iglesia, habló de la vez que, cuando niño, se vio en el cielo un dragón inmenso con alas y cuernos.

—Sacaba fuego, y amenazó con tragarse la luna —dijo agrandando los ojos—. ¡Comenzamos a tocar tambores y así fue como desapareció! ¡Pero, está escondido por allí! Es por eso que sólo vemos su sombra cuando la luna se oscurece... por lo tanto, ¡no debemos bajar la guardia!

Todas las señoras se habían quedado en silencio viendo al anciano que ya había perdido la cuenta de sus años. Renacieron los recuerdos de una epidemia rara conocida por la "fiebre alegre" que atacaba al sistema nervioso dejando a los muertos con una sonrisa en el rostro. Los bisabuelos relataban esta y mil historias más cuando se sentaban en las piedras fuera de las casas en las noches de luna. Pero la preocupación de doña Petra estaba en los efectos que el fenómeno podría tener en su primer nieto.

Doña Petra se cruzó de brazos sin dejar de pasearse. Deslizaba la mirada a través del piso de tierra sin darle oído a los gritos de su hija. Caminó de un lado a otro sumergida en los recuerdos de la velación dos meses atrás. Aquella noche de la vigilia, después del rezo del rosario, la comadre Venancia le había recomendado ponerle la "contra" a Dominga. Más vale prevenir que lamentar, había dicho la mujer de don Olegario. Se refirió al niño de su prima hermana que había nacido con un rabillo de tres pulgadas de largo una vez cuando se oscureció la luna en Dolores.

—Algunos nacen con la cabeza inflada — continuó diciendo la vieja bisoja—, y si la sombra de la luna cubre a la preñada, el niño nace con tremendos lunares... mi tía allá en San Andrés dio a luz a un fenómeno con cara de sapo y apenas vivió dos horas, ¡fue horrible!

Doña Petra se había quedado cabizbaja todo ese rato pensando en su hija embarazada. No habló más ni aún cuando doña América en su voz tímida dijo que quizás se trataba de un buen presagio, de la "buena señal" según decían los antepasados del Tipú.

La comadrona se pasó la mano sobre la frente. Sudaba a chorros como si fuera ella la que estuviera pariendo. Llenó los pulmones de aire y se aferró de las piernas de la muchacha. La joven parecía estar al borde de la muerte. "Es una jodida con las primerizas", dijo entre sí mirando el rostro empapado de Dominga, "es como cagar una jícara". Siguió moviendo su cuerpo rítmicamente de arriba para abajo sobre sus piernas macizas. "La muy pobre, está preocupada", pensó, mirando por el rabillo del ojo a doña Petra Guzmán que seguía paseándose en el cuarto como el pizote solo. "¡Pero la 'contra' no puede fallar!", dijo entre dientes; "¡además, puede ser una buena señal, lo confirmó el padre Guillermo!".

Inmediatamente, los pensamientos de la vieja volvieron a la noche de la vigilia cuando todos la miraron perplejos. Según dijo, los antiguos del Tipú hablaban de la "gran señal" que aparecía cada mil y cuando anunciando el nacimiento de "un grande". Todos movieron la cabeza en aprobación cuando la anciana les recordó esa creencia tan sagrada para los antepasados. Todos conocían la historia. Una estrella con cinco picos y dos colas tan largas como las de pavo de monte se había visto bailar en el cielo una noche de verano, justamente cuando nació "un grande" con tres dientes bien puestos y el rostro completamente cubierto por un velo; estaba destinado a ser tan grande que los *aluxes* llegaron a ofrecerle mazorcas de oro y pájaros con plumas que arrastraban hasta el suelo.

—Dicen que caminaba sobre las corrientes del río y hasta conversaba con el dueño de las aguas —dijo doña América llevando la mirada de rostro a rostro.

—¡Curaba las úlceras del cuerpo, y también el mal de cirro! —intervino don Félix, sin tragar saliva—; a mi abuelo no le gustaba hablar mucho de eso, le llamaba "el grande" y nos contó un día cómo se fue... no lo quisieron... desapareció cuando el sol se ocultó en *Xibalbá*, el reino de los muertos.

Doña América movió la cabeza en aprobación diciendo:

—Vieron cómo una nube de gorriones se lo llevó más allá donde se extienden las ramas de *Yax ché*, allá donde crecen mazorcas con granos de oro y se da el guano con frondas de jade.

Todos miraron consternados al par de viejos que hablaban con tanta autoridad.

—Pero va a regresar, nos lo decía mi tatarabuelo —añadió el mayordomo—, volverá un día cuando estemos dispuestos a recibirlo, así como bajan las nubes a beber agua al río.

Doña América se quedó mirando al mayordomo cuyo rostro marchito brillaba con la luz de las velas de cera prendidas frente al Cristo Negro.

—Les digo —repitió la señora sin quitarle la mirada a las rezadoras envueltas en su chal negro—, ¡la señal pudiera ser buena!

—¡Empuja! ¡Más fuerte! —gritó la vieja.

La joven Dominga Guzmán casi se moría de los dolores. Sentía que ya no podía más. Se arrepintió mil veces de haber sucumbido a los engatusamientos de Blackmán aquella noche cuando se fugaron del baile por la puerta de atrás del salón Imperial. Los golpes con la cacerola habían sido picaduras de zancudo en comparación al gran dolor que en esos momentos le sacudía las entrañas. Resollaba como perro de caza.

—¡Apúrate muchacha! ¡Se acaba el tiempo! —regañó entonces doña América apretándole el vientre.

Dominga Guzmán volvió los ojos afligidos al rostro fantasmagórico de doña América.

—¡Sí, puedes! —le gritó—. ¡Haz un esfuerzo, Dominga, no seas cobarde!

La joven alzó los brazos para afianzarse más arriba de las cuerdas. Levantó su pesado cuerpo y subió el pecho para llenar sus pulmones del aire frío de la madrugada. En seguida, los ojos de las dos mujeres se encontraron. A los lejos comenzaba a vibrar el toque sonoro de tambores.

Doña Petra se detuvo súbitamente y se santiguó tres veces. Sintió una gran tentación de entreabrir la ventana para ver hacia el oriente, pero se recordó del consejo de la partera. Sólo mirar en dirección de la luna podría ser fatal. Además, nadie en el pueblo se atrevía a mirarla con los ojos pelados. Doña Petra volteó a ver a su hija. Estaba agachada, como rana en posición de salto, colgando de las dos cuerdas. Aún llevaba la tira de seda roja atada a la cintura sobre el camisón de dormir. La madre se apretó el rostro con las manos y le rogó a Dios que retrasara el paso del dragón celestial. El toque de los tambores se iba haciendo más y más fuerte. Comenzó a tronarse los dedos y a rezar todas las oraciones que se le venían a la mente.

—¡Ándale! ¡Una vez más! —gritó doña América estirando la sábana blanca bajo los pies de la joven.

La anciana sentía los golpes de los tambores en el corazón, pero no se arriesgaba a pensar en otra cosa más que el parto.

—¡Vamos, apúrate! —ordenó sosteniéndola de los tobillos.

La joven apretujó los ojos y tensó los músculos con todas sus fuerzas tirando su cuerpo hacia la comadrona. Dominga Guzmán creyó haberse reventado por dentro cuando sintió un flujo caliente en las piernas.

—¡Allí viene! —vociferó la comadrona—. ¡Ya se reventó la bolsa! ¡Empuja! ¡Vamos!

En la sombra de su desahucio, Dominga Guzmán comenzó a desvanecerse. Las vibraciones agudas del sonido de tambores le martillaban el tímpano. Se mordió los labios y comenzó a llorar.

Doña Petra no aguantó más. Corrió hasta su hija y la sacudió por los hombros.

—¡Ya déjate de cobardías, Dominga! — replicó—; ¡sé fuerte y acaba esto de una vez por todas! ¡Las Canek hemos parido con valentía!

Luego, tapándose los oídos para no oír el tamboreo, estalló a llorar. Dominga Guzmán levantó el rostro bañado en sudor y en lágrimas, y haciendo de muecas, apretó nuevamente el vientre con todas sus fuerzas.

Al momento, los huesos de la cadera se le apartaron completamente. Desgarró un grito estremecedor al sentir como si el alma fuera a salírsele.

—¡Ya viene! ¡Otro poquito más! —insistió la comadrona preparándose para recibir al niño en una mantilla blanca.

Doña Petra se arrinconó a una esquina del cuarto cubriéndose los oídos con las manos. El ruido estruendoso de los tambores, hechos con tronco de mango y piel de venado, le golpeaban las entrañas. Cerró los ojos llorosos y dejó deslizar su cuerpo en la pared repellada con lodo y cal, hasta caer sentada en el suelo. Se quedó allí, sollozando. Muy de repente, entre el tamboreo, oyó el chillido del recién nacido. Levantó los párpados empapados y descansó la mirada sobre el trasero de la partera.

Doña América tenía los ojos fijos en el niño. Quiso levantarse pero no pudo; los brazos los tenía de acero. Igualmente, doña Petra se había quedado inmóvil con el miedo de enfrentarse a la realidad. En sus ojos bailaban imágenes de niños con cabezas grandes y cuerpos de grillos. Trató de hablar a doña América pero sentía la lengua pesada; parecía como si la hubiera picado un alacrán cargado. El chirreo agudo de su nieto empapó el aire húmedo y frío de la madrugada. A cada instante, el escándalo de tambores se iba perdiendo dando paso a que el niño ejercitara sus pulmones. Doña Petra Guzmán se quedó fosilizada por unos segundos que parecieron horas, y una sensación de miedo comenzó a robarle las fuerzas de las piernas al hacer el intento de levantarse. Percibiendo la pesadumbre de la señora, la comadrona se volteó paulatinamente hacia ella.

—Es... es... varón... y... y tiene el velo a... a... me... media cara —murmuró alzando a la criatura todavía con el cordón umbilical.

Doña Petra se quedó mirando el rostro pasmado de la partera. Luego, bajó la mirada gradualmente hacia la criatura. Cuando sus ojos llegaron al rostro del niño, el corazón le saltó a la boca. El niño llevaba una tela blancuzca pegada a medio rostro. Sin pensarlo dos veces, la madre de Dominga Guzmán corrió como loca hacia la calle.

En las sombras de su desvanecimiento, Dominga Guzmán apenas oyó los gritos del varón. Las fuerzas la abandonaban y se aferraba aún más a las cuerdas colgadas de las vigas rollizas. Ya no sentía las ceñiduras en las muñecas ni los dolores que le llegaban con menos intensidad. Sin abrir los ojos, deslizó la mano derecha cuidadosamente sobre su vientre magullado y suspiró profundamente. Minutos antes había estado tan inflada como los globos que don Venancio tiraba para los rezos de la novena a la Virgen del Escapulario. Un gran alivio avanzó imperceptiblemente en su cuerpo y suspiró hondamente. Se quedó allí colgando de la cuerda izquierda, con el rostro inclinado. Muy de pronto, las entrañas comenzaron a desgarrársele otra vez. Dominga quiso gritar pero ya no tenía fuerzas. Entreabrió los ojos y vio entre nubes un cordón muy largo que le salía entre las piernas. Esto le causó un miedo profundo. El cordón se le deslizaba como una culebra y por fin cayó al suelo trayendo consigo una masa de carne esponjosa. Con un gran esfuerzo, Dominga levantó la mirada y vio que el cordón se extendía hasta el lado opuesto del cuarto donde se encontraba doña América cargando al bebé. Un sudor helado le bajó a sus pies. Emitió un quejido y se le cerraron los párpados.

Doña América se volteó al oír el lamento. Sus ojos cayeron de inmediato en la masa rojiza cerca de Dominga.

—¡La *par*! —exclamó súbitamente—. ¿Te ha salido la *par* así por así?

Dominga no contestó. La vieja se quedó boquiabierta; nunca en su vida había presenciado un caso en donde la parida expulsara la placenta sin que la comadrona le diera "los bajos".

"¡No cabe duda que las estrellas bailan esta noche!", pensó contemplando el rostro cansado de la joven. Alzó al niño en dirección de ella y murmuró:

—No temas Dominga, ¡este no será un cualquiera!

Al oír su nombre, Dominga Guzmán quiso abrir los ojos pero no pudo. Sin decir una palabra más, doña América tomó las tijeras que había hervido por tres horas y cortó el cordón dos dedos arriba de la barriga del niño. Dominga Guzmán colgó el rostro y cayó como trapo sobre la sábana manchada

Al momento se oyeron los gritos de la gente en la calleja. Los tambores habían dejado de sonar.

Doña América fijó la mirada al techo de palma y contuvo la respiración por unos momentos. Luego, elevó al aire al niño envuelto en la mantilla blanca.

—¡Serás grande, el velo lo dice! —exclamó.

Se acercó a la mesa en una esquina donde había dejado un pañal remojado en la palangana con agua tibia. Exprimió el trapo y comenzó a quitarle la tela espesa del rostro.

—¡Madre Santa! —murmuró sintiendo una nostalgia en el alma—; ¡Dios sabrá si este rincón del mundo te recibirá bien!

Obituario para Rizú

Eunice Shade
Nicaragua

A Ruiz Udiel

Todos te miraban fijamente con la T de tristeza atrapada en el entrecejo, todos con su recuerdo forraban la habitación cerrada donde te escondías. Esa noche irrumpiste la vigilia con los ojos nerviosos y lo primero que hiciste fue buscar a Julián. Luego prendiste un cigarrillo y permaneciste con la quietud de un reptil en lo oscuro, examinándolo, intercambiando miedos, escuchando la neblina de su rostro. Talvez se te humedecieron un poco los labios, porque el tabaco amargó tu garganta, así que decidiste desaparecer ese humo fantasmal.

Una montaña de periódicos te esperaba junto a la cama. Te incorporaste, seleccionaste unos cuantos y te pusiste cómodo. La tijera y el pegamento te reclamaron. Las letras te indicaron el camino y recortaste "*A siete años de tu partida todavía te recordamos... tus hijos y nietos te entregan estas flores de la esperanza con la certeza que nos veremos pronto en la tierra prometida. La familia... invita a misa de aniversario a realizarse hoy en...*", y continuaste recortando con precisión el rostro, la identidad muerta sobre la plegaria. Esparcías el pegamento con el índice derecho, embadurnabas al reverso desde el centro hasta las esquinas del papel periódico que luego presionabas contra un espacio de la pared. Y en el centro la mirada de Julián palpitaba en tu pecho. Te agitabas, te excitaba la idea de estar acompañado. Tanto, que luego de la ceremonia sentías que los nudos de tu alma se deshacían libres y líquidos. Atesorabas la colección perfecta de rostros y recordatorios en tu páramo de cemento. Sonreías hasta el cansancio, aunque repentinamente en los minutos escogidos por tu lado oculto liberaras otras fuerzas que te aterraban y te conducían hasta Elisa.

La última pelea terminó con pedacitos de vidrio y olor a medicina. Iluminada de maternidad te comentó la buena nueva, Rizú, estoy embarazada.

Conseguite un doctor, fue tu respuesta. Sus nervios son un histérico manojo de cables y a cualquier contacto explotan. Ya en cortocircuito te golpeó, te dijo que eras un mierda, un huérfano traumado, un incapaz de sentir por tu propia sangre. A la mañana siguiente acudió al Centro de Mujeres. Le entregaron el huevecillo en un frasco cristalino que más tarde arrojó a tus pies. Abandonó tu habitación consumida en lágrimas. Esa tarde concluyó con Pink Floyd y nunca la volviste a ver.

Julián contenía su carcajada y seguías en trance. Te acostaste en el piso y diste una vuelta a la izquierda, otra a la derecha. Tensos los músculos. El polvo y la suciedad adheridos a tu piel mojada de miedo. En fracciones de segundos ibas y venías de un mundo invisible. Enfocabas a Julián, lo abandonabas y seguías dando medias vueltas. Elisa se te confundía, se te desfiguraba con el ejército de miradas fúnebres a tu alrededor. Imprimiste una de tus mejillas contra el frío del piso, cerraste los ojos con fuerza porque querías sellarlos para siempre en las sombras. Gritaste mientras naufragabas mar adentro, gritaste por qué yo, por qué yo al tiempo que golpeabas frenéticamente con un puño la indiferencia del piso. Las voces del terror te formaron dunas en los ojos. Elisa y Julián haciendo contorsiones de tristeza que te alcanzan. Levantaste las pestañas y te quedaste detenido con la mirada de Julián atascada en la cabeza. El huésped debajo de tu piel te observa malicioso desde el centro de tu collage fúnebre. Y todo fue silencio.

Reunión
Rodrigo Soto
Costa Rica

1

Cuando llegué, había sólo unos pocos compañeros. Distinguí las siluetas a lo lejos, en la penumbra del gran rancho donde se celebraría la reunión. No sé quién escogió el lugar. Siempre hay un grupo de entusiastas dispuestos a dedicar días enteros a organizar esas fiestas. Había esperado la noche con silenciosa ansiedad. Anteriormente los compañeros del colegio ya habían celebrado los diez y los quince años de egresados, pero no recuerdo por qué motivos no pude asistir. Supongo que estaba fuera del país o algo así. O tal vez no me interesaba. En estos asuntos uno puede cambiar, y de un año a otro sentirse atraído por lo que antes despreció. Lo cierto es que esa, nuestra fiesta de veinte años, despertaba mi curiosidad. O más que curiosidad, como ya lo dije, me producía una ansiedad callada, de esas que van creciendo por dentro. Podría decirse que contaba los días.

Habían alquilado uno de esos sitios para fiestas en las afueras de la ciudad, con piscina, un área para BBQ y un gran rancho de techo pajizo con forma de palenque, con mesas dispuestas y una discomóvil con luces giratorias. La música no había empezado a sonar, y los saloneros aún se afanaban con los preparativos. Como si se tratara de un solo animal con muchas cabezas, el pequeño grupo dentro del rancho se volteó para ver quién llegaba. En ese momento descubrí a mi lado, caminando a toda prisa, la silueta inconfundible jubilosamente obesa, de Juan Sánchez. Lo saludé con entusiasmo, con cariño. No fue de mis amigos cercanos, pero verlo de nuevo me produjo un estallido de alegría. No había engordado más. Se mantenía voluminoso y grasiento, con la misma expresión de invulnerable optimismo con que lo recordaba. Eso sí, le habían nacido canas en las sienes. Caminamos juntos hasta donde el grupo nos esperaba.

Era, según descubrí de inmediato, algo así como el comité organizador, pues de entrada le reclamaron a Juan su tardanza. Él se deshizo en excusas. No entendí muy bien lo que dijo, pero fue algo de sus hijos. Entretanto yo reconocía a los que estaban ahí: Maruja, Maru, alias la Macha, sobresalía por su tamaño. Siempre fue una de las más fiesteras, y su presencia en el comité organizador era predecible (Es sabido que cada reunión preparatoria de la Fiesta es, a su vez, excusa o motivo para una pequeña o no tan pequeña fiesta). Cruzamos una mirada rápida como queriendo descifrar con un solo vistazo dónde se había producido el mayor estrago. En el caso de ella, fue fácil concluir que, además de las veinte o treinta libras de más, su piel estaba envejecida y reseca. No había dejado de fumar.

En el grupo estaban también Sara Oviedo, Manuel Lach, Beto Cuevas, Susy Peña, Pepe Ramírez, Julieta Masís y Wendy no-sé-qué (no recordé y sigo sin recordar su apellido). Nos saludamos con grandes voces, con grandes gritos, con grandes carcajadas, cruzando abrazos y besos al mismo tiempo que lo hacía Juan. De ellos, quien fue amigo mío era Manuel Lach. A menudo me invitaba a su casa, donde estudiábamos por las tardes o veíamos televisión. Yo padecía un amor imposible por su hermana Beatriz, quien, para mi tormento, solía pasearse por la amplia casa vestida con un short mínimo y apretado. ¡Beatriz! ¿Hace cuánto no la pensaba? Quise preguntarle por ella a Manuel (a quien, por cierto, encontré bastante bien, pues lucía saludable aunque había perdido la mitad de su pelo), pero en ese momento se enfrascó en una discusión con los otros miembros del comité acerca de las actividades programadas: una rifa de no sé qué cosas, el concurso de la panza más voluminosa, un premio a quien tuviera más hijos y otras cosas por el estilo...

Además de ansiosos y expectantes, era obvio que estaban atareados. Para fortuna mía, en ese momento comenzaron a llegar otros compañeros. Cada aparición era celebrada con gritos y exclamaciones. Tras los saludos de rigor, el o la recién llegada se integraba a alguno de los pequeños grupos que comenzaron a formarse, en donde de manera invariable se producía la misma conversación: ¿Qué has hecho? ¿A qué te dedicás? ¿Cuántos hijos tenés? ¿Cuántas veces te has casado? Todo en medio de una creciente alegría, una especie de euforia que latía por debajo de la música, mientras los saloneros comenzaba a repartir bebidas generosamente.

2

Al terminar el colegio yo me desligué por completo de mis antiguos compañeros. Fue una ruptura de tajo, que sin embargo viví sin violencia y como algo natural. Entrar a la universidad fue abrirme a un mundo nuevo. De entre aquellos vástagos de familias acomodadas, nadie más estudió arqueología (¿A quién, por Dios santo, podría ocurrírsele semejante disparate?).

Ahora, conforme circulaba por los diferentes grupos, descubría que muchos de ellos se habían mantenido en estrecho contacto. Algunos habían puesto negocios en sociedad, otros practicaban deportes juntos, otros cultivaban relaciones familiares en las que sus esposas e hijos terminaban por intimar.

En general, daba la impresión de que a nadie le había ocurrido nada excepcional. Casi todos los hombres se habían convertido en profesionales (abogados, ingenieros, administradores de negocios; por aquí un veterinario o un médico; por allá un publicista). En tanto, de las mujeres, una proporción escandalosamente alta había desistido de estudiar tan pronto se casó, para dedicarse de lleno a la crianza de los hijos. Una excepción era el flaco Moncho Larrea, quien tras sufrir un accidente automovilístico perdió una pierna y, a pesar de la buena prótesis que llevaba, debía usar muletas. No parecía importarle mucho, pues borracho ya, bailaba con entusiasmo en el centro de un círculo que se formó en la pista. También Krissya Sanabria había sufrido una desgracia, según escuché en un grupo en el que todos lucían caras momentáneamente compungidas. Sus dos pequeños hijos habían muerto ahogados en el mar: la menor, al ser arrastrada por una ola, y el mayor, al intentar salvarla. También supe que Mario Taylor, mejor conocido como Papito, estaba en prisión en los Estados Unidos, tras haber cometido una serie de estafas en la Florida. Pero incluso estas cosas, razoné en ese momento, debían considerarse estadísticamente normales dentro de un grupo de más de cien personas, pues el dinero podrá protegernos de muchas cosas, pero no de la vida misma.

3

Conforme avanzaba la noche y corrían los *whiskys*, el ambiente se relajó. Era curioso como un grupo de casi cuarentones volvíamos a comportarnos como adolescentes. Por una especie de inercia del tiempo, del carácter, de la costumbre —no lo sé—, escuchaba las mismas bromas, los chistes y los apodos de aquellos años. Los grupos de afinidad de entonces tendían a reconstituirse; quienes fueron novios, coqueteaban abiertamente. Entretanto, las canciones de nuestra juventud retumbaban a todo volumen, mientras en la pista se bailaba por parejas y en grupos.

La fiesta estaba en lo mejor cuando se encendieron las luces y cesó la música. Subieron a una especie de estrado Sara Oviedo, Manuel Lach y Wendy no-sé-qué, por parte del comité organizador. Risas. Bromas. Aplausos. Con esfuerzo consiguieron imponer silencio. Luego de que Wendy anunciara el "esperado momento de los concursos" (así dijo), hubo un nuevo estallido de gritos y aplausos.

Entonces Manuel Lach tomó el micrófono. Esta vez resultó todavía más difícil conseguir que el grupo callara. Ni siquiera sus ruegos, reiterando que se trataba de algo serio, surtieron efecto, y cada vez que él repetía: "¡Por favor! ¡Por favor!", parecía una invitación a que el grupo se riera. Por fin, el muchacho de la discomóvil atinó a sonar una sirena, que impuso un precario silencio.

—¡Suave un toque, suave un toque! Solo un momento, por favor…

La expresión de Manuel no era festiva, sino de una solemnidad tal, que resultaba ridícula en aquella situación. Sin embargo surtió efecto, pues poco a poco atrajo la atención de los presentes.

—Nada más para recordar aquí a los que no nos acompañan esta noche —comenzó.

Jessica Ingells gritó: "¡Salados! No saben de lo que se están perdiendo". Carcajada general. Manuel la fulminó con una mirada y repitió: "Esto es serio, esto es serio…". Luego continuó:

—Como saben, hay algunos compañeros que viven fuera del país, pero antes que a nadie, quisiera recordar a Fabio Morán, Manito.

Hubo un silencio denso, pesado. Fue como mentar la muerte. Enseguida, de lo que dijo Manuel, comprendí que era eso, precisamente.

—Manito hubiera estado feliz aquí con nosotros —continuó Manuel—. Estoy seguro de que estaría aquí con nosotros —y se interrumpió de repente. No dijo más.

El silencio gravitaba sobre la atmósfera como un paño empapado. Por fin, alguien acotó a gritas: "¡Un aplauso para Manito!". Todos aplaudimos, inclusive yo, aunque en ese momento tuve que admitir que no recordaba a quién homenajeábamos. Manuel entregó el micrófono a Sara Oviedo, quien de inmediato anunció el concurso de panzas. Sus palabras produjeron un frenesí incomparable, único. Fue como si un rayo descargara toda la tensión de la atmósfera.

Me parecía inconcebible no recordar a un compañero. Una cosa era olvidar el apellido de Wendy, pero otra muy diferente no guardar ningún recuerdo de alguien con quien compartí cinco años de mi vida. Me pareció vergonzoso preguntar abiertamente, y me propuse escuchar, por aquí y por allá, lo que pudiera acerca de Manito, hasta convocar un recuerdo o concluir algo. Sin embargo, en ese momento nadie hablaba de Manito, todos estaban atareadísimos decidiendo cuál era la panza más voluminosa. Por consenso, se había otorgado de previo el premio vitalicio a Juan Sánchez, quien no pudo concursar en esta ocasión. Así, los candidatos más fuertes eran Cacho Crespo (una más que respetable timba cervecera) y Tuto Ortiz (un problema en la tiroides, según escuché). Mientras se cruzaban apuestas, y tras circunvalar ceremoniosamente la cintura de amigos con una cinta métrica,

Julieta Masís declaró vencedor a Cacho Crespo. Entre el júbilo generalizado, alguien hizo el comentario de que era el triunfo de la técnica sobre la naturaleza, y comparó la competencia con el cuento infantil del gigante leñador y el hombre de la motosierra.

Nos reímos mucho con los otros concursos. Cada vez que se declaraba un vencedor, el tipo de la discomóvil hacía sonar la sirena y encendía las luces giratorias. El ganador tomaba el micrófono y tenía derecho a unas palabras. Todo era cómico por absurdo, casi irreal. Al concluir cantamos el himno del colegio. Vi lágrimas en muchos ojos.

Después regresó la música y se restablecieron las conversaciones. Aproveché para circular entre los grupos, esperando encontrar alguno en el que hablaran de Manito. Tras la euforia de los concursos, la atmósfera estaba liviana, distendida, y al parecer nadie tenía interés en evocar a un muerto. Por fin, encontré un grupo pequeño que lo hacía. Era Tito Masís, la Negra Campos y Elizondo, no recuerdo su nombre. Ninguno fue especialmente amigo mío, de modo que tras saludarlos me mantuve al margen de la conversación. Por lo que vi, la Negra había preguntado cómo murió Manito, y Tito y Elizondo discutían si había sido un accidente o un suicidio. La tesis del suicidio me pareció evidente, pues nadie ingiere por accidente dos frascos de pastillas para dormir. En eso estuve de acuerdo con Tito (Según entendí del contra argumento de Elizondo, la familia sostuvo que Manito estaba bajo tratamiento siquiátrico, y que ingirió las píldoras por error).

Pensé que, aun cuando me hubiese desligado de mis antiguos compañeros, era inconcebible que nadie me avisara de la muerte de Manito. ¿Cuándo se había matado? ¿Poco o mucho tiempo después de que salimos del colegio? Por más que lo intenté, no conseguí asociar la imagen de un rostro con el apodo de Manito.

Tiempo de narrar

Me despedí del grupo con la intención de averiguar algo más. El efecto de los *whiskys* se dejaba sentir. Eran muchas emociones para tan poco tiempo. Vi a lo lejos a Manuel Lach integrado a un grupo, y me dirigí hacia allá. Manuel me incorporó con un gesto de bienvenida, pero no interrumpió la conversación. Estaba hablando Tony Arévalo. No me costó descubrir que también se refería a Manito. Con ese tono de paternal superioridad que solo nos permitimos con los muertos, Tony le recriminaba la decisión que había tomado. Al unísono, empleando casi las mismas palabras, Karla Lara y Sara Oviedo replicaron que decir eso era fácil ahora, pero que sólo alguien en su pellejo podía juzgarlo... En medio del barullo, me atreví a preguntar cuándo había sucedido aquello, pero debía hacerlo muy bajo, pues la discusión siguió su curso sobre las razones que impulsaron a Manito, y si tenía o no derecho a hacerlo.

Entonces se hizo una pausa breve, y fue cuando Karla le preguntó a Manuel por qué le decían Manito.

—¿No te acordás? —respondió—. Desde que vino de México, vivía diciendo "manito" para arriba y "manito" para abajo. En México fue donde le agarró el camote con las pirámides y toda esa mierda. Decía que iba a estudiar esa vara —¡cómo se llama?— Los que excavan tumbas y sacan carajadas.

—¡Arqueología! —gritaron a coro Tony y Sara.

Entonces, de golpe, comprendí por qué no lo recordaba. Y todo lo demás también.

Toque... de queda

Rocío Tabora
Honduras

Agobiada por el peso de los olvidos, sumergió una pierna en la tina con agua tibia, flores y hojas que espantaban los dolores que habitaban sus esquinas… afortunadamente el baño de hierbas le aliviaba los dolores táctiles y los abandonos que se fueron agolpando en la epidermis.

Allí, todavía de pie, con una pierna navegando en el pequeño océano que había inventado en el fondo de su habitación, divisaba el mundo que la acechaba a través de la ventana, su otra pierna se aferraba al frío circundante, una parte de su cuerpo se resistía a los aromas caritativos, parte de ella habitaba el país como maniquí triturado, como cuerpo despedazado, pedazos de carne y hueso halándose entre sí por los hilos sanguinolentos de carne fibras coaguladas, temblorosas, gangrenosas, pedazos de carne putrefactos, sangre encunetada durante semanas, rata muerta olvidada bajo un librero, heridas vivas con la sangre a borbotones. Así, herida de muerte había regresado, y con otra parte de sí misma detrás de un sentimiento raro, que no sabía qué era pero le empujaba a vivir; de esta manera había regresado, con apenas su sombra y sus vestidos.

La trituración y las heridas abiertas eran progresivas, querían colonizar la parte de su cuerpo que yacía temporalmente protegido, intentando contrarrestar los dolores que amenazaban con necrosarle los tejidos y el alma. Momentáneamente logró sumergir su parte sanguinolenta en la bañera, sacó su lado sano, horrorizada del pus sangriento que se tragaba las hojas de romero y las rosas desmenuzadas; tenía tantas huellas, toda ella era una llaga. Caminó afuera del baño, se metió en la cama cubriéndose de pies a cabeza con las sábanas, se durmió profundamente durante cuatro días, en que solo su cabellera negra flotaba, como ala única de su cama dolorida, sumida en pesadillas, líquidos corporales de muerte, de vida en pugna.

Se despertó con las piernas empapadas de sangre y un dolor punzándole el vientre, la herida le había ganado el cuerpo entero, pensó, se alzó presurosa constatando que por esta vez sólo era la salvadora sangre menstrual que le redimía todas las sangres, y todas las heridas.

Al salir a las calles no sabía por qué estaban tan vacías y ese olor denso a pólvora, dulce, agrio, como si acabaran de destazar doscientas reses al mismo tiempo. Las lluvias persistentes de diciembre y enero habían formado un moho-costra en las aceras, en los recodos de las calles empedradas, fango, sangre, pus, le hacían deslizarse, casquillos de balas tintineaban a su paso, un transeúnte atemorizado le había empujado sin darse cuenta en la pendiente de ojos asustados, entonces comprendió que estaba en guerra. Corrió apresurándose en el tramo faltante para refugiarse en su casa, encendió sahumerios de sándalo y copal para apaciguar los malos espíritus. Tenía que hacer una guarida dentro de sí misma para que la podredumbre no venciera sus áreas sanas.

La calavera con la que tropezó en la esquina, los casquillos vacíos de las balas, el olor a sangre podrida que llenaba todo, las barricadas de la plaza, le habían hecho entrar en razón: la guerra se había instalado en su patio. De un simple juego en el ruedo de su vestido de mayo pasado, se había pasado los tramos de su piel, el enemigo entró a traición, hasta zurcirle los deseos, aliado de los rumores y los juicios.

Se asomó a la ventana y unos bueyes halaban una carreta con hombres muertos con la piel oscura dejando a su paso diversos hilos de sangres y líquidos de los cadáveres. Uno de los hombres muertos iba con los ojos abiertos, con la sorpresa de la muerte dibujada en la niña de sus ojos. Era un hombre blanco con los ojos claros, con el pecho en agujeros de los que se escapan jirones de carne. Cerró con aplomo la ventana, estaban demasiado cerca, todos caían a su alrededor, intentó tomar aire, repitiéndose así misma que no moriría en esta guerra, no todavía al menos. Una trompeta anunció toque de queda, el paso de la tropa ahogó sus quejidos y se sintió atrapada. Una mano con olor a pólvora le recorrió la espalda, le besó y luego se alejó vomitándole en la cara de forma agigantada los temores que años atrás ella le confesara; ahora convertido en enemigo se los devolvía convertidos en monstruos, era parte de las tácticas de guerra. Ella se había leído todos los manuales de batallas convencionales, pero en esta guerra tenían que intentarse tácticas inéditas, pericias nuevas.

Así, caminó por los pasillos casi rompiendo las paredes, intentando cerrar las puertas de su casa, impidiéndose a sí misma escaparse, pero no sabía cómo puertas y ventanas se volvían a abrir por sí solas... empeñada ella como estaba en no huir, rasgó sus vestidos, jaló su pelo, se arañó la cara para quedarse, se dio golpes en el pecho, se golpeó contra las paredes para no sentir tanto dolor y para que las calles vacías que le dolían tanto no la llamaran más… las ventanas no eran suficientes para sus ganas de escapar.

Sus heridas no sanaban. Peor aún, se agravaban; se abrían, se estiraban, se descomponían, presentía los gusanos de su piel. Las partes que primero entraron en descomposición fueron los oídos que habían escuchado tantas cosas, raíces tubulares profundas como filamentos que absorbieron los insultos que le ganaban terreno a las palabras de amor… pedazos de su yo se pegaban a la ropa, confundida en su habitación, tumba anticipada, toda ella desintegrada, confusa, disociada, con el vientre vacío, con todos los hijos que le fueron arrancados, agarrándose con las uñas un vacío repleto de añicos, con puñados de risa antigua en los bolsillos y restos de ternura en los botones de la blusa: recordó entonces el origen de la guerra y de tanta sangre, había sido acusada de alta traición… ella sólo había deseado. Jamás logró imaginar tanto castigo por eso.

Su memoria le salvaría: volver al origen de la guerra para revertirla, quizá ésa era la salida que esperaba. Jamás vendrían refuerzos de fuera, no tenía que vencer ya a ningún enemigo; huérfana de patria y ejército, era una batalla que tenía que ganar sola… y pronto.

La guerra nacional había terminado hacía seis años, los muertos ya habían sido enterrados, los generales ahora descansaban y se enriquecían; ya no había muertos por balas… Tenían lugar banquetes y fiestas mientras en los barrios la gente hambrienta desfallecía… y su cuerpo se llenaba de hematomas cada vez más difíciles de ocultar… la estaba matando…

En medio de una guerra que perdía, nunca supo qué la hacía tener esos ímpetus por sobrevivir, abrir puertas y ventanas, olvidar la sangre, no hacer caso a los gritos, las ráfagas de balas, el miedo, los insultos cotidianos; cómo lograba levantarse de los abismos espantosos en que se hundía a menudo para huir de aquellos ojos perseguidores, ni cómo lograba despertarse después de noches terribles, concentrar en su habitación las escasas flores de la ciudad y pasearse desnuda entre ellas. Eran días de pesadillas y tristezas hondas las que precedían una frase hermosa en sus labios. Los que la rodeaban estaban al tanto de que, cuando ella sufría, sus entrañas empollaban una palabra hermosa, ella también se daba cuenta, ya no iba a morirse, sabía que al día o los días siguientes de largas horas de agonía una sola palabra redimiría todos los tormentos suyos y de los vecinos.

Pero el mal recorría su habitación y ella agonizaba sin remedio, ya no podía imaginar nada, las pocas palabras que alcanzaba a pronunciar eran inaudibles, su boca era un hueco oscuro angustiado por emitir algún sonido para los demás, estaba agotando sus últimas energías, todos se habían quedado dormidos de tanta noche en vela esperando oírla decir algo. Dejó de intentarlo, cerró su boca y los ojos y arañando en su memoria encontró el rostro y el cuerpo del último hombre que la deseó y el primer roce en su cintura —su propio deseo, las reacciones de su piel, la vida propia de su cuerpo y sus sentidos— súbitamente su armario se abrió, sus sombreros y vestidos salieron volando, su cama se llenó de mariposas, el color volvió a sus mejillas, sus objetos cobraron vida propia como su mirada. Habría que restaurarlo todo, llenar de música la casa, de agua los floreros, de cartas los buzones, de libros de amor y de justicia sus libreros, …era el fin del toque de queda.

Todas las mujeres, la misma

Consuelo Tomás
Panamá

Una mancha de pájaros en el cielo lo distrajo de su pena por un momento. Hasta pensó que hubiera sido bueno poder ser uno de ellos e irse. A cualquier parte. Ser otra cosa, otra persona. Tal vez un animal remoto y peludo que rumiara algo, no este ser viviente, con esta sensación de inutilidad y ridículo, rumiando recuerdos, acercándose al oficio cotidiano de los ancianos. Ella le había advertido varias veces que si las cosas seguían así se marcharía. Creía conocerla bien, creía. Pero ella se había ido. Ni siquiera una nota, como en las películas, o una llamada, nada, ni fu. "Quién entiende a las mujeres", pensó.

Estaba en ella y en la última vez que vio su cara triste, agotada, distinta a los tiempos en que la conoció, limpia de los años de rutina a su lado, antes de que él la fuera abandonando sin darse cuenta. Sintió algo húmedo en la basta del pantalón. "Mierda", dijo. Cuando reaccionó ya el animal iba como un cañón hacia la calle, perfectamente consciente de su maldad.

"Hasta los perros se mean en mi existencia", volvió a decir, visiblemente contrariado. Se levantó de la banca, y, por un segundo, alcanzó a escuchar la risa de una mujer asomada al muro del parque que da al mar. Ella, de espaldas, trataba de disimular.

—¿Qué le parece tan gracioso, si se puede saber? —le espetó él acercándose a la mujer a quien quedaba ahora una sonrisa condescendiente en el rostro.

—No se ponga así. A cualquiera le pasa. Además, no me puede negar que es graciosa la confusión del pobre perro —dijo con descaro y volvió a reír.

—Si le hubiera pasado a usted, ahora no estaría riéndose —dijo él menos exaltado pero aún con el ceño fruncido.

—Mi nombre es Ángela María, ¿y el suyo? —dijo la mujer extendiendo la mano.

—Rafael, Rafael Medina —contestó dándole a la vez la suya, todavía poco convencido.

—¿Le gusta venir aquí?, a mí me gusta mucho. Es un parque muy lindo, sobre todo por ese gran árbol en el medio, y el mar —intentaba ser amable.

—A mí me parece horrible —le contestó Rafael mirando la basta mojada de su pantalón que ya empezaba a curtir un olor raro.

A la mujer se le fue borrando la sonrisa. Sus esfuerzos eran inútiles.

—Todavía está enojado parece. En ese caso, creo que debo dejarlo solo. Bueno, hasta pronto.

Dio la vuelta y se alejó rápidamente con pasos cortos.

—Ángela espere —gritó, pero ya ella había tomado un taxi en la Balboa y le decía adiós con la mano, tras la ventanilla.

"Qué estúpido soy", dijo para sí.

Caminó las cuatro cuadras que lo separaban de su casa pensando en el extraño parecido de Ángela María con su mujer. En la casualidad de encontrarla allí, en el mismo lugar donde había conocido a su mujer. Su misma risa descontraída, su gesto espontáneo. Al llegar al edificio vio una patrulla en la puerta.

—¿Ha ocurrido algo oficial? —preguntó sin mucho interés.

—Le robaron a un tipo —contestó el policía—. Los vecinos avisaron, pero no hemos podido localizar al dueño. El portero nos dijo que allí vive un tal Medina, a lo mejor usted lo conoce.

Corrió escaleras arriba casi sin respirar. En la puerta de su apartamento estaban los vecinos que lo miraron con cara de cuantolosentimos pendejo. El oficial revisaba la cerradura forzada con gesto rutinario. Rafael miró su apartamento en desorden. Se lo habían llevado todo. O casi todo pues quedaban las cortinas, el sofá y la foto de los abuelos de ella. Fue hasta su alcoba y alcanzó a oír a sus espaldas que el oficial decía "huele a meado de perros". Abrió el ropero. No había nada. "Hijueputas" pensó. Perdió la esperanza de cambiarse el pantalón húmedo aún de los orines del can.

En la delegación de policía le señalaron un banco y le dijeron "espere que le llamen para la denuncia". Una mujer joven revisaba unos papeles y ponía sellos. Se oía teclear de máquinas. Luego de un rato que se le tornó inacabable, oyó su nombre. Se levantó y fue hasta la ventanilla que le señaló el oficial, frente a la mujer de los sellos.

—Párese aquí señor Medina y conteste las preguntas de la sargento Culiolis.

"Quién lo diría, mujeres sargentos y además, de apellido Culiolis".

—¿Nombre? —dijo la mujer mirando el formulario.

—Rafael Medina, oiga por casualidad usted no es familia de...

—¿Edad? —lo interrumpió la sargento.

—Treinta y cuatro —contestó sin completar la pregunta.

—¿Estado Civil? —acribilló nuevamente la sargento Culiolis.

—Bueno, soy casado pero mi mujer...

—¿Tiene hijos?

—No, ninguno —titubeó recordando que su mujer le había dicho que no le había venido la regla ese mes.

—Un segundo por favor —dijo la mujer—. Rodríguez, han dejado entrar algún perro aquí —gritó— huele a meados. Usted disculpe, proseguimos.

"Aquí el único perro soy yo" pensó Rafael mirándose con rabia la basta de los pantalones.

—Ahora dícteme los objetos robados.

Rafael observó la seriedad de su frente, el rictus de su boca, como un paréntesis a los lados, su mirada impersonal. Su mujer era igualita cuando se enojaba.

—¡Joven, le dije que me dictara los objetos robados, cuanto más rápido mejor para usted! —dijo la sargento en tono policial.

Rafael dictó lo que se acordaba. Al terminar, la sargento dio a firmar un formulario. Firmó mirando de reojo las manos de la mujer, que también encontró parecidas a las de su mujer.

—Cuando sepamos algo lo citaremos nuevamente para formalizar la denuncia —concluyó.

—Mire —advirtió él—, por favor llámeme a este otro teléfono, es la casa de mi madre. Voy a quedarme allí hasta que aparezca algo.

—Muy bien —dijo Culiolis y desapareció tras una puerta.

Al salir, Rafael se vio en el vidrio y se tuvo lástima. "Pobre estúpido", pensó. Un nudo se le formó en la garganta. "Quién fue el imbécil que dijo que los hombres no lloran". Sin embargo, se contuvo, por un antiguo mecanismo de vergüenza en su interior. Cuando cruzaba la calle no vio el carro que venía a toda velocidad.

Despertó en el hospital vendado de pies a cabeza. Todavía en la semiinconsciencia vio a su mujer con lágrimas en los ojos y escuchó que decía: "Más nunca te vuelvo a dejar solo, tú no sirves para estar solo". Con la boca aún pastosa y con sabor a sangre, dijo: "Vete a la mierda", y volvió a dormirse.

La enfermera hizo un gesto de perplejidad, terminó de anotar algo en la cuadrícula y salió, dudando de si el paciente habría entendido las instrucciones para llamarla en caso de sentir mucho dolor.

El corsario

Nicasio Urbina
Nicaragua

La primera vez lo sorprendí espiando por la hendija del aire acondicionado. Yo estaba sentado en el sillón, leyendo, cuando levanté la vista y lo vi observando atentamente con sus pequeños ojos negros. Cuando se percató de que lo había descubierto frunció rápidamente el hocico y dio media vuelta, perdiéndose en el conducto del aire. Me extrañó mucho pues nunca habíamos tenido ratones en casa, pero por las dudas le encargué a mamá que comprara un poco de veneno en la tienda. El domingo siguiente estábamos todos reunidos en la sala, conversando, como lo hacíamos casi todos los domingos después de almuerzo, cuando me levanté para ir a la cocina a servirme la segunda taza de café. Al llegar al pasillo lo sentí correr pegado al pie de la pared hasta llegar al final y luego doblar a la derecha, hacia la cocina. Avancé rápidamente y me asomé para ver por dónde se metía, pero en la cocina había una calma imperturbable que demostraba que nada había sucedido. Me serví el café y husmeé en los alrededores buscando su rastro, pensando por dónde ponerle la carnada. Recordé que a mamá se le había olvidado comprar el veneno y pensé en ir personalmente al abasto. En ese momento me percaté de que había estado ahí todo ese tiempo, había estado observándonos desde su esquina mientras nosotros conversábamos y nos reíamos tranquilamente, viéndonos desde su perspectiva mínima y recordándolo todo con una memoria perfecta.

Al volver se lo dije a mamá e inmediatamente se armó el revuelo. Mi hermana menor hizo un gesto de repugnancia y se estremeció con vigor, los cuñados se levantaron para ver por dónde había corrido el animal y mamá se fue hasta la cocina y abrió las puertas de todos los estantes. Nos fijamos bien por todos lados pero no vimos más que pailas y porras, utensilios de limpieza y cocina y enseres de mesa. Victoria, mi hermana mayor, empezó a sacar los platos diciendo que por algún lado debía de estar, y mi madre removía las cosas debajo del fregadero. Finalmente perdí todo interés y me fui a sentar a la sala, junto a Magali, que no se había movido en absoluto.

El sábado siguiente a eso de las once de la mañana, mientras se estaba bañando, Magali lo vio acurrucado en el ángulo de la ventana. Dio un grito que se oyó en toda la cuadra pero no lo volvió a ver ni supo por dónde se escapó. La pobre sufrió un ataque de nervios, salió del baño con la cabeza enjabonada y envuelta en una toalla, llorando. Una semana después yo estaba limpiando un poco el patio de atrás cuando lo vi descender por el desagüe, atravesar el jardín y adentrarse en el bosquecillo detrás de casa. Lo seguí a cierta distancia y sin hacer ruido, y guiándome por el oído lo rastreé entre las grandes ceibas. Llegó nerviosamente hasta un hombre vestido de negro, con una capa muy ancha que le caía hasta el suelo y la piel blanca y granulosa. Tenía una sonrisa infeliz que le daba un aspecto patético. Los vi conferenciar por un rato hasta que el ratón se le bajó por el pantalón y se volvió en dirección a la casa.

Yo me quedé en silencio y el hombre se sentó en una piedra, pensativo, después se levantó y se encaminó hacia el otro lado, perdiéndose pronto entre los árboles.

Me demoré algún tiempo en los alrededores atento a los sonidos de la tarde. Caminé hasta la cerca de la carretera, regresé dando una vuelta por el viejo molino, mirando atentamente las copas de los árboles, buscando huellas en el barro. Me molestaba saber que alguien nos espiaba. Repentinamente me di cuenta que sabía detalles íntimos de nuestra vida, nuestra rutina simple y nuestras debilidades. Probablemente sabe ya que la puerta de la cocina permanece abierta, que yo me quedo hasta muy tarde con la luz encendida, leyendo mitologías; que algunas noches me levanto y cruzo el pasillo en silencio, donde Magali ha dejado la puerta sin tranca.

El miércoles de la semana siguiente fue el día decisivo. Recién había regresado del trabajo y me estaba cambiando de ropa cuando lo vi detrás de la puerta del ropero. Lucía igual que como lo había visto en el bosquecillo, pero ahora, viéndolo de cerca, pude constatar el vacío de sus ojos, la transparencia de su piel y el olor cáustico que exhumaba. Inmediatamente me di cuenta de que el peligro era inminente y tenía que hacer algo, mi deber era defender a la familia. Con presteza me dirigí a la cocina y tomé el cuchillo de la carne, volví a mi recámara y lo encontré sentado tranquilamente en mi sillón con los pies sobre el escritorio. Cuando vio el cuchillo en mi mano se quiso incorporar, pero yo me le arrojé encima blandiendo la hoja. Nos trabamos en una lucha feroz y caímos al suelo, rodamos hasta el centro del salón forcejeando desesperadamente y finalmente logré acaballarme sobre su pecho. Cogiéndolo por el cabello lo interrogué a viva voz, pero él se rió con una carcajada infame. Con la mano izquierda le levanté el mentón y le abrí el cuello limpiamente. La sangre que manó a borbollones era negra y espesa y de repente me sentí fatigado. Mi madre entró en ese momento y le ordené que llamara a la policía. Me tendí a su lado, estaba exhausto, y en ese momento me di cuenta que no tenía forma de justificar mi crimen.

La estrategia del escorpión
Beatriz Valdés
Panamá

El quince de agosto de 1815 amaneció lluvioso y nublado como para advertir al dos veces emperador de Francia y estratega de tantas victorias que ya no puede volver a soñar con *la gloire.*

Es el cumpleaños número cuarenta y seis de Napoleón Bonaparte, prisionero a bordo de la fragata de Su Majestad británica *Northumberland* rumbo a la lejana isla de Santa Elena.

"Tout est fini", se le oye murmurar.

El prisionero, bajo y grueso, de mirada aguda y ceño fruncido, camina una y otra vez de proa a popa; parece buscar, cuando de tanto en tanto levanta la cabeza, las salvas, las marchas, los gritos de *¡Vive l´Empereur!,* que debían estar celebrando desde temprano su onomástico.

"Tout est fini".

El buque zarpó de Portsmouth hace una semana. El rey Luis XVIII de Francia —recién recuperado su trono—, el príncipe regente de Inglaterra, el zar Alejandro de Rusia, los soberanos de toda Europa, y hasta los forjadores del experimento democrático en América, siguen con los ojos de la mente el largo viaje de este hombre que algunos llaman nefasto y otros heroico; pero que nadie discute dejó su huella en la historia.

La travesía del *Northumberland,* dependiendo de los vientos y el tiempo, que son impredecibles en esta época, se puede prolongar hasta el mes de octubre. Habrá tocado su fin cuando el emperador y los seis acompañantes que el gobierno británico le permitió llevar junto con él —el general Bertrand, el conde y la condesa de Montholon, el general Gouraud, y el conde de Las Cases y su hijo— desembarquen en Jamestown, un poblado de cinco mil almas en la isla de Santa Elena, ubicada a unas cuatrocientas leguas marítimas al oeste de África, con una circunferencia total de apenas 29 millas.

Aun en la derrota que viven los franceses camino al destierro, cada día visten el uniforme azul oscuro de imponentes charreteras doradas que el mismo Napoleón diseñó para su corte. Y la condesa de Montholon, la hermosa Albinie de Vassal, ayudada por su sirvienta no deja de embellecer su rostro con polvos de arroz, sin olvidar el coqueto lunar junto a la boca que rememora a la difunta reina María Antonieta —a quien dicen se parece—, deslumbrando a los varones del buque con los trajes de talle alto y escote generoso que puso de moda Josefina cuando reinó, y a los que la emperatriz María Luisa, poco después de su llegada de Austria, añadió unas breves mangas para disimular sus brazos un tanto rollizos.

Ninguno en el séquito del emperador quebranta la etiqueta de profundas venias, frases redundantes y gestos teatrales que en París atraían la burla de la invencible enemiga del corso, madame de Staël, y que hoy, dejan atónitos a los británicos, acostumbrados a una corte menos pretenciosa.

Sólo el general Bertrand, que se mantiene varios pasos detrás de él, y el conde de Las Cases —sin duda el más apegado al derrotado emperador—, lo acompañan esta mañana en su paseo por la cubierta. Los otros, que lo distraen hasta la madrugada con juegos de naipes y anécdotas, evitando cuidadosamente hablar del futuro, no abandonan sus camarotes antes del mediodía.

—Lo que más me acongoja, Las Cases —la voz del prisionero es baja y tensa—, es que no consigo vencer esta confusión que se adueñó de mí desde Waterloo. Por primera vez en mi vida no puedo conciliar el sueño. ¡Yo, que dormía con la cabeza sobre una piedra! Ahora, aun con los párpados cerrados, el reposo no llega. Veo imágenes que van y vienen sin orden alguno; ¡mis sienes quieren estallar! ¿Puede un hombre, aunque sea Napoleón, pensar con claridad sobre el futuro si en su cerebro reina una anarquía que va de la exaltación al deseo suicida? Tengo conciencia de que estoy en alta mar, a bordo de un buque inglés, y que soy su prisionero, pero tan pronto me acuesto y trato de descansar, surge detrás de mis párpados la catedral de Notre Dame el día de mi coronación, abarrotada con la elite de Francia y de Europa. ¡Hasta aspiro el aroma de los narcisos blancos que pidió Josefina para el altar! Allí, en primera fila, está el rostro incrédulo de *Madame Mère* cuando me ve tomar la corona de manos del Papa… y, sin transición, aparecen tras mi retina los ojos tristes de mi esposa, la emperatriz María Luisa, al conocer la noticia de mi primer exilio en Elba… o siento en la mejilla el último beso que me dio *ma chére Josephine,* cuando la visité en Malmaison el mismo día que marché para Italia sin saber que poco después la pobrecita moriría de pulmonía… Al menos ella nunca supo el cáliz amargo que esperaba a Napoleón al final del camino. Las Cases, hasta siento en torno a mi cuello los brazos de mi hijo, mi pequeño rey de Roma, a quien quizás nunca volveré a ver. ¿Merezco yo, que he dedicado cada onza de mi talento a mi patria y a la felicidad de los franceses, terminar así?

Anoche, por ser la víspera del aniversario de su natalicio, Napoleón aceptó por primera vez la invitación a cenar que el almirante George Cockburn, comandante de la fragata, le había extendido sin éxito en varias ocasiones. La velada no le aportó ningún alivio.

—Los ingleses, siempre lo dije, son un pueblo de tenderos sin imaginación. ¡Qué tediosa conversación! —se queja ahora el emperador con el conde de Las Cases—. No sólo encontré la comida insípida, apta para un convaleciente; también hubo carencia total de deleite para el espíritu; mi anfitrión reía a carcajadas con cada comentario inconsecuente. Resulta humillante para Francia, ¡para Napoleón!, ser vencido por un enemigo pueril... —Bonaparte cavila sobre lo que acaba de decir, y agrega—: Pero hay que admitir que lo que le falta a los ingleses en ingenio les sobra en tenacidad... —El emperador guarda silencio, acariciando con la palma de la mano su amplio abdomen—. Hasta la salud me abandona, *mon ami*: ¿cuándo antes me traicionó mi estómago?

Ni comiendo las ricas salsas del Chef Maurice, ni tomando agua de cualquier manantial en plena campaña, ni intentando deshacer los nudos gordianos de la política francesa, enfermé. Ahora que me alimento con las papas hervidas de los ingleses, mis tripas se insubordinan. *¡Mais, vraiment,* no puedo decir que las culpo! —El emperador toma el brazo de Las Cases y vuelve a caminar—. Había en la cena de anoche un hombre llamado sir Theodore Williams cuyo papel no acabo de comprender. No es militar, no ocupa ningún cargo en el gobierno del príncipe regente... ¿qué hace a bordo? —Da algunos pasos en silencio, y se detiene a esperar la respuesta.

—*Mon Seigneur* —la voz de Las Cases quiere ser tranquilizadora—, ese hombre debe estar encargado de asuntos administrativos. En Santa Elena será necesario hacer contrataciones con los nativos, alquilar una vivienda, comprar alimentos, muchas cosas para acomodar a Su Majestad. En todo caso, no debe temer: mi preocupación siempre ha sido que intenten envenenarlo, pero para eso traigo a mi hijo Emmanuel que ya se recibió de médico. Emmanuel era un jovenzuelo cuando Su Majestad fue a Egipto. *¿Mon Seigneur,* recuerda? Me permitió llevarlo conmigo en la gran expedición, y Emmanuel aprendió con los egipcios los secretos de muchos antídotos. La poción que da a beber a Vuestra Majestad antes de acostarse es un excelente neutralizador.

— ¡Ahh! *¡C'est ça, mon ami!* —El Emperador contesta distraídamente y reinicia su paseo. A los pocos pasos, se dirige otra vez a Las Cases, su voz alterada—: ¡Wellington jamás me habría vencido de atenerme a mi plan original! Pero hice caso a Inés. ¡Ella jamás falló antes! ¿Cómo no creer en sus vaticinios, cuando me anunció hasta su propia muerte; que sería aplastada por una gran viga de madera y así mismo murió pocos días antes de mi partida a la última campaña? ¿Por qué vio en sus sueños que el ejército de Prusia se desbandaba después de ser derrotado por mis tropas en la ciudad de Ligny, un sitio que ella jamás había visto y que describió minuciosamente? Y de hecho la derrota se cumplió, y en la ciudad anunciada, mas no así la huida de las tropas prusianas con la cual contaba… Aquel amanecer, Inés llegó a mi recámara escoltada por Constant, mi valet, y por Roustand, mi guardia personal. Las Cases, tú estuviste ahí, recuerdo que te hice llamar. ¡El aspecto de Inés…!, sus pupilas, más negras que nunca, estaban dilatadas, la frente cubierta de sudor; rechinaba los dientes como una fiera atemorizada. Era una persona en trance. Ciertamente, ¡sólo pude ver en aquello un mensaje del cielo! *¡Mon Dieu!* No soy un *parvenu* en la milicia; sabía muy bien que enfrentaba un ejército superior a lo que quedaba de mi *Armée du Nord* en hombres y en municiones. Mi única posibilidad era vencer a uno de los brazos del ejército aliado antes que lograran unirse. La visión de Inés decía claramente que el lado flaco serían los prusianos bajo el mando de Blücher, a quien yo debía derrotar. Sin el ejército de Blücher, a Wellington sólo le quedarían noventa mil hombres, ciudadanos de Bélgica, de Holanda, de Inglaterra, que no entendían más que su propia lengua, indisciplinados y difíciles de mandar...

El emperador clava en Las Cases su mirada ardiente:

—¿Habrán regresado los prusianos al campo de batalla por el general de Bourmont, que seguramente reveló mis planes finales cuando se pasó a los aliados? O Inés no supo interpretar la visión... A veces pienso que no fue lo uno ni lo otro; sencillamente, alguna fuerza divina decidió torcer mi destino. *¿Mais, pour quoi?* ¡Con todo lo que todavía yo podría dar a Francia, lo que sin duda mi hijo, bien encaminado por mí, también sería capaz de hacer por engrandecerla!

El conde de Las Cases suspira sin responder. La afición del emperador por la astrología y los adivinos, conocida sólo por los más allegados, es algo que deplora. Como súbdito del emperador, como ciudadano de Francia, como miembro de la Academia Francesa, Las Cases piensa que su soberano debe tomar las decisiones que afectan al Estado después de un juicioso análisis, utilizando sus grandes facultades, y no confiando en la palabra de una mujer inculta y sospechosa, como siempre le pareció Inés, la andaluza de cabellos crespos y brazos sinuosos que hipnotizó al emperador de Francia con sus artes esotéricas.

Para Las Cases, es inexplicable que un hombre tan brillante ponga su fe en una sarta de supersticiones. Semejante locura se dice, sólo puede provenir de su sangre italiana.

Inés, la andaluza, arribó a París en el *entourage* de José Bonaparte cuando este regresó a París en una visita oficial poco después de asumir el trono de España, donde le había colocado su hermano. Entre los madrileños, la cercanía de Inés a la corte española ya había provocado murmuraciones. Sospechaban que el rey José Bonaparte era un libre pensador, aunque asistiera a misa todos los domingos, y aunque la nueva constitución napoleónica que introdujo en España conservara como religión oficial la fe de Roma. Y era cierto que José creía con todas sus fuerzas en los poderes de Inés; según él, numerosas veces la bruja predijo acontecimientos que lo salvaron del desastre y la muerte.

El emperador también cayó en sus redes cuando su hermano favorito la llevó una noche a las Tullerías para entretener a la corte. La mujer vestía faldón rojo y corpiño blanco y recogía su cabellera enmarañada con una cinta negra. Sus hermosas manos de dedos finos dibujaban en el aire signos misteriosos invocando a los espíritus. Delante de todos, la andaluza anunció a Napoleón que la emperatriz ya tenía su semilla en el vientre, y que pronto llegaría el heredero; un varón. Dos o tres veces repitió *un petit prince* de ojos claros y cabellos rubios como su madre austriaca, inteligente y valiente como su extraordinario padre. En adelante, el emperador no pudo prescindir de ella.

"¡La mirada de Napoleón, cuando escuchó sus palabras!", pensó Las Cases, "sólo la puedo comparar a la de un niño con hambre parado frente a una pastelería a quien de pronto una mano desconocida ofrece el dulce que más le apetece. ¡Ay, la ascendencia que logró Inés sobre el emperador de Francia cuando, pasadas tres semanas, se anunció el embarazo de la reina, y luego, cuando nació el rey de Roma, rubio y de ojos azules, como ella lo había descrito!".

—Al menos *Madame Mére* piensa hoy en mí con afecto... —el emperador vuelve a recordar que es su cumpleaños—. La lealtad de mi madre es inconmovible, al margen de mi buena o mala fortuna... También mi querida esposa, María Luisa, me tendrá presente en sus oraciones. Le dirá a mi hijo que su padre, el soberano que más gloria dio a Francia, debería estar celebrando este día con un regio baile en el palacio de las Tullerías, un baile como el que ofrecimos hace cuatro años, cuando lo bautizamos a él. ¡Jamás existió una noche más feliz ni más deslumbrante en la historia del palacio! La emperatriz y yo recibíamos en el descanso de la escalinata, con la cuna de *l´aiglon* a su lado. Mi mujer parecía salida de un lienzo de Watteau; llevaba un traje blanco, y en el cuello el collar de esmeraldas y diamantes que le obsequié cuando nació mi hijo... joven, bella, radiante en su nueva maternidad... ¡Quién, que contara para algo, no llegó esa noche a las Tullerías a festejar al pequeño *Napoleón-François-Joseph-Charles!* Todos los embajadores de Europa, el señor Johnson de *les États Unis*, los hijos de Josefina, mis hermanos, *ma belle soeur Pauline, Madame Mére*, la Academia en pleno, los ingenios más agudos de los salones más cotizados de París. Se llenaron muchas salas con los obsequios que trajeron para el pequeño heredero de Napoleón. Mi querida y bondadosa Josefina envió una cucharita de oro con la corona imperial engarzada en diamantes. Y el chef Mauricio se excedió demostrando su maestría: ¡Cinco mesas para platos confeccionados con aves, otras tantas para las carnes y para los pescados y el caviar! ¡Los patés, los terrines, las tartas y las trufas que se sirvieron esa noche! Las champañas más costosas, los mejores vinos del valle del Loira fluyeron sin cesar. Y yo, el padre orgulloso, el fundador de una dinastía al fin asegurada, ¡no pude saborear ni un bocado por cumplir con mis deberes de anfitrión! María Luisa tendrá que terminar sus recuerdos de aquella fiesta diciendo a mi hijo que por un golpe traicionero del destino, su padre, el emperador Napoleón Bonaparte, hoy cumple sus cuarenta y seis años en alta mar, prisionero en una nave inglesa que lo conduce a un entierro en vida.

El silencio se prolonga tanto que Las Cases teme que el pobre hombre haya olvidado nuevamente el sitio en que se encuentra, hasta que el emperador vuelve a dirigirse a él.

—Las Cases, ¿no crees que debo escribir a la emperatriz detallando paso a paso la brillante estrategia que había diseñado frente a los aliados, para que algún día mi hijo la conozca?

El general Bertrand, que hace de guardaespaldas y lo sigue a pocos pasos, escucha en silencio el coloquio del emperador con Las Cases, mientras a su vez cavila:

"¡Mi pobre emperador! Si supiera la verdad de lo que ocurrió en Ligny... Pero decírselo ahora sería darle el golpe de gracia, no lo resistiría. Es mejor que lo ignore para siempre".

Sin dar tiempo a Las Cases de responder, Bonaparte camina hasta la borda y se asoma para mirar las olas que azotan al buque, recibiendo en el rostro una aspersión salada y húmeda.

"¿Intentará arrojarse al mar?", las Cases se alarma, "menos mal que Bertrand está cerca de él".

—¿Por qué no fallecí con *mes braves en* Waterloo? —la pregunta del emperador parece confirmar el temor de Las Cases.

Ya Napoleón quiso quitarse la vida a su regreso de la desastrosa campaña de Rusia. Fue en Fontainebleau, la noche del 12 de abril, cuando supo por su hermano José que la emperatriz María Luisa y su hijo habían abandonado París y viajaban hacia Austria porque los aliados habían llegado hasta París. Pero el veneno que el Dr. Yves le diera cuando el emperador temía ser capturado por el ejército ruso había perdido eficacia, y sólo sufrió, para su vergüenza, una noche de vómitos y calambres. Entonces, los generales de la alianza acordaron desterrarlo a la isla de Elba, un sitio escogido por él mismo. Napoleón pudo vivir tranquilo el resto de su vida, un pequeño monarca con su propia corte, hasta un pequeño ejército, y todas las comodidades de la civilización europea. La emperatriz María Luisa lo hubiera acompañado en su exilio. Las Cases no afirmaría lo mismo de la vida que los espera en Santa Elena.

El fiel Las Cases no puede evitar la reflexión: "¡Qué distinto pudo ser mi propio sino!... Pude viajar a América cuando enviudé, comenzar allá una vida nueva con mi hijo… Pero le juré servirle hasta con mi vida, uní mi destino al suyo cuando estaba en la cúspide. Y así será".

El corso escapó de Elba y volvió a Francia y, aunque fue un triunfo pasajero que duró apenas cien días, obligó a los aliados a contar más muertos y terminó de vaciar sus arcas. A través de su padre, el emperador de Austria, María Luisa obtuvo la gracia de que no lo condenaran a muerte. Pero este segundo destierro debe cegar para siempre toda posibilidad de un nuevo retorno.

Esa noche, a bordo del *Northumberland,* mientras el pequeño grupo de franceses celebra con un ánimo admirable el cumpleaños de su emperador, el almirante Cockburn cena en su comedor privado con sir Theodore Williams. El mismo Cockburn sabe muy poco sobre su invitado, aparte de la información contenida dentro del sobre que éste le presentó al subir a bordo: "Sírvase seguir las instrucciones de sir Theodore Williams en todo lo que guarde relación con el prisionero Napoleón Bonaparte". La esquela estaba firmada por el Primer Ministro. El almirante ha oído decir que sir Theodore labora en la nueva sección de agentes especiales creada para apoyar a la red de espías que opera en los círculos diplomáticos de las capitales europeas, y que estos nuevos agentes son seleccionados, con la ayuda de la Royal Society, por su brillante intelecto. Su tarea es encontrar discretamente el talón de Aquiles de los enemigos de Inglaterra. Williams conversa en voz baja con el almirante Cockburn:

—Sir George, ojalá no resienta la autoridad que me ha dado el gobierno de Su Majestad para tomar decisiones en lo que concierna al prisionero. Sé que parece extraño que un ciudadano sin rango en la marina inglesa pretenda imponerse en un barco que usted, un almirante, comanda. Y todavía más, que seré yo quien haga los arreglos para el desembarco y el alojamiento del emperador en Santa Elena, aunque usted ha sido designado gobernador de la isla. Creo que le debemos una explicación, pero le ruego me dé su palabra de militar y caballero que jamás repetirá lo que voy a decirle. Es un secreto de estado.

—La tiene usted, sir William. Hable tranquilo, que lo que diga jamás saldrá de mis labios.

—Escuche: aunque la alianza europea participó en la batalla final, fuimos nosotros, los británicos, quienes ideamos el plan que derrotó a Bonaparte. Y, en justicia, así debía ser. Ningún país sufrió tanto por las ambiciones imperiales de Napoleón como Inglaterra. El bloqueo que el corso impuso a nuestro comercio marítimo arruinó al país, a los financistas y a las firmas inglesas. Cuando los aliados casi se daban por vencidos fuimos nosotros, el Rey y el Parlamento, los nobles y los mercaderes, la marina y el ejército, cada ciudadano de nuestra isla bendita, quienes nos mantuvimos firmes ante la embestida brutal delególatra zorro francés.

Sir Williams hace un alto, bebe un sorbo de vino y se arrellana en su silla mirando a su interlocutor, observa que tiene toda su atención y prosigue: —Es inevitable que la historia ponga el triunfo a los pies del duque de Wellington, ya que el colofón fue la batalla de Waterloo. Wellington es un buen soldado, peleó valientemente. Pero detrás de Waterloo estuvimos nosotros los del servicio especial de inteligencia. De no haber sido por Inés, mejor dicho, por lo que mi sección logró hacer con Inés —y no sonría en esa forma, sir George, no hay una historia de amor en torno a esa mujer—, Napoleón hubiera dado caza al ejército de Blücher hasta destruirlo cuando sus filas desbandaron tras la ofensiva de los franceses en Wavre. La derrota total de ejército de Blücher el 15 de junio en Wavre pudo haber dado oportunidad al ejército napoleónico de sorprendernos mientras el apuesto Wellington bailaba en Bruselas y créame, otro hubiera sido el final de esta historia. Pero, contrario a su costumbre en el campo de batalla, Napoleón dio la espalda, regresó a Charleroi y dejó ir a los malheridos soldados de Blücher. ¿Se ha preguntado usted por qué? Algunos estrategas de Su Majestad británica piensan que Napoleón estaba agotado después de tantas campañas, prematuramente envejecido, y que sus facultades se habían deteriorado. Pues no se trató de eso. Sabemos cuáles eran los planes de batalla que tenía Napoleón para enfrentar a los aliados y como siempre eran brillantes, con mucha posibilidad de victoria a pesar de la desventaja numérica que enfrentaba en este encuentro. Napoleón desistió de destruir lo que quedó del ejército de Blücher porque nosotros nos aseguramos de que Inés, la bruja española que mantenía en las Tullerías y en quien confiaba ciegamente, tuviera una *visión,* una visión providencial, donde veía a Napoleón venciendo a

Blücher en Ligny, y luego, sin dificultad, al reducido ejército de Wellington.

El almirante sirve otra vez brandy en las copas. Sir Theodore se anticipa a responder la pregunta que adivina en sus ojos.

—No, no fue tan difícil que la bruja "viera" precisamente la ciudad de Ligny, el sitio donde Napoleón quería que se produjera el encuentro de los ejércitos. El general Moureau que ya había colaborado con nosotros antes de ser desterrado por Bonaparte a las Américas, regresó a Inglaterra a tiempo para servir a nuestros propósitos. Al amparo de la noche, cruzó el Canal de la Mancha con dos de mis hombres y se reunió con algunos de sus antiguos compañeros de armas. Sabe usted, muchos de los generales franceses estaban cansados de una mortandad que parecía no tener fin. Ellos informaron a Moureu cuál era la estrategia diseñada por el corso para enfrentar el nuevo reto de los aliados, Moureau trajo a Inglaterra una copia de los planes de batalla del emperador donde indicaba que atacaría a Blücher en Ligny; además, Moureau tenía un medio hermano en las Tullerías, y él lo puso al tanto de la existencia de Inés, información que me transmitió. Así concebí un plan que denominé *La cola del escorpión.* El escorpión, por supuesto, era Napoleón, y con mi plan me proponía privar a su mortal ponzoña de su eficacia. Para llevarlo a cabo, me hice trasladar a Francia de noche en un bote de remos, desembarqué en Le Havre, me vestí de comerciante y tomé un coche hasta París. Esperé varios días a la bruja hasta que, como solía hacer, llegó al mercado a comprar las hierbas para sus pociones. Inés era una gitana inculta, pero hasta ella se daba cuenta del descontento que reinaba en París, y después del breve exilio de Bonaparte en Elba, reconocía que su protector ya no era omnipotente. Cuando le sugerí decir al emperador que había tenido una visión, ella vio la oportunidad caída del cielo, aceptó colaborar por una jugosa suma de libras esterlinas y una vida nueva, con su hija Mercedes, en un pacífico condado de Inglaterra. Sir Theodore continúa el relato que sir George escucha sin disimular su interés:

—Un detalle magistral, que convencería sin el menor atisbo de duda a Bonaparte de la veracidad de la visión de Inés, se me ocurrió mientras guardábamos silencio en la pequeña embarcación que nos cruzó de noche a Francia: Di a la andaluza instrucciones de decir a Bonaparte que estaba aterrorizada porque también había visto que ella misma moriría muy pronto. Una enorme viga de madera le caería encima. Una semana después de comunicar al emperador su visión, a la hora que Bonaparte revisaba con sus generales sus planes de batalla, "murió" Inés bajo un viejo madero que se desprendió del techado de la casa donde vivía su hija Mercedes. Por supuesto, no fue Inés quien realmente quedó aplastada e irreconocible. Conseguimos el cuerpo de una pobre costurera que había fallecido poco antes de fiebres, la vestimos con ropa de Inés, faldas y collares que Bonaparte conocía, y la colocamos en el piso, debajo del viejo leño destinado a caer. La viga hizo el resto de trabajo. ¿No creería Bonaparte a Mercedes cuando llegó a palacio, inconsolable, a comunicarle que su madre, Inés, había muerto? ¿Y más aún cuando él mismo fue al sitio y vio cómo había fallecido la andaluza?

—*My Gosh* ¡un plan genial, sir Theodore! —exclamó el almirante, francamente impresionado.

—*But then...* —continúa sir Theodore—: No crea que no tuvimos nuestra cuota de zozobras... Usted sabe cómo son esas mujeres. A Inés se le metió entre ceja y ceja que tenía que ver el funeral que el emperador daría a "sus restos" en el Panteón de St.

Geneviève, más cuando sabía que el mismo Napoleón asistiría acompañado de su Estado Mayor, de la supuesta huerfanita Mercedes, de su madre, de la emperatriz y algunas de sus damas de compañía. "No es cualquiera que recibe un funeral de Estado, y que además puede asistir a verlo", discutía Inés. Nos costó mucho hacerla desistir; hubo que prometerle que esa misma noche su hija se lo describiría minuciosamente. Y en verdad, los ritos fueron imponentes: Hay que recordar que Bonaparte estaba convencido del gran servicio que Inés había hecho a Francia. Hasta encomendó a su madre el cuidado de Mercedes, la hija de la bruja.

—*I say! Brilliant, Sir Theodore!* ¿Y luego?

—Al principio conseguimos mantener a Inés escondida en casa de nuestro ministro. Pero casi se va todo al tiesto por la estupidez de esa mujer. A pesar de haberle prohibido salir, se escabulló a la catedral de Notre Dame porque necesitaba confesar un pecado; con tan desastrosa coincidencia que al entrar a la nave se encontró cara a cara con una de las damas de compañía de la emperatriz que la conocía del palacio. Después supimos que a la condesa se le había encomendado llenar un frasco con el agua bendita que está frente a la imagen de Notre Dame y que la emperatriz, católica ferviente, quería obsequiar al emperador a su partida.

—*¡Damn!* ¿Cómo resolvieron eso?

—La condesa estaba convencida que la bruja había muerto, ya que había acompañado a la emperatriz al entierro. Pensó, aterrada, que lo que tenía por delante era un alma en pena, y no estaba muy lejos de la verdad, ¡ja!, ¡ja!, ¡ja! Dejó caer el frasco, dio media vuelta y salió corriendo ¡como quien ha visto al mismo diablo! Uno de los nuestros había seguido a la andaluza y presenció la escena. Temimos que todo estuviera perdido. Pero nadie salió a buscar a Inés —continuó Sir William—. El informante que teníamos dentro del palacio era de la opinión que, si acaso, el emperador quedó más convencido que nunca de los poderes de la andaluza, ya que aún después de muerta, vagaba por la tierra. Pocos días después del fatídico encuentro en Notre Dame, el emperador Bonaparte, a la cabeza de su *Armée*, abandonó París para la batalla final.

* * *

Mientras, en el comedor destinado a los franceses, el chef Henri en persona llega con el pastel de cumpleaños para el emperador. El general Goureaud sirve la champaña, y el conde Montholon ofrece el brindis:

—Por Napoleón, primer emperador de Francia. Por sus triunfos en el campo de batalla y la gloria que dio a la patria. Por su genio al crear el Código Napoleónico, que perdurará como modelo de equidad y sabiduría. El nombre de Napoleón será para siempre motivo de orgullo para los franceses y de admiración y envidia para el mundo. ¡Salud, y larga vida al emperador!

Junto con los otros, el general Bertrand alzó la copa: *¡Vive l´Empereur! ¡Bonheur!* No pudo Bertrand, sin embargo, impedir los recuerdos amargos: "¿Dónde estará ahora la serpiente traidora? Cuando la condesa contó en la corte que se había encontrado con el fantasma de Inés vagando por la catedral de Notre Dame, supe que había dos posibilidades: La primera, improbable dado lo bien que la condesa conocía a la andaluza, es que la hubiera confundido con otra persona. La segunda, que Inés no hubiera muerto, como se decía. Visité al vendedor de hierbas que ella frecuentaba en el mercado y que la conocía bien. Si Inés seguía viva, tendría que abastecerse de sus hierbas. Él fue quien me dijo que la había visto pocos días antes subir a una diligencia acompañada de un forastero misterioso, un hombre que la había estado esperando varios días, y que a su entender, debía ser inglés. Si la muerte de Inés bajo la viga había sido una charada, tenía que deberse a un plan muy elaborado. Hoy no me queda duda que allí estuvo la mano de los ingleses, pero entonces sólo eran sospechas que no me atreví a comunicar al emperador... Había demasiado en juego. Pagaré mi cobardía teniendo que vivir con este secreto hasta mi muerte. Me consuela pensar que el destino es el destino, que la hora de Napoleón había tocado".

* * *

El almirante Cockburn, contagiado con la tensión del relato, ni siquiera toca sus cubiertos. Es todo oídos.

—La noche del 11 de junio —sir Theodore se acerca al final— nos reunimos en una posada en las afueras de París: Inés, Mercedes que consiguió escabullirse de la casa de *Madame Mére*, y yo. La diligencia que había contratado nos llevó a Le Havre. A medianoche del siguiente día fuimos hasta la playa donde estaba citado nuestro bote, y, sin más incidentes que un fuerte aguacero y una mar brava, cruzamos el Canal de la Mancha. En Londres, nos sentamos a esperar los resultados de nuestra intriga. Cuando los informes que fueron llegando del campo de batalla demostraron que el plan había tenido éxito, dimos el dinero acordado a Inés. Ahora vive con su hija en un pueblecito de Yorkshire, donde compró una taberna y redondea sus ganancias augurando la buena fortuna de los parroquianos.

—¡Una historia sorprendente, sir Theodore! Pensar que ustedes, de *Intelligence,* encomiendan una misión de tal magnitud virtualmente a un solo hombre, mientras en la marina y el ejército tenemos que movilizar a miles y miles de enlistados, dejar sentadas líneas de comunicación y de abastos, en fin, una acción costosísima para derrotar al enemigo. ¡Y cuántos soldados salvaron su vida gracias a su estratagema! Debe sentirse muy orgulloso de *La cola del escorpión*, sir Theodore. ¿Pero sabrá Bonaparte algún día la verdad?

—Hasta ahora parece no haber sospechado nada, y eso que la condesa de Montholon, la misma que vio a Inés en Notre Dame, viaja en su séquito. Personalmente, pienso que la fama de ingenio que tienen los franceses es exagerada. Pero no crea que cerramos el expediente de *La cola del escorpión*. Por eso viajo en el *Northumberland*, y por eso me haré cargo de instalar a Bonaparte en Santa Elena. Estoy supervisando la última fase, que por cierto demorará algún tiempo para no despertar sospechas. Sólo un dato más, el resto lo dejo a su imaginación... fui quien escogió al cocinero que sirve a Napoleón desde que se entregó a los británicos, el que se quedará a su servicio en la isla... se trata de Henri, de Marsella, casado con una inglesa.

Sir George suspira hondo y sacude varias veces la cabeza. De un solo sorbo escancia su copa de oporto añejo. A pesar de los aplausos verbales que ha dado a sir Theodore, su temperamento militar se aviene mejor a su oficio de vencer al enemigo en una batalla limpia, cara a cara. Antes de pedir que traigan el *pudding*, pregunta a su huésped:

—Dígame, sir Theodore, una última cosa: ¿no teme usted que algún día Inés revele lo que realmente ocurrió en Francia?

—No, sir George, no creo que exista ese peligro. Primero ¿quién le creería? Segundo, las brujas no juegan dos veces con su propio destino.

TIEMPO DE NARRAR

A Francisco Méndez Escobar (1907-1962)

La génesis del relato en América Central

América Central, al igual que otras regiones con tradición literaria ancestral, narra, cuenta, relata mucho antes de su constitución como región políticamentae delimitada. Nuestros antepasados, los mayas y sus descendientes, fueron autores de textos, que a diferencia de los pueblos ágrafos, transmitieron de manera escrita; luego, tras la aniquilación española, cuando fueron quemadas la mayoría de sus obras, las trasladaron de boca en oído, de abuelos a nietos. Producto de este intercambio de información —cada quien brindó su propia versión, cambió nombres, aumentó o disminuyó las historias, según su particular punto de vista— surgieron magistrales textos como el *Popol Wuj*, el *Rabinal Achí, El Memorial de Sololá o Anales de los Cakchikeles* y el *Título de los Señores de Totonicapán*.

Por otro lado, la intromisión de navegantes, soldados y sacerdotes españoles a estas tierras trajo su aporte a la ficción. Recordemos que Cristóbal Colón (1451-1506), El portador de Cristo[1], fue quien primero narró, mitad ficción, mitad testimonio, lo que sus ojos, es decir los ojos de Europa en América, vieron; historias que en su momento lo convirtieron en uno de los primeros *Best Seller* del mundo.

---

[1] Hasta antes de 1492, el almirante firmaba como Xpo ferens, haciendo alusión a su condición de ser portador, del Espíritu Santo o de Cristo.

El soldado Bernal Díaz del Castillo (1492-1581), profundo admirador de Hernán Cortés, escribió ya anciano, ciego y con dolencias la *Verdadera y notable historia de la Conquista de la Nueva España*, en la que además de relatar los hechos que protagonizó a sus veinticinco años y que se traducen como la narración muy particular de la "Conquista" de México y América Central, inserta en su texto historias cortas excepcionales que seguramente, cuando fueron leídas del otro lado del charco, impactaron a muchos, especialmente a Miguel de Cervantes a quien incluso le ayudaron a darle toques finales a la historia de *Don Quijote de la Mancha*[2].

Coincido plenamente con Sergio Ramírez[3] en que otro de los autores de ese momento histórico, escritor de relaciones de la Conquista fue Gonzalo Fernández de Oviedo, especialmente cuando narra *El caso peligroso e experimentador de la grandísima habilidad que tuvo un vecino de la ciudad de Panamá en nadar*. Ramírez expresa en la ahora clásica *Antología del Cuento Centroamericano* que esas páginas escritas "reúnen las condiciones de un verdadero cuento, u otras del mismo Oviedo en que se recogen hechos y tradiciones, vistas por él las primeras y tomadas de la boca de los naturales las segundas".

Inquisición y sus consecuencias

No cabe duda que la invención de la imprenta en 1463 por Juan Gutenberg (1397-1468) fue uno de los sucesos que cambiaron la forma de pensamiento y su expresión. Aunque no para todos, ya que con la unión

---

[2] Según estudios sustentados por académicos de la Universidad de Harvard en el 2006 -año conmemorativo de los 4 siglos de publicación de *Don Quijote de la Mancha*.

[3] Sergio Ramírez. Antología del Cuento Centroamericano. (Costa Rica: Editorial Universitaria Centroamericana): 1973.

de Fernando e Isabel se impulsó la impresión y difusión de toda clase de textos en España, pero se restringió para América.

Por ejemplo, la reina Isabel de Portugal, esposa de Carlos V, instruyó en 1531, mediante un decreto real en el que se dictaban las normas a seguir en América:

> "Yo he seydo ynformada que se pasan a las yndias muchos libros de Romance de ystorias vanas y de profanidad como son el Amadis y otros desta calidad y porque éste es mal exercicio para los yndios e cosa es que no es bien que se ocupen ni lean, por ende yo vos mando que de aquí adelante no consyntays ni deys lugar a persona alguna pasar a las Yndias libros ningunos de ystorias y cosas profanas salvo tocante a la religión christiana e de virtud en que se exerciten los dichos yndios e los otros pobladores de las dichas Yndias porque a otra cosa no se ha de dar lugar"[4].

Posturas como la anterior y otras más estrictas —como la creación del *Índice de los libros prohibidos*, instituida por el Papa Pío V, que consistía en la revisión de textos impresos por parte de teólogos y profesores—, censuraban la circulación de ciertas obras que se consideraban sospechosas para la fe y la moral de los religiosos. La circulación de obras poéticas y dramáticas no sufrió restricción, debido a que a éstas se les consideraba un instrumento evangelizador.

Debido a lo anterior, la expresión literaria que más se produjo fue la "Crónica de relación". En ella se narraban hechos y acontecimientos ocurridos en América que los europeos desconocían y que poco a poco fueron convirtiéndose en leyendas. Tal y como lo señala Albino

---

4 Agustín Millares Carlo. *Introducción a la historia del libro y la historia de las bibliotecas.* (México: Fondo de Cultura Económica): 268, 1971.

Chacón,[5] la producción textual durante la Colonia estuvo marcada por la invención[6] de la América. "Esa invención se inspiró, en primer momento, en cuanto producción discursiva, en una multitud de referencias mitológicas, descripciones bíblicas del paraíso, así como sobre la base de descripciones clásicas del *locus amoenus*[7] y de la belleza y bondad natural del hombre de la Edad de Oro".

La llegada de la imprenta al Reino de Guatemala en 1630 y sus primeras publicaciones luego de treinta años marcaron una pauta, para que dos siglos después surgieran los primeros autores que se despojaron del discurso religioso.

Los fundacionales

El siglo XIX, profundamente influenciado a todo lo largo y ancho del continente por el Romanticismo europeo además del Realismo y el Naturalismo dio pie a que surgieran los primeros cuentistas centroamericanos. José Milla (1822-1882) quien con sus novelas de cierta forma construye la identidad del criollo guatemalteco de ese siglo, no solamente es el primer novelista consumado[8], sino también, a mi juicio, el primer cuentista centroamericano. Muchos de sus relatos son considerados como cuadros de costumbres, pero sin duda hay en ellos toda una caracterización del relato breve. Otro de los importantes autores fundacionales

Francisco Alejandro Méndez

---

[5] Albino Chacón. "Posibilidades de escritura en los inicios de la colonia centroamericana", en *El discurso colonial: construcción de una diferencia americana.* Catherine Poupeney Hart y Albino Chacón (Editores). (Costa Rica: Editorial Universidad Nacional): 245-261, 2002.

[6] Edmundo O'Gorman. *La invención de América.* (México: Fondo de Cultura Económica): 1958.

[7] Ambiente perfecto.

[8] Aunque el primer novelista centroamericano fue Antonio José de Irrisari (1786–1868), con la publicación de *El cristiano errante* (1846–1848).

del cuento en la región es el costarricense Manuel González Zeledón, "Magón" (1864-1936), a quien el propio Sergio Ramírez considera el "primer cuentista en forma que se dio en Centroamérica". También debemos mencionar a la hondureña Lucila Gamero de Medina (1873-1964), primera novelista de ese país y creadora de una importante colección de relatos breves. Sin embargo, quien es considerado el primero en escribir un cuento en Honduras es Carlos Federico Gutiérrez (1861-1899), autor que, según Helen Umaña[9], fue entre otros, punto de referencia para los escritores del siglo XX. Froylán Turcios (1875-1943) es otro de los primeros narradores modernistas de la tierra de Francisco Morazán.

En El Salvador, uno de los primeros cuentistas fue Francisco Gavidia (1863-1955), considerado un autor modernista por excelencia y maestro de Rubén Darío (1866-1917) en el campo de la teosofía. Precisamente es Darío, extraordinario cuentista del siglo XIX, quien escribió una importante colección de relatos, que van desde lo social, pasando por lo fantástico hasta lo experimental.

Vanguardias de principios del siglo XX

Uno de los autores más importantes del período de las Vanguardias es el guatemalteco Rafael Arévalo Martínez (1884-1975). Su texto *El hombre que parecía un caballo* (1915), se adelantó a los surrealistas[10] y está construido con una narrativa que rompió con la escritura decimonónica y dio pie a una nueva forma de narrar. Miguel Ángel Asturias (1899-1974), con la publicación de *Leyendas de Guatemala* (1929), hizo

[9] Helen Umaña. Panorama crítico del cuento hondureño (1881-1999). (Guatemala: Letra Negra): 1999.
[10] El Primer Manifiesto Surrealista fue publicado en 1924.

Tiempo de narrar

evidente su tendencia de narrar a partir de discursos surrealistas. Asturias es el autor más importante de América Central. Otros cuentistas guatemaltecos, cuya producción es de suma importancia por su innovación y originalidad son Mario Monteforte Toledo (1911-2005), Francisco Méndez Escobar (1907-1962) y Alfredo Balsells Rivera (1904-1940).

Como autores centroamericanos innovadores de las literaturas de sus países podemos mencionar, en Costa Rica: Carlos Salazar Herrera (1906-1980), Fabián Dobles (1918-1997), Max Jiménez (1909-1947). En El Salvador: Manuel Aguilar Chávez (1913-1957) y Salvador Salazar Arrué, "Salarrué", (1899-1975). En Nicaragua: Manolo Cuadra (1908-1957), Fernando Centeno Zapata (1922-19), Hernán Robledo (1898-1969). Y en Panamá: José María Sánchez (1918-1973) y Rogelio Sinán (1904-1994), quizá el narrador más importante y quien introdujo la Vanguardia a su país.

El Boom y América Central

Durante la década de los años 60, las obras de los escritores de América Latina tuvieron una muy buena recepción en Europa. Fueron publicados por grandes editoriales y traducidos a muchos idiomas. Este fenómeno se le conoce como el *Boom literario latinoamericano,* aludiendo onomatopéicamente a la explosión de sus obras. Muchos de ellos se posicionaron en los primeros lugares de ventas en las librerías; además, algunos se desplazaron a Europa por diversos motivos, entre ellos, el exilio.

El año de 1967 fue trascendental. Miguel Ángel Asturias fue reconocido con el Premio Nobel de Literatura. Este acontecimiento abrió una nueva posibilidad para que los ojos del mundo voltearan hacia la región. Sin embargo, la repentina confrontación entre Asturias y Gabriel García Márquez abrió una brecha determinante para que la literatura guatemalteca y centroamericana en general, tuviera una recepción sesgada. Este mismo año fue la publicación de *Cien años de soledad* y también el asesinato del poeta Otto René Castillo, por parte de las fuerzas militares guatemaltecas.

En América Latina, el surgimiento de extraordinarios narradores[11] de la talla de Julio Cortázar, Juan Carlos Onetti, Julio Ramón Ribeyro, Jorge Luis Borges, Mario Vargas Llosa, Mario Benedetti, Alfredo Bryce Echenique, entre otros, marcó un giro en la literatura del continente. Se retomó lo fantástico, lo social, lo experimental y se buscó narrar reflejando el imaginario latinoamericano, a partir de posiciones estéticas y claro, ideológicas.

Nuestros autores centroamericanos respondieron al influjo. Algunos como Augusto Monterroso, con textos innovadores como *Obras completas y otros cuentos* (1959) y posteriormente *La Oveja Negra y otras fábulas* (1969), las cuales marcaron un cambio debido a su síntesis e ironía. En Guatemala, también surgió la narrativa de José María López Valdizón (1929-1975)[12], especialmente su libro de cuentos *La Vida Rota* (1960). En otros países de América Central surgen autores como la costarricense Julieta Pinto (1922) y el nicaragüense Juan Aburto (1918-1988).

Tiempo de Narrar

Al recibir la propuesta para trabajar esta muestra literaria, lo primero que vino a mi mente fue la clásica antología centroamericana realizada por el compatriota

---

[11] Anteriormente, autores como Alejo Carpentier, Miguel Ángel Asturias, Roberto Arlt, José María Argüidas, entre otros.

[12] Durante el gobierno de Kjell Laugerud García fue secuestrado y asesinado.

Amílcar Echeverría. Quizá, una de las primeras del área. Ese acercamiento a los autores costarricenses y salvadoreños fue fascinante, pues me hizo notar ciertas diferencias respecto a lo que narraban o a la forma en que lo hacían en comparación con los autores guatemaltecos. En los años 80 llegaron a mis manos los dos tomos de la antología de Sergio Ramírez. Debido a lo extenso de su estudio y a la gran cantidad de cuentos que incluye, fue fundamental para conocer a los autores de la región. Probablemente estas antologías me marcaron para ingresar en la Maestría en Estudios de Cultura Centroamericana y seguir con el Doctorado. Probablemente también me marcaron anécdotas como cuando en San Juan Ojojona, Honduras, me enteré que Francisco Morazán había huido de sus captores disfrazado de mujer; o cuando tuve conocimiento de que Rubén Darío estuvo enfermo en un hospital guatemalteco; o cuando descubrí que Máximo Soto Hall escribió la primera novela antiimperialista de América en Costa Rica (*El Problema*, 1899). Los hechos anteriores, en los cuales vemos a centroamericanos protagonizando historias en distintos países, son situaciones que definitivamente me llevaron a comprender que la literatura es un fuerte vínculo entre los habitantes de la región. De lo que también estoy completamente seguro es que desde hace muchos años la literatura producida en el área me atrae profundamente. Con lo anterior, quiero explicar que para mí fue muy satisfactorio trabajar en la construcción de esta muestra, que al final de cuentas presenta 35 autores, con igual número de relatos.

Debo, o ¿no debería?, explicar la inclusión y por supuesto, la exclusión de los autores. Además, debo compartir que luego de nueve meses de extensas lecturas, las cuales incluyen más de 150 libros de cuentos, antologías, algunas revistas y diarios, si bien, mi percepción de la producción textual de narrativa corta de escritores centroamericanos ha madurado, a la vez me ha reconfirmado lo innegable: poseemos un importante número de autores y autoras con una producción cuentística extraordinaria. Y anoto "reconfirmar", no porque alguna vez lo haya dudado, sino simplemente porque nuestra situación de invisibilidad frente a la producción literaria hispanoamericana —evidente en gran mayoría de antologías, estudios y ensayos—, hace que el cuestionamiento surja. Son pocos los ejemplos de material impreso que toman en cuenta a nuestros autores. Algunas veces nos representó Miguel Ángel Asturias, otras muchas Darío, pero de allí, era muy difícil que algún otro autor centroamericano se "colara". Al entender el funcionamiento del canon y de sus implicaciones, comprendí que no se trataba de que nuestros autores fueran excluidos por su falta de calidad o ingenio, sino por falta de interés e investigación al respecto. La responsabilidad va en ambas direcciones. Por un lado nos han omitido, pero por el otro, nos hemos dejado.

Por eso, me parece importante la aparición de antologías como esta, que aunque ofrece una muestra parcial —con algún grado de objetividad académica y estética, si acaso existiera—, es una muestra, que a mi juicio, integra a las voces "representativas" de la región. Este juicio es producto del convencimiento de que la producción literaria de cada uno de ellos es la mejor en el área.

Esta Antología se compone de 35 relatos que constituyen una visión bastante amplia del qué y el cómo se escribe en América Central, especialmente en las últimas dos décadas. En la muestra no existe unidad temática, por el contrario, se descubre una heterogeneidad de contenidos: relatos íntimos, sociales, fantásticos, del desencanto, de posguerra, entre otros. Lo interesante es que encontramos similitudes en el tratamiento de los personajes, en las historias y los acontecimientos, no entre autores del mismo país, sino entre autores de distintas nacionalidades, como podrían ser los relatos salvadoreños con los guatemaltecos, los nicaragüenses con los costarricenses y los hondureños con los panameños. El objetivo no es mostrar similitudes, sino por el contrario, evidenciar las diferencias que permitan de alguna forma explicar el fenómeno de encontrarnos ante una producción literaria intensamente compleja y rica en matices. Los centroamericanos expresamos el mundo como invitando al lector a disfrutar de la visión a través de un caleidoscopio. Las distintas formas de construir el lenguaje, de elaborar los personajes y de contar las anécdotas o historias que forman los acontecimientos lo confirman y se traslucen en esta muestra. Encontramos algunas coordenadas orientadoras, como el hecho de que casi todas las narradoras pretenden contar una historia que retrate la situación de la violencia contra la mujer, el acoso al que es sometida y su rol en la sociedad. Otras, se apropian del discurso patriarcal y lo reconstruyen para crear un mundo en el que existan diversas posibilidades para la mujer.

Cierto es que de los autores seleccionados para *Tiempo de narrar*, existen algunos que tienen reconocimiento internacional, pero también se incluye a otros que recién inician la publicación de su obra. En todos los relatos es clara y consistente la existencia del oficio para escribir. Algunos son autores que tienen al periodismo como aliado, ya sea como insumo o como una herramienta para la construcción de sus relatos. Algunos de ellos participaron en diferentes momentos de las luchas internas de sus países, en contraste con otros, que apenas están alcanzando las tres décadas de vida, hecho que en ningún momento pone en entredicho la calidad de la propuesta literaria. Todos los autores incluidos, a través de sus personajes, logran captar la esencia de lo que se escribe en el Istmo.

Algunos relatos nos atrapan desde sus primeras líneas; otros, tenemos que llegar hasta el desenlace y volverlos a leer, presos de lo fantástico, ya que no es sino hasta el punto final cuando nos revelan su desconcertante recurso narrativo.

No me parece conveniente hablar de "estética". Lo que sí afirmaré es que en cada una de las historias hallaremos reciprocidad, ellas también nos leerán, nos descubriremos de 35 diferentes formas. Por allí rezan las recetas para escribir cuentos que "un buen cuento es el que no se olvida", de ser así, estos 35 relatos cumplen la sentencia, ya que se apoderan de nuestra imaginación para trasladarnos más allá de siete hipotéticas fronteras. Al igual que el "cas" costarricense, el "vaho" nicaragüense, los "plátanos" panameños, las "baleadas" hondureñas, el "coco" beliceño o los "tamalitos" guatemaltecos nos ofrecen diferentes experiencias al paladar, cada uno de los relatos ofrece un gusto singular. No señalo lo anterior por el sentido "tradicional" o "folklórico" a que nos refieren, sino por la atmósfera recreada en los relatos y que a mí, explorador centroamericano, me atrapó.

Cada relato está construido con particulares recursos de sus autores, los cuales, a través de sus narradores y por medio de sus personajes, transitan por diversos discursos. Tanto en la estructura de los relatos, como las estrategias discursivas, son distintos: héroes algunos, muchos otros antihéroes, víctimas o antagonistas, la construcción del lenguaje y sus diferencias y similitudes entre los países, los finales inesperados o los inicios originales; todos estos elementos de sus narraciones conforman extraordinarias muestras representativas de la región.

Como dice el descuartizador… vamos por partes

La muestra de escritores salvadoreños que incluye a Melitón Barba, Horacio Castellanos Moya, Jacinta

Escudos, Mauricio Orellana, Claudia Hernández y Rafael Menjívar Ochoa puede catalogarse como una serie de relatos que ofrecen discursos de la violencia y el desenfado, relatos en los que los personajes atraviesan por extrañas circunstancias cotidianas, narradas directamente y con un lenguaje preciso. Estos narradores tienen una especie de "colmillo" literario para dominar sus historias, para aferrarse a los personajes y conducirlos a situaciones extremas. Esta característica logra que los lectores se identifiquen plenamente con los relatos. Quizá, el autor con más proyección internacional sea Castellanos Moya, muchas de sus obras han sido traducidas a varios idiomas, y algunas de sus novelas publicadas por editoriales españolas y mexicanas. A mi juicio, es uno de los autores centroamericanos más leído en Europa y México.

La muestra de Honduras está integrada por Julio Escoto, Roberto Castillo, Galel Cárdenas, Marta Susana Prieto y Rocío Tabora. En los relatos de estos autores encontramos discursos de la guerra, surrealistas, académicos, personajes de fábulas, y, en el caso de Tabora, un singular relato sobre la menstruación, logrado a través del discurso feminista. Estos cinco autores hondureños ofrecen, entre otras estrategias, la experimentación y la exploración tanto en el lenguaje como en el ambiente en el que los personajes transitan. En la muestra habíamos tomado en cuenta a Roberto Quesada, otro de los autores representativos, pero finalmente no tuvimos acceso a su relato.

Los cuentistas de la muestra nicaragüense son: Sergio Ramírez, Nicasio Urbina, Erick Aguirre, Leonel Delgado Aburto y Eunice Shade. Los relatos incluidos están construidos con elementos fantásticos, con discursos a propósito del deporte, específicamente del béisbol, la temática de la migración hacia Costa Rica y sus implicaciones, y el tema de la violencia contra la mujer. El lenguaje de los escritores es como una herramienta bien aceitada y calibrada con la que escriben las palabras precisas, casi al ritmo de la poesía. Los hechos ocurren tan rápido que apenas percibimos la situación de ser conducidos de la mano del narrador hasta el punto final para que nosotros mismos reinventemos las historias. Sin lugar a dudas, Ramírez es el autor de mayor proyección internacional, tanto en novela, como cuento y ensayo. Puedo asegurar, sin temor a equivocarme, que sus relatos son de aquellos que jamás se olvidan. Tal el caso de *Charles Atlas también muere*, uno de su relatos más antologados.

Los relatos panameños incluidos son autoría de Enrique Jaramillo Levi, Beatriz Valdés, Consuelo Tomas y Gloria Melania Rodríguez. Respectivamente ofrecen discursos de lo fantástico, lo histórico, lo femenino y lo cotidiano. Si bien ninguno de ellos se percibe como claro heredero de la experimentación de Rogelio Sinán, todos construyen sus relatos sin hacer concesiones —ni de forma ni de contenido— al lector. La extensión de los relatos varía, pero la intensidad con la que se desplazan los personajes de un lugar a otro y el rigor con el que están construidos es una constante. Jaramillo Levi es el autor con más producción literaria y sin lugar a dudas, el autor panameño más conocido internacionalmente. Su trabajo abarca también los estudios y los ensayos. Estuvo a cargo de una de las últimas antologías publicadas: *Pequeñas Resistencias II*, editada en España por la editorial Páginas de Espuma.

Costa Rica está representada por los cuentos de Rodrigo Soto, Dorelia Barahona, Alexánder Obando, Uriel Quezada y Sergio Muñoz. Los relatos abordan cotidiano a partir de encuentros fantásticos, como ocurre con los textos de Soto y Barahona. En el caso de Obando y Quezada, nos encontramos frente a textos en los que se aborda el erotismo a partir del complejo de Edipo, uno y de la homosexualidad, el otro. El de Muñoz, es un relato breve, que asume el discurso de la violencia urbana y la traición. Estos cinco narradores precisan de dos elementos como fórmulas para sus relatos; el lenguaje y la fábula. Narran desde una perspectiva distinta, desde una Costa Rica que ve más hacia el sur que hacia el norte; sus personajes rompen las barreras de la localidad y se extienden por espacios fuera de cualquier referente; además, las historias son un *plus*, pues su protagonismo en los relatos las convierten en personajes. Existen otros narradores costarricenses contemporáneos, como Carlos Cortés, Adriano Corrales, Carlos Villalobos, entre otros, que también poseen interesantes textos de narrativa corta publicados.

David Nicolás Ruiz Puga es el autor beliceño que se incluye en esta muestra. Ruiz Puga construye sus relatos a partir de una visión costumbrista y con un lenguaje, en el caso de sus textos en español, cercano al criollismo. La temática de sus relatos toca a personajes que viven en espacios rurales y que atraviesan por situaciones fantásticas originadas en la tradición oral.

Finalmente, Guatemala. La muestra incluye a Rodrigo Rey Rosa, Franz Galich, Carlos Paniagua, Víctor Muñoz, Mildred Hernández, Javier Mosquera, Estuardo Prado, Lorena Flores y Francisco Alejandro Méndez. La temática de los textos transcurre en espacios urbanos. Cuentos como el de Rey Rosa y Méndez tienen animales como protagonistas; mientras que los relatos de Muñoz, Hernández y Flores muestran aspectos relacionados con la violencia contra la mujer y la voz de los protagonistas adopta un discurso feminista. Galich utiliza el lenguaje para recrear la oralidad y los acontecimientos que atraviesa su personaje están relacionados con lo popular y lo irónico. En Mosquera encontramos otros discursos elaborados partiendo del lenguaje como protagonista, donde existe una clara intertextualidad con los autores y acontecimientos. El discurso de lo contracultural, se descubre en Prado, además, su relato también ofrece una visión de la realidad paralela creada por el uso de drogas. Estos nueve narradores pareciera que "toman" la estafeta que ya "entregaron" autores como Monterroso y Monteforte. Su narrativa es sumamente aguda; los personajes transitan por situaciones que parecieran inverosímiles, pero que se asumen como reales, hasta que los lectores las reconstruyen las veces necesarias para descubrirlas. De nuevo la historia toma un papel protagónico y forma parte determinante del relato. Nos encontramos con narradores incisivos, con palabras e historias que se insertan en la conciencia del lector en el momento menos pensado.

Sin lugar a dudas, el escritor guatemalteco de más reconocimiento internacional en la actualidad es Rodrigo Rey Rosa, cuya obra ha sido traducida a más de 10 idiomas. Otros narradores guatemaltecos con una importante producción cuentística, pero que no hemos incluido son: Ronald Flores, Javier Payeras, Gloria Hernández, Eduardo Juárez, Jessica Masaya, Arnoldo Gálvez, Juan Carlos Lemus, Gustavo Montenegro, Maurice Echeverría y Eduardo Halfon.

Todos los autores incluidos cuentan con una destacada presencia en la región centroamericana, ya sea porque su obra haya trascendido y obtenido importantes premios en sus países y fuera de ellos (Ramírez, Rey Rosa, Castellanos Moya, Jaramillo Levi), como si han construido una obra consolidada y comienzan a ser publicados fuera de sus países (Soto, Castillo, Barahona, Claudia Hernández, Escudos); o porque han tenido una buena recepción en sus países (Escoto, Víctor Muñoz), o finalmente porque son autores noveles nacidos en los 70, algunos con apenas un libro publicado y que se perfilan con una importante proyección hacia un futuro próximo (Melania Rodríguez, Rocío Tabora, Lorena Flores y Shade).

Finalmente, al hacer un breve análisis transversal, descubrimos que el tema de la guerra es poco recurrente en esta muestra, quizá en los relatos de Escoto, lo encontramos de manera central, pero a partir de la nostalgia que sienten los protagonistas que participaron en ella. También lo relacionado con lo urbano, y la ciudad como espacio de poder, lo encontramos en los relatos de Sergio Muñoz, Víctor Muñoz y Carlos Paniagua. Los animales como protagonistas o como un recurso de terror, incluso de la sexualidad, aparecen en los relatos de Jacinta Escudos, Marta Susana Prieto, Rodrigo Rey Rosa, Nicasio Urbina y Francisco Alejandro Méndez.

Estoy seguro que faltan muchos narradores y narradoras en esta antología. Los criterios son infinitos. Corresponde ser insistentes con las investigaciones y publicaciones que sirvan de instrumento para continuar con el proceso expresivo que inicia con la idea del escritor traducida a texto y termina en manos del lector. Yo, por mi parte, me doy por satisfecho y parafraseo a Cabrera Infante cuando responde, al igual que Pilatos: y los demás... ya no me acuerdo de ellos.

En fin, no me queda ninguna duda de que se ofrece un claro panorama de los diversos discursos, estrategias y campos en los que autores y autoras de América Central elaboran sus relatos. Siempre ha habido un tiempo para contar, para relatar, pero hoy más que nunca, en los inicios del siglo XXI, es cuando más se precisa de un tiempo para narrar.

Francisco Alejandro Méndez

Breves biobibliografías
de los autores antologados

Eric Aguirre Aragón (Managua, Nicaragua.1961) Poeta, narrador, crítico y periodista. Algunas obras publicadas: *Pasado meridiano* (poesía, *1995*). *Un sol sobre Managua* (novela,*1998*). *Conversación con las sombras* (poesía, 2000). *Con sangre de hermanos* (novela, *2002*). *Juez y parte. Sobre literatura y escritores nicaragüenses contemporáneos* (ensayo, 1999). *La espuma sucia del río. Sandinismo y transición política en Nicaragua* (ensayo, 2000). *Subversión de la memoria. Tendencias en la narrativa centroamericana de postguerra* (ensayo, 2005). *Las máscaras del texto. Proceso histórico y dominación cultural en Centroamérica* (ensayo, 2006). El cuento *Como en la guerra* es inédito.

Dorelia Barahona (Madrid, España. 1959) Poeta, narradora, guionista y pintora. Algunas obras publicadas: *De qué Manera te olvido* (novela, 1990); *Noche de bodas* (cuentos, 1994); *Retrato de mujer en terraza* (novela, 1995); *La edad del deseo* (poesía, 1996); *La mano de Sandomingo* (cuento, 2003); *Los deseos del mundo* (novela, 2006). Ha sido incluida en dos antologías de narrativa costarricense y una de poesía. Ha integrado la *Antología de narrativa femenina hispana*, compilado por la Universidad de Carolina del Norte en inglés. El cuento *La señorita Florencia* se tomó de la obra homónima (cuento, 2003).

Melitón Barba (San Salvador, El Salvador. 1925-2001) Narrador. Algunas obras publicadas: *Todo tiro a jon* (cuento, 1984); *Cuenta la leyenda que...* (cuento,1985); *Olor a muerto* (cuento,1986); *Puta vieja* (cuento,1987); *Cartas marcadas* (cuento,1989); *Hermosa cosa maravillosa* (cuento,1991); *La sombra del ahorcado* (cuento, 1994); *Alquimia para hacer el amor* (cuento,1997); *En un pequeño motel (cuento 2000)*. El cuento *Puta vieja* se tomó de la obra homónima.

Horacio Castellanos Moya (Tegucigalpa, Honduras. 1957) Poeta, narrador y periodista. Algunas obras publicadas: *Poemas* (1978); *La margarita emocionante* (antología poética 1979); *¿Qué* *signo es usted niña Berta?* (cuento, 1981); *Perfil de prófugo* (cuento, 1987); *La diáspora* (novela 1988); *El gran masturbador* (cuento, 1993); *Recuento de incertidumbres. Cultura y transición en El Salvador* (ensayo, 1993); *Con la congoja de la pasada tormenta* (cuento, 1995); *Baile con serpientes* (novela, 1995); *El asco. Thomas Bernhard en El Salvador* (novela, 1997); *La diabla en el espejo* (novela, 2000); *El arma en el hombre* (novela, 2001); *Donde estén ustedes* (novela, 2003); *Desmoronamiento* (novela, 2007) Sus relatos han sido traducidos e incluidos en antologías en Estados Unidos, Inglaterra, Alemania, El Salvador y Costa Rica. El cuento *El pozo en el pecho* se tomó de *Indolencia* (cuento, 2004).

Roberto Castillo (San Salvador, El Salvador. 1950) Narrador, editor cultural y catedrático universitario. Algunas obras publicadas: *Subida al cielo y otros cuentos* (relatos, 1980); *El corneta* (novela,1981; *El corneta/ The Bugler*, edición bilingüe preparada por Edward Waters Hood, Lanham, MD, University Press of America, 2000); *Figuras de agradable demencia* (cuento, 1985); *Filosofía y pensamiento hondureño* (ensayo,1992); *Traficante de ángeles* (cuento, 1996); *La guerra mortal de los sentidos* (novela,2002); *Del siglo que se fue* (ensayo,2005); *La tinta del olvido* (cuento, 2007). Traducido al inglés, francés, alemán y portugués. El cuento *La biblioteca entre los árboles* es inédito.

Galel Cárdenas (San Pedro Sula, Honduras. 1945) Poeta, narrador, ensayista y catedráticos universitario. Algunas obras publicadas: *Pasos de animal grande* (poesía,1986); *Poema en Nicaragua y otras partes* (poesía 1982); *Teoría y praxis de sociología de la literatura* (ensayo, 1986); *La sangre dio una sola vuelta* (cuento,1992); *Zona viva* (novela, 1993); *Llama de todos los poros* (novela, 1994); *Manual de teoría y práctica del análisis literario* (Ensayo, 1998); *Fiebre sin fin. El último gol* (novela, 1999); *Redacción general* (ensayo, 2004); *Tiempo de frío* (cuento, 2004); *Prolegómenos a un estudio generacional de la literatura hondureña* (Ensayo, 2005), *De la oscuridad a las brasas* (cuento, 2006), *Días de la palabra* (Poesía, 2006). La fábula *El sapo y sus maravillas* se tomó de *La exótica Algalia y su fabulario* (fábula, 2003).

Leonel Delgado Aburto (Jinotepe, Nicaragua. 1965) Narrador, ensayista y cineasta. Algunas obras publicadas: *Road movie* (relatos, 1996); *Márgenes recorridos: apuntes sobre procesos culturales y literatura nicaragüense del siglo XX (ensayo, 2002)*. El cuento *Aquelarre* es inédito.

Julio Escoto (Honduras, 1944) Narrador, ensayista y editor cultural. Algunas obras publicadas: *Los Guerreros de Hibulas...* (cuento, 1967); *La Balada del herido pájaro* (cuento, 1969); *El árbol de los pañuelos* (novela, 1972); *Casa del agua* (ensayos, 1974); *Días de Ventisca, noches de huracán* (novela, 1980); *Abril antes del mediodía* (cuento, 1983); *El ojo del santo: la ideología en las religiones y la televisión* (ensayo, 1990); *José Cecilio del Valle: una ética contemporánea* (ensayo, 1990); *El General Morazán marcha a batallar hasta la muerte* (novela, 1992); *Rey de albor, Madrugada* (novela, 1993). El cuento *Nidia al atardecer* se tomó de *Todos los cuentos* (cuento, 1999).

Jacinta Escudos (San Salvador, El Salvador. 1961) Poeta y narradora. Algunas obras publicadas: *Letter from El Salvador* (poemas, 1984*); Apuntes de una historia de amor que no fue* (novela, 1987); *Contra-corriente* (cuento, 1993*); Cuentos sucios* (cuento, 1997); *El desencanto* (novela 2001); *Felicidad doméstica y otras cosas aterradoras* (cuento, 2002); *A-B-Sudario*, originalmente *Memorias del año de la Cayetana* (novela, 2003). El cuento *El espacio de las cosas* es inédito.

Lorena Flores (Guatemala, ciudad.1974) Narradora. Algunas obras publicadas: *Retrato anónimo* (cuento, 2003). El cuento *Solitario doble* se tomó de *Desnudo reposo* (cuento, 2005).

Franz Galich (Amatitlán, Guatemala. 1951- Managua, Nicaragua. 2007) Narrador, ensayista, y catedrático universitario. Algunas obras publicadas: *Ficcionario inédito* (cuento, 1989); *La princesa de Ónix y otros relatos* (cuento, 1989), *Huracán corazón del cielo* (novela, 1995*); Managua Salsa City ¡Devórame otra vez!* (novela, 2000); *En este mundo matraca* (novela, 2004); *Y te diré quién eres mariposa traicionera* (novela, 2006). El cuento *Santío Pérez* se tomó de *El ratero y otros relatos* (cuento, 2003).

Claudia Hernández (San Salvador, El Salvador. 1975) Narradora y catedrática universitaria. Algunas obras publicadas: *Otras ciudades* (cuento, 2001); *Mediodía de frontera* (cuento, 2002). Ha sido antologada en España, Italia, Francia, Estados Unidos, Alemania y Guatemala. El cuento *La mía era una puerta fácil* se tomó de *Olvida uno* (cuento, 2005).

Mildred Hernández (Guatemala, ciudad. 1966) Narradora. Algunas obras publicadas: *Orígenes* (cuento, 1995*); Diario de cuerpos* (cuento, 1998). Ha sido antologada en Nicaragua, Guatemala y Panamá. El cuento *Paranoica* city es inédito.

Enrique Jaramillo Levi (Colón, Panamá. 1944) Poeta, narrador, ensayista, crítico literario y catedrático universitario. Prolífico autor con más de 45 libros publicados. Algunas obras publicadas: *Duplicaciones* (cuento,1973); *El búho que dejó de latir* (cuento, 1974*); Ahora que soy él* (cuento,1985); *El fabricante de máscaras* (cuento, 1992); *Tocar fondo* (cuento, 1996); *La minificción en Panamá* (ensayo, 2003); *Pequeñas resistencias 2: Antología del cuento centroamericano contemporáneo* (2004); *Panamá cuenta* (antología, 2005); *Sueño compartido* (antología, dos tomos, 2005); *Manos a la obra y otras tenacidades y desmesuras*(ensayo, 2004); *Gajes del oficio*(ensayo, 2007); *En un instante y otras eternidades* (cuento, 2006); *Gato encerrado* (cuento, 2006*); Cuentos enigmáticos* (cuento, 2006). Sus cuentos han sido incluidos en 23 antologías de narrativa hispanoamericana, y traducidos en Alemania, Austria, Polonia, Hungría, Francia, Brasil y Estados Unidos. El cuento *Su secreto* se tomó de *La agonía de la palabra* (cuento, 2006).

Francisco Alejandro Méndez (Guatemala, ciudad. 1964) Narrador y periodista. Algunas obras publicadas: *Graga y otros cuentos* (cuento, 1991); *Manual para desaparecer* (cuento, 1997*); Sobrevivir para contarlo* (cuento, 1999); *Crónicas suburbanas* (cuento, 2001); *Ruleta Rusa* (cuento, 2001); *Completamente inmaculada* (novela, 2002); *América Central en el ojo de sus críticos* (ensayo, 2005); *Hacia un nuevo canon de la vanguardia en América Central* (ensayo 2006). Ha sido antologado en cuatro ediciones españolas de cuentistas hispanoamericanos. El cuento *Míster Winston* se tomó de *Reinventario de ficciones. Catálogo marginal de bestias, crímenes y peatones* (cuento, 2004, 2006).

Rafael Menjívar Ochoa (San Salvador, El Salvador. 1959) Narrador, periodista y traductor. Algunas obras publicadas: *Historia del traidor de nunca jamás* (novela, 1985); A*lgunas de las muertes* (poesía, 1986); *Los años marchitos* (novela, 1990); *Terceras personas* (cuento, 1996); *Los héroes tienen sueño* (novela, 1998); *Manual del perfecto transa* (ensayo, 1999); *De vez en cuando la* *muerte* (novela, 2002), *Instrucciones para vivir sin piel* (novela traducida al francés, 2005, inédito en español); *Un buen espejo* (novela, 2005), *Trece* (novela, 2003; Francia, 2006), *Cualquier forma de morir* (novela, 2006) y *Tiempos de locura. El Salvador 1979-1981* (ensayo, 2006). Sus cuentos aparecen en antologías en Francia, Alemania, Italia, España y México. El cuento *El cubano* se tomó de la obra inédita *Un mundo en el que el cielo cae y cae.*

Javier Mosquera Saravia (Guatemala, ciudad. 1961) Narrador y catedrático universitario. Algunas obras publicadas: *Dragones, escaleras y otros cuentos* (cuento,2002); *Angélica en la ventana* (cuento,2004). El cuento *El domingo hay que consagrarlo al Señor* se tomó de *Laberintos y rompecabeza* (cuento,2005).

Sergio Muñoz Chacón (San José, Costa Rica. 1963) Narrador. Algunas obras publicadas: *Los Dorados* (novela, 2000); *De Soledades e historias en tiempo de claveles* (cuentos, 2002); *Un cumpleaños tranquilo* (cuento, 2004). El cuento *La traición* se tomó de *Urbanos* (cuentos, 2002).

Víctor Muñoz (Guatemala, ciudad. 1950) Narrador. Algunas obras publicadas: *Atelor, su mamá y sus desgracias personales* (cuento, 1980)*; Lo que yo quiero es que se detenga el tren* (cuento, 1983)*; Instructivo Breve para matar al perro* (cuento, 1986); *Serie de relatos entre los que se encuentra el famoso relato breve mediante el cual se da a conocer la fuerza del cariño aplicada a un caso concreto, pero ya probablemente perdido* (cuento, 1988); *Todos Queremos de Todo* (novela, 1995)*; Cuatro relatos de terror y otras historias fieles* (cuento, 2001); *Sara sonríe de último* (novela, 2001); *Collado ante las irreparables ofensas de la vida* (novela, 2004). El cuento *La segunda resignación* se tomó de *Posdata: ya no regreso* (cuento, 2006).

Alexánder Obando (San José, Costa Rica.1958) Poeta y narrador. Algunas obras publicadas: *Instrucciones para salir del cementerio marino* (antología cuentos, 1991); *El más violento paraíso,* (novela, 2001); *Canciones a la Muerte de los niños (novela, 2007).* El *cuento Caída libre* es inédito.

Mauricio Orellana Suárez (San Salvador, El Salvador. 1965) Narrador y ensayista. Ha publicado *Zósimo y Geber* (cuento, 1995); *Gavidia: catador de lo eterno: voluntad de síntesis e* *integración* (ensayo, 1997); *Te recuerdo que moriremos algún día* (novela, 2001). El cuento *Bitácora: insomnio* es inédito.

Carlos Paniagua (Guatemala, ciudad. 1965) Narrador. Obra publicada: *Informe de un suicidio* (cuento, 1993). El cuento *La muñeca* se tomó de la obra mencionada.

Estuardo Prado (Guatemala, ciudad.1971) Narrador. Algunas obras publicadas: *La Estética del Dolor* (cuento,1998); *El libro negro* (cuento, 2000); *Los amos de la noche* (cuento, 2001). El cuento *La conciencia* se tomó de *Vicio-nes del Exceso* (cuento, 1999).

Marta Susana Prieto (Puerto Cortés, Honduras) Narradora. Algunas obras publicadas: *Melodía de Silencios* (novela,1999); de *Animalario* (cuento, 2002); *Memoria de las Sombras* (novela, 2005). El cuento *Animalario* se tomó de la obra homónima.

Uriel Quesada (San José, Costa Rica. 1962) Narrador. Algunas obras publicadas: *Ese día de los temblores* (cuento, 1985); *El atardecer de los niños* (cuento, 1990); *Larga vida al deseo* (1996); *Si trina la canaria* (novela, 1999); *Lejos, tan lejos* (cuento, 2004); *El gato de sí mismo* (novela, 2005). El cuento *Lejos tan lejos* se tomó de la obra homónima.

Sergio Ramírez (Masatepe, Nicaragua. 1942) Narrador, ensayista y crítico literario. Prolífico autor con más de 34 libros publicados. Algunas obras publicadas: *Cuentos* (1963); *Nuevos cuentos* (1969); *Tiempo de fulgor* (novela, 1970);*De tropeles y tropelías* (cuento, 1972); *El cuento centroamericano* (antología, 1974); *El pensamiento vivo de Sandino* (recopilación, 1975); *Charles Atlas también muere* (cuento, 1976*); El cuento nicaragüense* (antología, 1976); *¿Te dio miedo la sangre?* (novela, 1977); *El alba de oro* (ensayo, 1983); *Seguimos de frente* (ensayo, 1985); *Balcanes y volcanes* (ensayo, 1985); *Las armas de futuro* (ensayo,1987); *Castigo Divino* (novela, 1988); *Margarita, está linda la mar* (novela, 1988); *Clave de sol* (cuento, 1992); *Cuentos* (recopilación, 1994); *Oficios compartidos* (ensayo, 1994); *Un baile de máscaras* (novela, 1995); *Cuentos completos* (cuento, 1997); *Mentiras verdaderas* (ensayo,2001); *Sombras nada más* (novela, 2002); *El viejo oficio de mentir* (ensayo, 2004); *Mil y una muertes* (novela,

2004); *Señor de los tristes* (ensayo, 2006); *El reino animal* (cuento, 2006). El cuento *Aparición en la fábrica de ladrillos* se tomo de *Catalina y Catalina* (cuento, 2001).

Rodrigo Rey Rosa (Guatemala, ciudad. 1958) Narrador. Algunas obras publicadas: *El cuchillo del mendigo* (cuento, 1986); *Cárcel de árboles* (novela, 1991); *El salvador de buques* (novela, 1992); *Lo que soñó Sebastián* (novela, 1994); *El cojo bueno* (novela, 1996); *Que me maten si...* (novela, 1996); *Ningún lugar sagrado* (cuento, 1998); *La orilla africana* (novela, 1999); *Piedras Encantadas* (novela, 2001); *El tren de Travancore, cartas indias* (novela, 2001); *Otro zoo* (cuento, 2005); *Caballeriza* (novela, 2006). El cuento *La prueba* se tomó de *El agua quieta* (cuento, 1990).

Gloria Melania Rodríguez (Panamá.1981) Narradora y crítica literaria. Algunas obras publicadas: *Cartas al editor* (cuento, 2006). El cuento *Después de tanta lengua* se tomó de la obra mencionada.

David Nicolás Ruiz Puga (Belice. 1966) Narrador. Algunas publicaciones: *Old Benque* (cuento, 1990); *Got seif the Cuin!* (novela, 1995); *Jonás Matapalo* (cuento infantil, 2002). El cuento *La señal* se tomó de *La visita* (cuento, 2000).

Eunice Shade (Guadalajara, México.1980) Poeta, narradora, editora, periodista. *Retrato de Poeta con joven errante* (antología poética, 2005); *Trilces Trópicos* (antología poética, 2006) *El texto perdido* (cuento, 2007). El cuento *Obituario para Rizú* es inédito.

Rodrigo Soto (San José, Costa Rica. 1962) Poeta y narrador. Algunas obras publicadas: *Mitomanías* (cuento, 1983); *La estrategia de la araña* (novela, 1985); *Colección del sótano* (gráfica y literatura, 1989); *La muerte lleva anteojos* (poesía, 1990); *Mundicia* (novela, 1992); *La torre abolida* (cuento, 1994); *Dicen que los monos éramos felices* (cuento, 1996); *Figuras en el espejo* (cuento, 2001); *Damocles y otros poemas* (poesía, 2003); *El nudo* (novela, 2004). El cuento *Reunión* se tomó de *Floraciones y desfloraciones* (cuento, 2006).

Rocío Tabora (Santa Rosa de Copán, Honduras. 1964) Narradora y ensayista. Algunas obras publicadas: *Masculinidad y violencia en la cultura política hondureña* (ensayo, 1995); *Cultura desnuda: apuntes sobre género, subjetividad y política* (ensayo, 1999); *Guardarropa* (cuento, 1999). El cuento *Toque de queda* se tomó de *Cosas que rozan* (cuentos, 2001).

Consuelo Tomás (Bocas del Toro, Panamá. 1957) Poeta y narradora. Algunas obras publicadas: *Y digo que amanece* (poesía, 1979); *Confieso estas ternuras y estas rabias* (poesía, 1983); *Las preguntas indeseables* (poesía, 1984); ; *Apelaciones* (poesía, 1993); *Motivos generales* (poesía, 1992); *El cuarto Edén* (poesía, 1995); *Agonía de la reina* (poesía, 1995); *Inauguración de la fe* (cuento, 1995); *Libro de las propensiones* (poesía, 2000); *El evangelio según San Borges* (teatro, 2004). El cuento *Todas las mujeres, la misma* se tomó de *Cuentos rotos* (cuento, 1992).

Nicasio Urbina (Buenos Aires, Argentina. 1958) Poeta, narrador, crítico literario y catedrático universitario. Algunas obras publicadas: *El libro de las palabras enajenadas* (cuento, 1991); *La significación del género: estudio semiótico de las novelas y ensayos de Ernesto Sábato* (ensayo, 1992); *La estructura de la novela nicaragüense: análisis narratológico* (ensayo, 1996); *Sintaxis de un signo* (poesía, 1995); *El ojo del cielo perdido* (cuento, 1999); *Sangre en el trópico* del escritor Hernán Robleto (edición crítica, 2000); *Miradas críticas sobre Rubén Darío* (ensayo, 2005). El cuento *El corsario* se tomó de *Sol de media noche* (cuento, 2004).

Beatriz Valdéz (Panamá, ciudad. 1940) Narradora y periodista. Algunas obras publicadas: *Yukio Mishima: seda y acero* (ensayo, 1986); *Nada personal*(cuento,1986); *Suceso en la posada del Cocks* (cuento, 1994); *Me acordé de ti* (cuento,1994); *La estrategia del escorpión* (cuento,1997). El cuento *La estrategia del escorpión* se tomó de la obra homónima.

COLECCIÓN
Mar de tinta
letras centroamericanas

Este libro se terminó de imprimir
octubre de 2008
en Guatemala, C.A.